LIMOUSIN
ROMAN

Jean Maury
  Agrégé de l'Université

Marie-Madeleine S. Gauthier
  Bibliothécaire de la Bibliothèque municipale de Limoges

Jean Porcher
  Conservateur en chef du cabinet des manuscrits
  à la Bibliothèque nationale

Photographies inédites de Pierre Belzeaux

LIMOUSIN

Traduction allemande de Dom Albert Delfosse osb

Traduction anglaise de Mrs. Pamela Clarke

ROMAN

MCMLX ☩
ZODIAQUE
la nuit des temps

PRÉFACE

AU seul nom de Limousin Roman qui ne songerait invinciblement aux émaux, tant ceux-ci ont déjà connu à Limoges une faveur spéciale durant le Moyen-Age ? Et pourtant ce serait trahir la vérité que de réduire à ces seuls témoignages, éparpillés tout au long de la chrétienté d'alors — aujourd'hui dans le monde — les aspects de l'expansion, sinon de l'influence, de l'art roman en Limousin.

Bien qu'elle soit austère parce que faite de granit — le matériau local — bien qu'elle trahisse aussi une saveur populaire, une rusticité familière nullement sophistiquée — ce qui la rend d'ailleurs d'autant plus attachante — l'architecture limousine à l'époque romane ne doit pas être oubliée pour autant. Les édifices ici retenus suffiront, pensons-nous, à en convaincre. Sans doute ne jouissent-ils pas du renom qu'ils mériteraient, les meilleurs d'entre eux du moins. Car Beaulieu abrite, derrière son portail, une église digne d'être visitée pour elle-même ; Solignac offre la beauté simple — mais combien rigoureuse et parfaite — de ses proportions, de ses volumes ; Saint-Léonard, Chambon,

Saint-Junien, savent découvrir à qui dépasse l'aridité des premiers contacts, bien des richesses cachées — bonheur des perspectives, puissance des formes, ampleur des espaces — mille trésors secrets mais réels ; Le Dorat réunit en une synthèse exemplaire les trouvailles de l'architecture romane limousine et, du portail Ouest à la crypte, réserve des joies profondes au visiteur que ne saurait rebuter un langage réduit à l'essentiel.

Saint-Martial, centre du Limousin Roman, revit ici par la vertu de quelques-uns de ses manuscrits les plus célèbres, les plus précieux. Quant à l'orfèvrerie, elle vient parer les églises limousines d'une richesse et d'un éclat incomparables. Une fois de plus nous avons tenté de multiplier la couleur à son sujet tant elle semblait ici s'imposer. Mais rien ne saurait dispenser d'un contact vivant avec les objets authentiques, les splendeurs originales.

Que, derrière l'austérité de l'église externe, se révèlent tant de beautés, tant de richesses, voilà bien — on l'avouera — qui fait du Limousin Roman une image saisissante et vraie des réalités spirituelles qu'il évoque.

7

PRÉSENTATION

« *Cette image d'un enfant qui, le front collé contre la vitre, un livre abandonné aux mains et l'œil plein de regret regarde avec ennui au soleil du dehors des amusements dont il n'a point sa part, je l'aime, elle m'attendrit, elle symbolise à mes yeux toute ma jeunesse studieuse et captive... Seuls de loin en loin sur cette route grise, quelques jeudis formaient relais. Si mon père avait un bornage à faire ou quelque contestation d'héritages à régler entre deux paysans, il m'emmenait pour tenir la chaîne. Chemin faisant nous repassions bien un peu d'histoire ou de grammaire à la volée. Mais le reste du temps je pouvais du moins reposer sur la fraîcheur des verdures mon regard fatigué de lectures et de livres.*

Vues brèves et par échappées ! Et pourtant c'est bien un peu au Limousin que je dois ce que je suis devenu, et nul doute que l'influence de mon pays ne soit à retenir parmi d'autres plus directes et plus précises. Comment exprimer en effet tout ce que m'enseigna ce paysage ? Ce ciel clément, ces bois profonds de châtaigniers, ces prairies escarpées que coupent des fils d'eau, ces miroirs tranquilles des « serves » où se mouille l'image des nuées, ces pays de mauves bruyères, ces vallons d'un bleu de fumée tout peuplés d'invisible entretenaient avec mon cœur de vifs et frais dialogues. A toute occasion, ne me montraient-ils pas l'énergie de nos « pieds-terreux », la grave tranquillité de nos pâtres, le courage, le calme et la simplicité, toutes les solides vertus de nos vies limousines ? Et comment n'aurais-je pas ressenti leur action, alors que l'étranger qui passe d'un seul regard jeté subit leur charme heureux ? »

Que l'on ne s'étonne point d'une telle citation en tête de ce volume. Voici plusieurs années que nous le méditons. D'avance, nous nous faisions une joie de le remettre, frais encore, à peine sorti de l'atelier du relieur, entre les mains de notre père, l'écrivain Jean Nesmy, auteur des lignes qu'on vient de lire, dont le cœur, jusqu'à la fin, resta si attaché à son Limousin corrézien, sa terre natale.

Les images romanes ici groupées, nous soupçonnions d'avance quelle joie et quelle fierté elles susciteraient en lui, jusqu'à lui faire oublier peut-être les rigueurs d'une enfance à laquelle nous sommes redevable du meilleur de nous-même.

Ce pauvre hommage à la mémoire d'un père que Dieu a rappelé à lui avant que nous ayons pu lui donner ce frêle bonheur ici-bas, le lecteur voudra bien l'excuser et le comprendre. Le Limousin Roman a pour nous un visage : il évoque le regard d'un être aimé.

PAGE PRÉCÉDENTE :

LE CHEVET DE L'ÉGLISE DE BEAULIEU
VU DU NORD-EST

CI-CONTRE :

DÉTAIL DE LA CHASSE ÉMAILLÉE DE SAINT
ÉTIENNE DE GIMEL: TORSE DE SAINT PIERRE

PAGE SUIVANTE :

BIBLE DE SAINT-MARTIAL DE LIMOGES
(BIBLIOTHÈQUE NATIONALE LAT. 5
TOME 2, FOLIO 134) CANON DES ÉVANGILES

CĀNX IN QVO MṬ PROPRIE : CĀNX LUC̄ PROPRIE

MĀR	LUC̄	LGC̄
XXVIII	III	CCVIII
XXXV	V	CCVIIII
XLIII	VIIII	CCXI
XLVI	XIIII	CCXIIII
LVIII	XX	CCXXVIII
	XXX	CCXXVIIII
LXV	XXXI	CCXXXII
LXX	L	CCXXXVIII
LXXXI	LI	CCL II
LXXXVIII	LVIIII	CCLVIII
	LXI	CCLXVI
XC	LXIII	CCLXVIII
XCIII	C VII	CCLXXII
CI	C VIII	CCLXXVII
CVIII	CXVII	CCLXXXVII
	CXXVIII	CCXCVIII
CXXVII	CXXXI	CCCI
CXXXVIII	CXL VIII	CCCVI
CLXXXVI	CL IIII	
CCXIII	CLXIII	CCCXXVI
CCXXXV	CLXIIII	CCCXXXI
	CLXVI	CCCXXXVI
	CLXVIII	CCCXXXXIII
	CLXXII	CCCXXXXVI
	CLXXVII	CCCXLVI
	CLXXXVII	CCCXL VII
	CXCVIII	
	CCCI	
	CCCVI	
	CXVI	

FINIT CANON
DECIM: IN QVO
MṬ PROPRIE :

FINIT CĀN X. IN QVO
LVCAS PROPRIE

TABLE

Le Dorat

Manuscrits

Orfèvreries

L'ART ROMAN EN LIMOUSIN

Le Limousin est le territoire gallo-romain des *Lemovices*. Ses plateaux, granitiques ou schisteux, s'étagent depuis les hautes landes de Millevaches qui confinent à l'Auvergne, jusqu'aux régions bocagères qui surplombent les Charentes ; ils sont bornés au Nord par le Berry, au Sud par le Quercy et le Périgord. Des alignements de lourdes croupes prolongent les gradins supérieurs au travers des portions mieux pénétrables, y constituant des zones d'isolement. Les vallées, tributaires de la Loire ou de la Garonne, déterminent les axes principaux de circulation ; nombreuses et profondément encaissées dans le vieux socle, elles opposent à sa monotonie leur pittoresque accidenté. Le climat humide favorise surtout l'élevage ; la culture est restée tardivement médiocre, la forêt jadis a couvert de vastes surfaces. Seul contraste le bassin de Brive, dont le sol plus fertile et le ciel plus clément justifient le surnom de « porte du Midi ». Le peuplement, dispersé mais peu dense et sollicité par l'émigration, est foncièrement rural : pas de grande ville hormis Limoges, placé au carrefour des voies reliant le Bassin Parisien au Languedoc, Lyon à la côte atlantique.

Très anciennement habité, pénétré par la colonisation romaine et ses routes, occupé par les Wisigoths, le Limousin fut rattaché tantôt aux royaumes francs d'Austrasie ou de Neustrie, tantôt au duché d'Aquitaine. La reconquête de ce dernier par Pépin le Bref l'éprouva durement, puis les Normands le ravagèrent à leur tour. Pendant ces siècles tourmentés, c'est la vie religieuse du pays qui compte pour préparer sa physionomie future. Certes, en dépit des vives polémiques soulevées plus tard à propos de la mission « apostolique » de saint Martial, l'évangélisation ne dut guère débuter avant le IIIe siècle ;

le paganisme persista longtemps dans les campagnes. Mais, aux VIᵉ et VIIᵉ siècles, des paroisses sont créées sur les grands domaines, des monastères tels que Solignac fondés, bases primordiales du défrichement et de la vie intellectuelle. Plus nombreux encore sont les ermites qui se fixent dans les solitudes boisées : outre saint Léonard, saint Amand et saint Junien, il faut citer ceux de la Marche, saint Sylvain d'Ahun, saint Goussaud, saint Pardoux. Et saint Marien en Combraille, saint Psalmet à Eymoutiers... Comme l'Irlande contemporaine le Limousin d'alors est une « terre des saints ». Des bourgades vont naître sur la tombe de ces protecteurs locaux, dont le culte, non toujours exempt de pratiques superstitieuses, persistera au cœur des traditions spirituelles, ou même leur survivra...

L'époque féodale introduit son habituel morcellement. Le duc d'Aquitaine est représenté à Limoges par un vicomte qui profite des luttes entre les maisons rivales de Toulouse et de Poitiers pour se rendre indépendant. A cet exemple, les familles de Comborn, de Ventadour, de Turenne, d'Aubusson, de Rochechouart s'émancipent ; elles couvrent le pays de châteaux-forts, en particulier sur ses lisières méridionales moins bien défendues naturellement. Le Nord échappe aux vicomtes pour former la Marche, plus tournée vers le Poitou : la langue d'oïl s'y diffuse, tandis que le reste du Limousin conserve le parler d'oc. Batailleuse, la noblesse répond d'enthousiasme à l'appel d'Urbain II qui prêche à Limoges en décembre 1095 et elle fait brillante figure à la Première Croisade ; moins zélée ensuite, elle demeure pourtant représentée dans la plupart des expéditions. La province, passée aux Plantagenêt par le divorce de Louis VII, verra se dérouler plus d'un épisode du conflit entre Philippe-Auguste et Richard Cœur de Lion, avant que celui-ci ne tombe mortellement blessé au siège de Châlus en 1199.

Dans la confusion des seigneuries laïques, les puissances d'Église acquièrent une importance souvent prépondérante. Le diocèse, jusqu'à l'érection de celui de Tulle en 1317, engloba les départements actuels de la Haute-Vienne, de la Creuse et de la Corrèze ; jusqu'à la fin de l'Ancien Régime, il comprendra même les arrondissements de Confolens et de Nontron. L'Evêque, qui ne relève pratiquement de personne, possède un riche patrimoine, groupé surtout au centre du territoire, et nombre de seigneurs lui doivent hommage. A Limoges, il est suzerain de la « Cité » qui environne la cathédrale, le vicomte gouvernant la ville haute ou « Château » ; l'un et l'autre sont fréquemment en querelle avec les moines de Saint-Martial et les bourgeois, qui changent de camp et jouent de la dualité des pouvoirs au mieux de leurs propres intérêts.

L'essor monastique est considérable. Au Moyen-Age, Limoges compte deux abbayes bénédictines d'hommes et une de femmes ; Solignac, Beaulieu, Uzerche, Vigeois, Meymac suivent aussi la règle de saint Benoît. Tous ces monastères ont de nombreux prieurés : Saint-Martial au XIIe siècle en régit 84, répartis sur douze diocèses. L'Ordre de Grandmont, fondé en 1077 par saint Etienne de Muret dans la « montagne » d'Ambazac et réputé pour son austérité, jouit de la bienveillance des princes anglo-angevins ; il se répand dans toute la France, en Grande-Bretagne, en Navarre. Aureil et l'Artige deviennent « chefs » d'ordres qui connaissent une notable expansion. Des chapitres de chanoines réguliers existent à Limoges, à Lesterps, à Saint-Junien, à Saint-Léonard, au Dorat, au Chalard, succédant parfois à des communautés proprement monacales. Les couvents ont des terres, de gros revenus ; grands bâtisseurs pour eux-mêmes, ils sont à l'origine de toute une campagne d'églises rurales au XIIe siècle. S'ils dirigent de lointaines filiales, ils voient Fontevrault et Cîteaux essaimer avec succès dans le diocèse, Charroux, Déols, la Chaise-Dieu, Aurillac y percevoir des droits et y nommer des prieurs. Les multiples échanges, l'intense brassage humain que nous révèlent les documents ne sont nulle part plus actifs que dans les centres de pèlerinage, alors à leur apogée. Les sanctuaires des saints régionaux servent en même temps de relais, de points de rencontre sur les routes du Puy ou de Compostelle ; par Saint-Léonard, peut-être aussi par Chambon, les pèlerins de Bourgogne atteignaient Saint-Martial de Limoges avant de poursuivre vers Bordeaux, Rocamadour, Moissac. Cette mobilité, caractéristique de la vie médiévale, porte avec soi et entremêle les influences les plus diverses : le Limousin, géographiquement prédestiné à son rôle d'intermédiaire, reflète dans son art la complexité des courants dont il est traversé.

Ses édifices romans frappent en effet par la variété de leurs types autant que par leur abondance. Naguère, faute de ressentir leur unité véritable, on les annexait, d'après tel trait de structure plus apparent, aux grandes « écoles » voisines, Auvergne, Poitou, Berry, Périgord. En vertu de ces divisions, souvent trop systématiques ou fondées sur des analogies partielles, la province se trouvait comme écartelée, sa personnalité méconnue. Elle est pourtant l'authentique foyer créateur d'une architecture à l'image de ses ressources naturelles et de son comportement historique. Par l'emploi quasi-général du granit elle échappe à toute copie servile de formes visiblement reçues du dehors, elle les assemble et les interprète selon son génie propre. Puissance des masses, précision châtiée des lignes, densité des supports, sobriété de l'ornement, ce sont là des valeurs communes aux monuments majeurs dont le présent ouvrage vous propose la visite. Très différents quant au parti constructif, c'est une évidence, ils cesseront de vous paraître importés des quatre coins de l'horizon si vous savez goûter ce qui les unit, comprendre comment ils font partie intégrante de leur milieu, si vous les rapprochez aussi d'une foule d'œuvres qu'il serait dommage de croire toutes secondaires parce que nous ne pouvions leur consacrer qu'une mention sur la carte ou une brève notice. C'est en profondeur qu'il faut pénétrer le pays limousin, c'est à l'amitié qu'il livre les richesses de son tempérament un peu secret ; il ne se met guère en frais pour le curieux de sensations hâtives. Vous commettriez une lourde erreur à juger que ses facultés d'expression sont appauvries ou contraintes par le dur matériau dont il dispose. Mais, au besoin, le trésor de ses miniatures, de ses orfèvreries, de ses émaux, serait là pour témoigner qu'il n'est resté insensible à aucun des aspects du songe roman, pour retracer la fécondité de ses ateliers monastiques et leur rayonnement prestigieux. A ces techniques de la couleur et de l'objet de prix une place a été réservée dans ce volume, afin d'évoquer de façon aussi complète que possible un passé qui fut grand.

De ce passé, la plus grandiose réalisation n'est aujourd'hui, hélas, qu'un souvenir : la basilique de Saint-Martial, d'où partit, semble-t-il, l'impulsion décisive pour tant d'autres chantiers, a été démolie à la Révolution et ne nous est connue que par des dessins. L'église carolingienne, incendiée au Xe siècle puis réparée, se révélant trop petite, — cinquante-deux personnes y périrent étouffées un jour de fête — l'Abbé Odolric la rebâtit plus vaste ; le nouveau chœur fut consacré en 1028. Après deux autres incendies, le grand effort qui devait aboutir à édifier « l'église de pèlerinage », annonciatrice de Saint-Sernin de Toulouse, fut mené par l'Abbé Adhémar (1064-1114), une fois le monastère pris en mains par les Clunisiens. Urbain II consacra l'abbatiale le 30 décembre 1095. Elle brûla en 1167 et l'on dut refaire les voûtes ainsi que le sommet du clocher. La base de ce dernier, dès l'époque d'Odolric, formait un porche comparable à celui de la cathédrale, encore debout quoique défiguré, qui date aussi du premier tiers du XIe siècle : quatre piles isolées des murs correspondaient à l'aplomb des étages supérieurs, construits en retrait les uns des autres. Le couronnement du XIIe siècle superposait des étages octogonaux à une souche carrée en assurant la transition par des gâbles, selon la formule déjà adoptée à Collonges et Uzerche, plus tard reprise à Saint-Léonard et Saint-Junien.

Le Limousin est pauvre en vestiges pré-romans : quelques murs peut-être gallo-romains à la crypte de la Souterraine, des fondations repérées sous le chœur de Saint-Junien, des chapiteaux d'allure carolingienne à Évaux, ne constituent qu'un matériel assez mince. Par contre, la tendance de certains archéologues à repousser jusqu'au XIIe siècle presque toutes les œuvres notables conservées ne résiste pas à un examen objectif. Les textes sont malheureusement trop rares, mais il serait arbitraire de rejeter ceux que ne dément pas la réalité concrète ou de supposer, malgré celle-ci, des reconstructions tardives que ne mentionne aucun document. A Lesterps, la base du magnifique clocher-porche et les murs de la nef peuvent se placer vers 1040 ; les piles du porche, la salle haute de la tour, les voûtes pesantes du triple vaisseau appartiennent à une seconde campagne, terminée sans doute avant 1070. Le clocher d'Evaux, les nefs initialement non voûtées de Saint-Léonard et de Chambon, le transept de Saint-Junien, gardent d'importants morceaux qu'il est raisonnable de situer vers le milieu du XIe siècle. La crypte d'Uzerche, donnée comme entreprise en 1030, est peut-être dans la région le plus vieil exemple de déambulatoire à chapelles rayonnantes qui nous soit parvenu ; le chevet qui la surmonte, consacré en 1097, montre de curieuses expériences sur la couverture des travées tournantes. Le très fruste déambulatoire de Toulx-Sainte-Croix, dans la Creuse, doit être également fort ancien. La fin du XIe siècle a probablement vu fonder l'abside de Beaulieu, qui joint à des influences venues de Conques et de Cahors celle, manifeste, de Saint-Martial dans ses tribunes voûtées en quart-de-cercle ; quelques années après, la basilique limousine inspirera le recours au même procédé pour le chœur de Chambon. Dans une conception toute différente mais simultanée, l'architecte de Saint-Junien équilibre sa nef comme celle de Lesterps, par des collatéraux étroits, tout en ouvrant sur eux d'audacieuses arcades qui dérivent de la vision en largeur chère aux provinces du Midi.

Tandis que s'élèvent ces grands édifices, une semblable recherche, puisant pareillement à toutes les sources, donne naissance à des églises moins ambitieuses, encore que de haut intérêt. Ce sont des chevets à trois absides parallèles (le Chalard, Moûtier-Rozeille), ou rectilignes (Lupersat, Rosiers-Saint-Georges) ; des nefs triples, aux piliers cruciformes (Sagnat), ou garnis de colonnes et peut-être destinés d'abord à porter une charpente (Lupersat) ; d'autres à vaisseau unique, précocement profilé en arc brisé et contrebuté par des berceaux transversaux plus ou moins profonds (Aureil, Eymoutiers, Les Salles-Lavauguyon). Les façades sont d'ordinaire très sobres (Sagnat, Lupersat, Maisonfeyne) ; leur simple pignon complète la belle austérité des masses extérieures, rythmées de contreforts plats et sans ressauts. Sculpture et moulurature sont des plus concises : imposte à chanfrein, fenêtres sans ébrasement au dehors, chapiteaux nus ou décorés de volutes et de boules d'angle sommaires, d'entrelacs, de feuilles ou de figurines très schématisées.

Il n'est donc pas douteux que, dès avant 1100, les bâtisseurs limousins n'aient acquis la pratique d'un vaste répertoire de formes. Le XIIᵉ siècle fait preuve de la même réceptivité, il continue de transposer dans le granit les modèles empruntés aux provinces limitrophes. Les absides de Châteauponsac sont précédées, comme en Berry, d'élégantes colonnades. Solignac est sans contredit la plus harmonieuse des églises couvertes par une file de coupoles, selon le mode charentais ou périgourdin. Vigeois lui ressemble, au moins par l'aménagement du très large chœur sur lequel ouvrent directement les chapelles, disposition qui s'essayait déjà à Arnac-Pompadour. Saint-Robert, avec sa tribune au-dessus du déambulatoire, maintient la notion des églises de pèlerinage ; Saint-Léonard la développe avec une

admirable ampleur, cependant que toutes les possi-
bilités de la voûte romane sont appliquées dans le
transept et la nef. Le chœur de Saint-Junien, jusqu'en son allongement au XIIIᵉ siècle, les premières
travées de la Souterraine et ce chef-d'œuvre qu'est
la collégiale du Dorat utilisent l'épaulement par les
bas-côtés, trop vite qualifié de « poitevin », alors
que Bénévent reste fidèle aux berceaux transversaux. Les très nombreuses églises rurales de cette
période reprennent pour la plupart en le banalisant
le type de la nef unique aux parois renforcées d'arcs
de décharge ; elles sont généralement dépourvues
de transept et de clocher monumental, le « clocher-
mur » y est fréquent, spécialement en Corrèze ; la
silhouette doit certainement quelque chose de sa
rusticité à l'esprit grandmontain. Celui de Cîteaux
semble de même revivre dans quelques œuvres très
pures de la fin du XIIᵉ siècle ou du début du XIIIᵉ,
les travées orientales de Saint-Junien et des Salles-
Lavauguyon, la nef de Saint-Maurice des Lions. Les
monastères cisterciens, qui furent nombreux dans le
pays, ont presque totalement disparu sauf Obasine ;
ils n'ont d'ailleurs été installés qu'après 1140, lorsque
les grands monuments étaient construits ou fort
avancés. Mais leur propre tradition de dépouillement rigoureux venait au-devant des plus constantes préférences régionales.

Celles-ci, répétons-le, donnent un air de famille
à toutes ces églises si disparates. La fortune de la
« mouluration limousine », dans les paroisses cam-
pagnardes et les plus majestueux programmes, traduit une identique discrétion du goût : des colonnettes logées dans les piédroits des ouvertures répondent à un ou plusieurs tores sous les cintres par
l'intermédiaire de petits chapiteaux, soit sculptés,
soit lisses et comme faits au tour. D'innombrables
fenêtres et portails admettent ce décor souple, stric-
tement subordonné au cadre architectonique ; sa
simplicité n'exclut pas la grâce, non plus que la fantaisie mozarabe des tracés polylobés ou festonnés
(le Dorat, la Souterraine, Vigeois).

Plusieurs grandes constructions du XIIᵉ siècle
dressent de façon particulièrement heureuse une
tour-lanterne sur la croisée du transept. L'époque
qui a perfectionné et répandu le type du clocher à
gâbles a conçu aussi un original système de fusion
entre la tour occidentale, quel que fût son agencement, et l'antique donnée du porche, pour parvenir
à une entente nouvelle des façades. En ce cas le por-

tail, flanqué d'arcades aveugles ou percées de fenêtres, est surmonté du clocher, sous lequel une haute coupole couvre la première travée de nef. Le Dorat, la Souterraine, Bénévent, Saint-Junien figurent l'accomplissement d'une évolution qui s'amorçait, peut-être dès la fin du XIe siècle, à Saint-Yrieix puis à Meymac, par le maintien derrière la façade d'un rez-de-chaussée plus bas que le vaisseau et d'un étage ouvrant sur celui-ci.

La sculpture enfin abonde dans cette seconde génération monumentale, mais limitée toujours aux chapiteaux des supports et des baies. On importe des Charentes, du Poitou ou du Quercy des pierres calcaires plus faciles à travailler, souvent même des corbeilles toutes prêtes dont la facture est immédiatement reconnaissable. Ou bien l'on attaque franchement le granit et les effets obtenus atteignent plus d'une fois à une réelle grandeur décorative (Maisonfeyne, la Souterraine). Les thèmes se ramènent à quelques définitions partout usuelles : beaucoup de compositions végétales, parmi lesquelles les chapiteaux du Dorat, en pierre dure, ont une vigueur plastique remarquable ; beaucoup de sujets orientalisants, monstres affrontés, personnages-cariatides encadrés de lions... Les scènes sacrées ou légendaires sont nettement plus rares : on ne les rencontre guère qu'en Corrèze, où l'apparition du grès tendre et la proximité des ateliers languedociens expliquent le métier plus fouillé, l'accent plus expressif (Lubersac, Noailles, Lascaux, Sainte-Fortunade, etc.). Aux mêmes affinités méridionales il convient, bien sûr, de rapporter les quelques tympans ou porches sculptés tous localisés le long de cette bordure, à la Graulière, Saint-Chamant, Saillac, Collonges, et par-dessus tout la célèbre page de Beaulieu.

— Non, l'art roman limousin ne saurait vous décevoir. Ne tombez pas d'un excès dans l'autre, n'y voyez pas une « école » au sens trop étroit et désuet de ce terme. Mais, tirée des apports infiniment divers de la nature et des hommes, une synthèse pleine de saveur où prévalent toujours les solides vertus du vieux terroir que ses troubadours déjà peignaient volontiers : « rude et féal ».

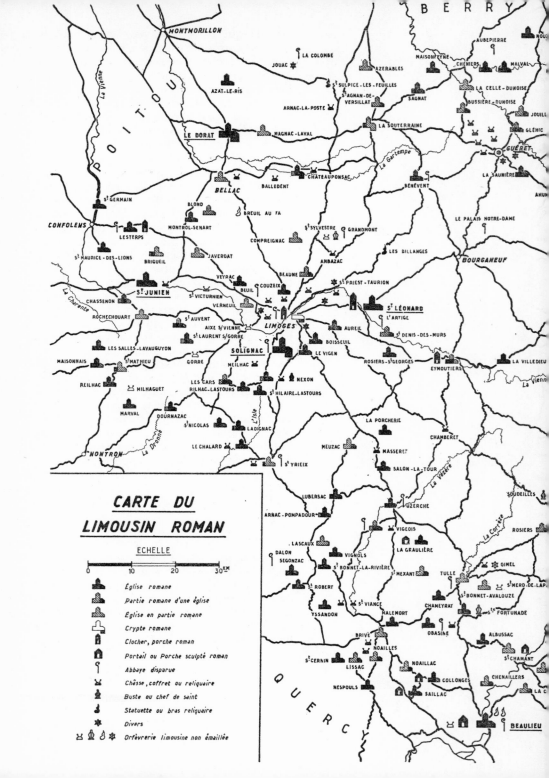

BERRY

POITOU

MONTMORILLON

LA COLOMBE
JOUAC
AZAT-LE-RIS
AUBEPIERRE
MAISONFEYNE
AZERABLES
CHENIERS
MALVAL
St SULPICE - LES - FEUILLES
LA CELLE - DUNOISE
St AGNAN-DE-VERSILLAT
BUSSIERE - DUNOISE
ARNAC-LA-POSTE
SAGNAT
JOUILL
MAGNAC-LAVAL
LA SOUTERRAINE
GLÉHIC
GUÉRET
LE DORAT
La Vienne
La Gartempe
LA SAUNIÈRE
CHÂTEAUPONSAC
BALLEDENT
BÉNÉVENT
AHUN
BELLAC
St GERMAIN
BLOND
BREUIL AU FA
LE PALAIS NOTRE-DAME
CONFOLENS
MONTROL-SENART
St SYLVESTRE
GRANDMONT
LESTERPS
COMPREIGNAC
BOURGANEUF
LES BILLANGES
St MAURICE - DES - LIONS
JAVERDAT
BRIGUEIL
AMBAZAC
VEYRAC
BEAUNE
La Charente
St JUNIEN
St VICTURNIEN
COUZEIX
St PRIEST - TAURION
BEUIL
CHASSENON
VERNEUIL
St LÉONARD
ROCHECHOUART
St AUVENT
LIMOGES
AUREIL
L'ARTIGE
AIXE S/VIENNE
St DENIS - DES - MURS
St LAURENT S/GORRE
SOLIGNAC
BOISSEUIL
LES SALLES - LAVAUGUYON
MEILHAC
LE VIGEN
LA VILLEDIEU
MAISONNAIS
St MATHIEU
GORRE
ROSIERS - St GEORGES
REILHAC
LES CARS
NEXON
EYMOUTIERS
La Vienn
MILHAGUET
RILHAC-LASTOURS
St HILAIRE-LASTOURS
MARVAL
DOURNAZAC
LA PORCHERIE
CHAMBERET
St NICOLAS
LADIGNAC
MEUZAC
MASSERET
SOUDEILLES
LE CHALARD
NONTRON
La Dronne
St YRIEIX
SALON - LA - TOUR
La Vézère
LUBERSAC
UZERCHE
ROSIERS
ARNAC - POMPADOUR
VIGEOIS
GIMEL
CARTE DU
LIMOUSIN ROMAN
LASCAUX
LA GRAULIÈRE
DALON
SEGONZAC
VIGNOLS
St MERD-DE-LAP.
La Corrèze
ECHELLE
St BONNET-LA-RIVIÈRE
MEXANT
TULLE
St BONNET-AVALOUZE
0   10   20   30 KM
St ROBERT
St FORTUNADE
St VIANCE
CHAMEYRAT
Église romane
YSSANDON
MALEMORT
ALBUSSAC
Partie romane d'une église
BRIVE
OBASINE
St CHAMANT
Église en partie romane
NOAILLES
CHENAILLERS
Crypte romane
St CERNIN
NOAILLAC
LA C
Clocher, porche roman
LISSAC
COLLONGES
Portail ou Porche sculpté roman
NESPOULS
SAILLAC
Abbaye disparue
QUERCY
BEAULIEU
Châsse, coffret ou reliquaire
Buste ou chef de saint
Statuette ou bras reliquaire
Divers
Orfèvrerie limousine non émaillée

NOTES

SUR QUELQUES ÉGLISES ROMANES LIMOUSINES

AHUN. DE L'IMPORTANTE ÉGLISE DU XII⁰ SIÈCLE, DÉDIÉE A SAINT **1** Sylvain, martyr local, et connue par une description du XVI⁰, ne restent que le chœur et l'absidiole Sud (aujourd'hui sacristie), intérieurement ornée d'une arcature. Elégant *chevet* : contreforts-colonnes à chapiteaux sculptés, fenêtres à « mouluration limousine », arcature supérieure exceptionnelle en Limousin, indiquant la proximité du Berry. Sous le chœur, *crypte* du XI⁰ siècle : voûte d'arêtes sur six colonnes monolithes dont un des chapiteaux est muni de masques ; dans le fond, sur un socle, petit sarcophage pour reliques avec toit en bâtière, peut-être plus ancien ; des « fenestellae » dans le mur Ouest permettaient la vue depuis l'église. La crypte s'étend sous l'absidiole, avec voûte d'arêtes surbaissée.

ARNAC - POMPADOUR. GUI, SEIGNEUR DE LASTOURS, BATIT UNE **2** *église, consacrée en 1028, pour des moines venus de Saint-Martial de Limoges. Ils dérobèrent à Sarlat des reliques de saint Pardoux et une construction plus importante s'éleva à la fin du XI⁰ siècle ou au début du XII⁰. Le XIII⁰ remplaça par des ogives les voûtes effondrées et refit la façade. Le monastère, en décadence dès le XV⁰ siècle, fut uni à Saint-Martial en 1763 ; l'église est restaurée.*
    Nef unique de trois travées, transept à absidioles, chevet tréflé comme à Vigeois et Solignac, Souillac et Cahors, avec trois chapelles, celle du centre plus grande. Les croisillons ont gardé leur berceau, les chapelles leur cul-de-four ; partout ailleurs les voûtes sont gothiques. Toutes les absidioles ont un arc d'entrée brisé à deux rouleaux, sur colonnes à chapiteaux nus et tailloir chanfreiné, une arcature en plein cintre avec soubassement et colonnettes à chapiteaux nus en tronc de pyramide sous un bandeau et un épais tailloir biseauté. Trois fenêtres à la chapelle d'axe et à celle du croisillon Nord, une seule aux autres ; il y a un tore dans la voussure, mais — indice d'ancienneté — ni son implantation

ni son diamètre ne correspondent aux colonnettes ; les tailloirs sont gros et plusieurs chapiteaux, en calcaire, sculptés. Les demi-colonnes de l'entrée du chœur et de la nef, ces dernières sur dosserets qui ont reçu des arcs de décharge pour porter les nouvelles voûtes, sont romanes, mais d'un stade plus avancé : tailloirs à double cavet, à gros quart-de-rond dans les travées occidentales ; chapiteaux figurant un homme entre deux lions, des lions entre-croisés, des saints en gloire, la résurrection de saint Austriclinien par saint Martial et, peut-être, l'épisode de Zachée. Les chapiteaux historiés, rares en Limousin, se groupent surtout dans cette zone corrézienne, plus ouverte à l'action des pèlerinages et des ateliers languedociens (cf. à Brive, Lubersac, Sainte-Fortunade, etc.).

Les proportions de l'extérieur sont altérées par la surélévation des murs, et ceux-ci trop restaurés. Mais la couronne des chapelles, en pierre de taille, garnies d'arcatures sur contreforts plats, les fenêtres nues, les étroits contreforts sur les angles et au milieu des façades du transept, ceux qui subsistent aussi au Nord de la nef, portent bien les caractères du XIe siècle. L'élégante façade Ouest est au contraire typique du premier art gothique limousin.

3 BENEVENT-L'ABBAYE. BERNARD GUI PLACE EN 1028 UNE PREMIÈRE fondation. Plus sûr est l'acte du chapitre cathédral de Limoges donnant, le 8 novembre 1080, à Raimond Boson et à ses compagnons la terre de Segonzolas pour y bâtir une église. Le prieuré augustinien reçut, de Bénévent en Italie, une relique de saint Barthélemy et prit au début du XIIe siècle le nom de cette ville. Il s'enrichit assez pour construire vers 1150 une nouvelle église qui, très homogène, dut être élevée d'un jet. L'absidiole Sud-Est refaite au XVe siècle en style gothique et une chapelle ajoutée sur le croisillon Nord au XVIe ont été démolies lors de la restauration d'Abadie en 1875-1880.

Nef de cinq travées flanquée de berceaux transversaux, transept avec absidioles, chœur d'une travée droite et abside, déambulatoire à trois chapelles. Toutes les absidioles sont polygonales, tous les arcs de profil brisé. Deux coupoles, comme à Saint-Junien et au Dorat, l'une à la première travée, l'autre à la croisée formant tour-lanterne ; elles ont des pendentifs courbes, des arcs à deux rouleaux sur demi-colonnes. Le reste de la nef, les croisillons, le chœur, sont en berceau sur cordon en quart-de-rond. Piles percées d'étroits passages, avec impostes en double quart-de-rond dans la profondeur des arcades, et demi-colonne vers la nef. De multiples détails évoquent le Dorat : les demi-colonnes aux arcades latérales de la première travée qu'un mur à petites baies relie à la coupole, les ouvertures sur le comble au bas de toutes les voûtes, l'arcature et les huit fenêtres de la tour-lanterne (ici munies d'un tore continu), la voussure à « mouluration

limousine » à l'entrée des chapelles du transept, l'implantation des colonnes monostyles du rond-point déterminant deux arcades étroites et trois plus larges, les tailloirs à double quart-de-rond (ici dans toute l'église), enfin la série très complète des beaux *chapiteaux* en granit. Examinez attentivement ceux-ci : à la nef, des rinceaux, des palmettes, des griffons ; à la croisée, deux centaures et une tête cornue, un masque barbu avec deux bras portant le tailloir, des animaux et figures monstrueuses ; au rond-point, des motifs végétaux stylisés mêlés de têtes, des quadrupèdes passant, un lion et un griffon aux prises avec des serpents. La facture est dense, lourde même, mais l'effet décoratif puissant.

Une seule incertitude aux débouchés du très étroit déambulatoire : la retombée de sa voûte vers le mur recoupe l'arc donnant sur le transept. Il est curieusement couvert de berceaux transversaux, avec des arcs en pénétration entre les travées, reçus contre les murs par des demi-colonnes. La chapelle absidale, plus grande que les autres, a une arcature sur colonnes qui pénètre la voûte ; trois fenêtres, celle de l'axe « limousine » comme la fenêtre des chapelles obliques et les baies intermédiaires du déambulatoire.

Cette église aux lignes très pures est, au dehors, trop restaurée et d'aspect plus sec. Déplorable est surtout la coiffe de la tour centrale, invention d'Abadie dépaysée en Limousin. Contreforts rectangulaires, fenêtres sans moulures sauf à la lanterne ; il reste aux corniches de nombreux modillons anciens à têtes grimaçantes. La *façade*, comme à Saint-Junien, au Dorat et à la Souterraine, est incorporée à la base du clocher. Mais sans arcades aux côtés du portail, lequel a cordon d'archivolte, quatre voussures à colonnettes et tores sur petits chapiteaux sculptés sans tailloir, piédroits demi-cylindriques sculptés aux impostes et intrados polylobé. Une corniche à modillons et retraits précède trois arcs brisés sur colonnes à chapiteaux lisses, avec fenêtre au centre ; le clocher a, toujours comme au Dorat, un étage massif, orné de quatre arcs brisés par face retombant alternativement sur un pilastre et sur une colonne, et une pyramide moderne en charpente.

BRIVE. *L'ÉGLISE SAINT-MARTIN* 4 *SUCCÈDE A UNE BASILIQUE DU* *Ve siècle, rebâtie au VIIe après un incendie. Vers 1106 apparaît un prieuré augustinien, pour lequel l'église romane dut être construite à partir de 1150 environ. La haute nef gothique est une œuvre très originale des XIIIe et XIVe siècles ; le chœur fut exhaussé et remanié en 1726, grâce à un don des frères Dubois, (le cardinal-ministre était originaire de Brive). De 1877 à 1896 on a construit un porche, un clocher et remonté la chapelle absidale. Ne restent donc du XIIe siècle que le transept, les murs latéraux du chœur et, au bout de*

ses bas-côtés, *deux chapelles faiblement inclinées sur l'axe, ce qui fait hésiter sur le plan primitif : chevet tréflé ou déambulatoire ?...*

Croisillons de longueur inégale, en berceau brisé, une absidiole arrondie sur chaque bras, une fenêtre « limousine » en face. Les demi-colonnes sous la voûte, celles qui reçoivent contre les murs Ouest et Est des arcs de décharge, encadrent l'entrée des chapelles, portent l'arcature intérieure de ces dernières, ont pour la plupart de beaux chapiteaux en calcaire : outre des corbeilles de feuillages, remarquez, au Nord une figuration de la Luxure, au Sud Jésus remettant les clefs à saint Pierre, le Christ à la colonne, une sirène. Souvent mal visibles par suite de la hauteur où ils se trouvent, ces chapiteaux peuvent être étudiés sur les moulages conservés au Musée de la ville. Au fond du croisillon Nord, un oculus est bordé de billettes, d'une gorge avec boules et d'un tore. — La coupole de croisée, octogonale sur pendentifs plans, a ses supports anciens pris dans de grosses piles cylindriques contemporaines de la nef. Les bas-côtés de celle-ci se terminent par un arc plein cintre à double rouleau, retombant vers le mur sur une colonne à chapiteau roman, (au Nord, beaux griffons affrontés), et vers la pile sur un corbeau ; au dessus, un bandeau porte deux baies géminées par une colonnette, qui pourraient être un reste de tribunes. — A l'entrée des collatéraux du chœur, encore des chapiteaux du XIIᵉ siècle, (Pèsement des âmes, oiseaux) ainsi que dans les absidioles pourvues d'une arcature. Remarquez enfin, à l'Ouest de la nef, la magnifique cuve baptismale à cannelures obliques avec les symboles des Évangélistes.

A l'extérieur, des modillons anciens demeurent à la base du clocher. Les chapelles, arrondies au transept, polygonales au chevet, ont des colonnes-contreforts ou des pilastres, reliés par de petits arcs à retombées intermédiaires sur culots sculptés de têtes. Voyez surtout les chapiteaux de l'absidiole Sud-Est : l'apparition de l'Ange à David, Samson et le lion, des palmettes. Les murs du croisillon Nord sont d'origine, ainsi que la partie basse du mur septentrional de la nef, vers l'Ouest. Le Musée municipal garde des fragments de sculptures provenant du portail roman : la Descente du Christ aux Limbes.

5 **LE CHALARD.** AU BORD DE L'ES-CARPEMENT QUI SURPLOMBE LA vallée de l'Isle, une église romane, un cimetière médiéval, les restes d'un prieuré-forteresse : tout cela mériterait d'être beaucoup plus connu. Des traditions parlent d'une localité gallo-romaine, d'une citadelle ou d'un monastère carolingien. C'est un lieu retiré de la forêt de Courbefy que donne en 1087 Adhémar vicomte de Limoges à saint Geoffroi, né vers 1050 et mort en 1125. L'hostilité du clergé des environs empêche de construire avant 1097 une église, inachevée lors de sa consécration le 18 octobre 1100. Tels sont les faits relatés par une « Vie » manuscrite du XIIIᵉ siècle.

L'attribution à la fin¹ du XIᵉ du *chœur* polygonal, des absidioles arrondies et du transept est plausible. Croisée à coupole octogonale sur pendentifs plans, remaniée vers le Sud ; aux colonnes engagées, rudes chapiteaux de granit à entrelacs, volutes, têtes monstrueuses ; tailloirs et cordons en quart-de-rond, simple à l'Est, double à l'Ouest ; hauts croisillons couverts en berceau brisé. Dans les trois absides, arcatures sur colonnes, chapiteaux semblables à ceux des parties hautes, (dans les absidioles, seuls ceux de l'entrée sont sculptés). Le sanctuaire a trois fenêtres « limousines », les chapelles une seule. Au fond du croisillon Sud, un escalier de dix-sept marches descend à une chapelle orientée, qui n'est pas une crypte, absolument nue et voûtée en berceau, très probablement plus ancienne. — Notez dans l'église : plusieurs pierres tombales, un petit sarcophage avec deux gisants tournés l'un vers l'autre, une belle armoire en bois sculpté du XVᵉ siècle. Le Chalard possède aussi une superbe châsse émaillée du XIIIᵉ.

La nef a-t-elle existé ? — Un arc brisé amorce le collatéral Nord ; vu de l'extérieur, il suggère un butement par berceaux transversaux, mais il est partiellement masqué par un pilastre à frise-chapiteau qui existe aussi au Sud, accompagnant la trace d'une large voûte gothique du type de Saint-Yrieix. Des contreforts modernes épaulent à l'Ouest les murs et la tour carrée, dont les baies à moulures toriques semblent du XIIIᵉ siècle.

Au milieu du *cimetière*, classé Monument Historique et riche en tombes du Moyen-Age (un gisant sculpté à fond de cuve, plusieurs pierres en forme d'église à transept avec toits en bâtière, décor d'arcatures, de croix, d'imbrications), le sobre chevet répète le plan interne. L'abside centrale a des contreforts étroits, des fenêtres à colonnettes et tore. Le Chalard, occupé par les Anglais, subit en 1419 un siège : c'est vers cette époque qu'on établit sur les murs des mâchicoulis dont il ne reste qu'un arc à la jonction du chœur et de l'absidiole Sud, mais les consoles subsistent, réutilisant les modillons à têtes sculptées de la corniche primitive.

Demandez à visiter la *salle capitulaire*, construite dans le prolongement du transept et jadis surmontée du dortoir : porte encadrée de deux baies en arc brisé, géminées par des alignements de quatre colonnettes à chapiteaux lisses ; voûtes d'arêtes, sur colonnes partant d'une banquette le long des murs et sur deux autres au centre, avec bases à griffes, chapiteaux nus aplatis sous un bandeau et un tailloir en quart-de-rond ; belle dalle tombale gravée aux effigies et aux armes des seigneurs de Lastours (XIIIᵉ siècle). En face, le corps de logis peut être partiellement antérieur à l'église ; son extrémité Sud, flanquée de contreforts plats, devait former donjon au-dessus de la vallée.

6 CHATEAUPONSAC. *SEULE ÉGLISE DE TYPE BERRICHON EN LIMOU-sin, ce fut un prieuré dépendant de Déols et fondé au X⁰ siècle. Chœur et transept seraient de 1125 environ ; la nef, saccagée au XIV⁰ siècle, a été rebâtie au XV⁰ en utilisant les vieux murs. Extérieur très restauré, clocher et flèche de 1872.*

Entre le transept à absidioles et les trois absides parallèles, s'allonge un berceau sans doubleaux, contrebuté par de très étroits collatéraux en quart de cercle. Quatre arcades étroites et hautes retombent de chaque côté sur trois colonnes exceptionnellement sveltes, ayant bases à deux tores, chapiteaux richement sculptés de palmettes, volutes ou personnages d'un style archaïque, tailloirs chanfreinés très débordants ornés parfois de petites feuilles gravées. Les absides sont plus basses ; celle du centre, surmontée d'une baie, possède une fenêtre à colonnettes mais au cintre surbaissé sans voussure. Les fenêtres des bas-côtés et des absidioles sont nues, ébrasées. Transept couvert en berceau brisé sur doubleaux, tailloirs et cordons chanfreinés ou en quart-de-rond. La croisée, très élevée, désaxée vers l'Est par rapport aux croisillons, a ses piles orientales en équerre avec ressaut vers l'intérieur et imposte à chanfrein, ses piles Ouest rectangulaires avec quatre pilastres saillants et imposte en double cavet ; ses arcs brisés à deux rouleaux portent une coupole sur pendentifs courbes. — La déclivité du sol ménage sous le croisillon Sud une petite crypte rectangulaire, de trois travées dans chaque sens, ayant une abside orientée flanquée d'une absidiole non saillante. Quatre colonnes isolées, à courts chapiteaux nus ou gravés de palmettes et tailloirs en cavet, soutiennent ainsi que les demi-colonnes des murs des berceaux sans doubleaux profondément entaillés de pénétrations. — La nef, de trois travées, et ses bas-côtés ont des piles et des voûtes gothiques ; à l'extérieur, sur le mur Nord, un contrefort et des traces de fenêtres romanes prouvent que les travées primitives étaient sensiblement plus courtes qu'actuellement.

7 COLLONGES. L'ÉTONNANTE PETITE CITÉ BATIE DE GRÈS ROUGE, où abondent les vieux manoirs à tourelles, entoure une église très défigurée mais dont le clocher et le tympan sont de première importance. L'abbaye de Charroux possédait là un prieuré depuis le VIII⁰ siècle. L'église, construite vers 1060-1070, subit les agrandissements en tous sens du XII⁰ au XV⁰ siècle, à mesure que croissait le bourg, résidence de maintes familles nobles possessionnées dans la vicomté de Turenne. Lors des guerres religieuses du XVI⁰ siècle, on la fortifia et on démonta le tympan, dont les principaux morceaux furent mis hors d'atteinte au sommet de la façade ; il a été reconstitué en 1923.

Le plan actuel est déconcertant : deux nefs à fond plat de longueur inégale, celle du Sud bordée de chapelles gothiques. Faites abstraction de ces dernières, du chœur bâti au XIII⁰ siècle et de la nef Nord du XV⁰, pour retrouver le noyau roman. — Les murs de la nef Sud et

leurs colonnes engagées, entre les arcades plus jeunes ; à la première travée, du côté méridional, un arc de décharge plein cintre et une fenêtre « limousine » aménagée plus tard en siège de guetteur. — *La croisée* de l'ancien transept, aux arcs nettement outrepassés sur pilastres avec impostes à chanfrein, celle du Sud-Ouest munie d'un cartouche. Cette croisée accuse une période assez reculée du XI⁰ siècle et ne devait initialement porter qu'une charpente ; un peu plus tard, on a extradossé les arcs, monté aux encoignures des piles quatre colonnes à chapiteaux sculptés ; leurs tailloirs chanfreinés ornés de palmettes sont en réalité des consoles engagées dans les murs, qui reçoivent les arcs d'une coupole oblongue sur pendentifs plans. Derrière le pilier Nord-Ouest, l'amorce du croisillon a logé la tourelle d'accès au *clocher.*

Celui-ci, le plus ancien peut-être dans le groupe régional des clochers à gâbles, daterait du début du XII⁰ siècle. Deux étages carrés ont des contreforts plats, reliés au sommet du second par des arcs ; à chacun, deux baies plein cintre par face, d'une voussure nue sur colonnes à chapiteaux sculptés, tailloirs en biseau, bases cylindriques entre deux tores ; entre les étages, une corniche à billettes. Un court étage aux angles en talus, avec quatre massifs saillants munis d'un arc aveugle et d'un gâble peu aigu, fait transition avec l'octogone. Ce dernier présente une face sur un côté du carré comme à Uzerche ; il n'a que deux brefs étages, le second percé de quatre baies plein cintre, et le début d'une flèche de pierre, remplacée par une charpente.

Portail à trumeau et deux trilobes, refait ; mais des fragments anciens aux trois voussures en grès décorées de boutons et de feuilles. Notez aussi, à l'extrême droite, le chapiteau en calcaire du piédroit et, sous la crossette correspondante, un amusant montreur d'ours. Le *tympan* de pierre blanche est bordé de rinceaux à tiges perlées, formant médaillons garnis de têtes. Au registre supérieur, le Christ bénissant et tenant un livre est élevé par deux Anges ; deux autres, les ailes éployées, montrent le ciel et se penchent vers la Vierge et onze Apôtres placés au registre inférieur sous une arcature. Les attitudes sont pleines de variété et de vie ; le traitement des chevelures, des drapés, l'Apôtre aux jambes croisées de l'extrémité gauche, s'apparentent à la technique de Moissac et de Souillac. Mais, comme à Cahors où le tympan représente aussi l'Ascension, les recherches d'expression, le raffinement du détail, présagent la détente affirmée ensuite aux premiers portails d'Ile-de-France. Émile Mâle et Raymond Rey ont montré qu'il n'y avait pas à faire intervenir l'influence de ceux-ci : cette œuvre exquise, qui ne peut guère être postérieure à 1140, fournit « un des maillons de la chaîne qui unit les créations languedociennes à l'art chartrain ».

8 DOURNAZAC. *CETTE ÉGLISE A NEF UNIQUE MODERNE CON-serve un transept et trois absides du XIIᵉ siècle. La croisée a son arc occidental encadré de deux passages ; elle porte une coupole octogonale sur pendentifs. Contre ses piles rectangulaires, les demi-colonnes sont beaucoup plus étroites que les doubleaux ; aussi leurs chapiteaux sont-ils flanqués de corbeaux ou de motifs d'angle, les uns et les autres sculptés de feuillages ou de figurines contorsionnées, rudement traitées dans le granit mais expressives, sous un tailloir commun à deux cavets. Colonne et corbeau sont de même associés, sous tailloir biseauté, à l'entrée des absidioles arrondies, reliées au chœur par polygonale par d'étroites ouvertures. Sanctuaire et chapelles sont ornés d'une arcature qui retombe sur des culots à têtes grimaçantes, entrelacs, etc., en granit. Cette arcature s'arrête sur une colonnette de part et d'autre d'une fenêtre en plein cintre, « limousine » seulement à l'abside centrale. — Le crépi gâte l'aspect extérieur du chevet à contreforts plats ; un clocher carré, avec des arcs brisés aveugles à la base, surmonte la croisée.*

9 EVAUX. COMME A SAINT-JUNIEN ET SAINT-LÉONARD, UN LIEU DE culte naquit sur la tombe d'un ermite, saint Marien, mort vers 521. Important monastère au IXᵉ siècle, puis prévôté des chanoines de Saint-Augustin. La très vaste église, incendiée il y a quelques années et dont la restauration s'achève, avait été presque rebâtie au XVᵉ siècle, puis à la suite de l'effondrement des voûtes, en 1657 et 1660. Pas de documents sur l'âge exact des constructions romanes.

L'intérêt majeur tient au *clocher*, unique en son genre dans tout le pays limousin. Derrière un placage Louis XIII, le bas forme un porche à deux arcades par face, voûté de berceaux parallèles avec pilier central rectangulaire. Sur chaque côté de la haute souche carrée, deux arcs dominant des baies en plein cintre retombent sur des contreforts plats, munis de colonnettes dont les chapiteaux gravés d'entrelacs peuvent être carolingiens et réemployés. Encastrés dans les murs Sud et Ouest, notez deux petits bas-reliefs de même facture. Une tourelle d'escalier, plus récente, masque en partie la face Sud. Un glacis avec contreforts obliques aux angles porte ensuite un étage elliptique, percé de petites baies plein cintre, celles de l'Ouest sur colonnettes jumelées, les autres sur pilastres. Tout cet ensemble, qui doit remonter au XIᵉ siècle, évoque les tours des miniatures carolingiennes et aussi celles de Jumièges. Le dernier étage n'est que du XIIIᵉ siècle, ses baies géminées rappellent le clocher de croisée du Dorat.

Le premier étage, intérieurement élancé, a deux berceaux longitudinaux, un pilier central carré qui reçoit deux doubleaux et deux arcs transversaux en plein cintre. Les retombées vers les murs se font sur des colonnes à bases circulaires, avec chapiteaux en calcaire qui

passent sommairement du cube au tronc de cône, gravés d'entrelacs ou de dessins géométriques et privés d'astragale ; les tailloirs sont des tablettes biseautées, très débordantes latéralement. L'étage suivant réalise le plan courbe par des trompes grossières, une dalle en biais sous un petit arc, puis par l'encorbellement progressif du blocage ; on ne peut dire s'il y avait une coupole.

Le fond de la nef est la face orientale du clocher, semblable aux trois autres. La réfection du dallage a mis au jour, sous les supports du XVᵉ siècle, les bases à disques très aplatis des piliers romans, carrés à quatre demi-colonnes. L'analogie avec Chambon s'impose quand on se représente la sveltesse de ces piles et l'élan de la nef, donné par la haute arcade en plein cintre, seul reste de *l'ancienne croisée*. D'autant plus que la restauration, respectant les culots de départ de la voûte gothique, a rétabli la charpente apparente si malencontreusement masquée à Chambon. Altérés par le changement de plan du chœur, les supports occidentaux de la croisée ont au sommet, vers la nef et vers l'Est, des chapiteaux nus, aux arcades et vers les bas-côtés de beaux rinceaux en granit comparables à ceux du Dorat. — A l'extérieur de la triple abside, restent des vestiges du chevet roman, les bases de cinq contreforts-colonnes, en forme de chapiteau renversé.

EYMOUTIERS. *ENCORE UNE ÉGLISE NÉE SUR LE TOMBEAU* **10** *d'un solitaire, saint Psalmet, venu probablement d'Irlande au VIIᵉ siècle. « Ahentum » avait été un bourg gallo-romain. Une communauté exista à l'époque carolingienne, moines ou chanoines réguliers. C'est pour un chapitre que l'Évêque Audoin, grand bâtisseur qui entreprit de renouveler sa cathédrale, fit construire en 1012 une église. La nef actuelle et les premiers étages du clocher semblent de la seconde moitié du XIᵉ siècle. Le transept fut repris au XIIIᵉ, le chœur, ruiné par les guerres anglaises, magnifiquement rebâti à partir de 1451 et vitré au début du XVIᵉ. L'église a été classée en 1907 et restaurée.*

L'asymétrie imposée par la forte pente du terrain vers le Nord ajoute aux disparates et aux ruptures d'axe résultant des diverses campagnes. Toute la construction romane est d'une absolue simplicité : nef de deux travées, en berceau sur doubleaux, flanquée de berceaux transversaux profonds reliés par de larges passages ; arcs de profil brisé, impostes et cordons à chanfrein, piles cruciformes. La première travée n'a pas de berceau au Nord, où le mur percé d'une étroite fenêtre est peut-être plus ancien ; au Sud, le mur de fond mais du XVIᵉ siècle. Deux chapelles gothiques ont été ajoutées à la seconde travée. La croisée du transept est voûtée et contrebutée comme la nef ; du XIᵉ siècle sont également les murs et l'arcade orientale du croisillon Nord, et une travée du mur Ouest au croisillon Sud qui a été allongé ensuite.

Le clocher *n'est pas dans l'axe du vaisseau* : on voit au fond de celui-ci la trace du grand arc brisé du rez-de-chaussée et d'un arc plein cintre au-dessus, décalé vers le Sud. Il formait porche, mais ouvert seulement au Sud et à l'Est, voûté d'arêtes sur arcs de décharge ; l'étage a une coupole sur trompes. L'aspect extérieur de la tour est complexe : le bas de la face méridionale est masqué par un vestibule plaqué au XVᵉ siècle ; le premier étage a trois longues arcades sur pilastres comme à Lesterps, la baie médiane est bouchée ; plus haut, et de même époque, deux groupes de quatre arcades, chacun retombant aux extrémités sur des pilastres, au milieu sur une colonnette, dans les intervalles sur un culot. L'étage suivant n'est sans doute que du XIIᵉ siècle : il a deux baies brisées par face, à une voussure sur colonnettes, et de grosses colonnes-contreforts à chapiteaux sculptés et glacis. Le sommet, quatre tourelles rondes et un mur crénelé, a été ajouté à la fin du Moyen-Age, quand on fortifia les parties basses. — De la nef romane n'apparaissent extérieurement, au Nord, que le vieux mur de la première travée et les étroits contreforts d'angle du croisillon.

11   LESTERPS. SUR LES CONFINS CHARENTAIS, L'ANCIENNE AB-batiale, construite en granit, appartenait au diocèse de Limoges. Fondée et donnée au Saint-Siège vers le début du XIᵉ siècle par Jourdain Iᵉʳ de Chabanais, l'abbaye se releva sous saint Gautier, chanoine du Dorat mort en 1070, du désastre causé en 1040 par le comte de la Marche. L'église fut continuée par Ramnulphe, Abbé de 1110 à 1140, qui édifia un vaste chœur à déambulatoire. Les travées raccordant la vieille nef au transept furent remaniées au XIVᵉ siècle et le couvent pillé en 1567 ; les Génovéfains s'installèrent au XVIIᵉ. La nef, utilisée par la paroisse, fut alors séparée du chœur qui, en mauvais état dès avant la Révolution, tomba en ruines vers 1815, servant de carrière aux habitants du pays. Une abside moderne ferme aujourd'hui les trois premières travées de la nef.

L'admirable *clocher-porche*, haut de 43 m., comporte plusieurs campagnes — L'incendie de 1040 aurait épargné les murs du rez-de-chaussée, à trois arcades par face, piliers avec demi-colonne vers l'extérieur, et l'étage sans ouvertures qui le surmonte. — On attribue à saint Gautier le voûtement du porche, d'abord non prévu : trois berceaux plein cintre, piles en quatrefeuilles à bases cylindriques, chapiteaux à volutes sommaires, gros tailloirs chanfreinés. Les chapiteaux supérieurs de l'allée centrale, trop gros pour les colonnes, sont peut-être un remploi ; à l'Ouest, les impostes superposées attestent une reprise. Le grand étage à longue baie plein cintre entre deux arcades aveugles serait contemporain ; les contreforts-colonnes s'y prolongent jusqu'à une corniche ornée de demi-disques, de type poitevin, arrondie au-

dessus des ressauts d'angle. Il forme à l'intérieur une haute salle (13 m.), à coupole octogonale sur trompes. On y accède par deux tourelles montées en même temps que lui ; accolées vers l'Est au clocher, elles mènent à une tribune lancée au fond de la nef sur un grand arc. — Un étage carré, en retrait, cache du dehors la coupole ; il est aveugle, avec contreforts plats. D'aspect plus récent et plus typiquement charentais, le dernier étage a sur chaque face trois baies encadrées de colonnes ; il possède une coupole, sur trompes placées au niveau des ouvertures voisines et pénétrées par leurs arcs. Un couronnement de pierre semble avoir été prévu, mais non réalisé.

Une porte à linteau en bâtière ouvre sur la *nef* aux proportions puissantes, aux lignes sévères. Berceau plein cintre sur doubleaux, déformé et sans éclairage direct, épaulé par ceux des collatéraux très hauts et très étroits. Grandes arcades en plein cintre à deux rouleaux, le rouleau interne décalé vers le collatéral, ce qui donne aux piles, composées de ressauts rectangulaires, un plan irrégulier ; impostes à biseau légèrement concave ; le long des murs, demi-colonnes à dosseret réunies par des arcs de décharge. A l'Est du bas-côté Sud, le berceau s'abaisse, muni d'un petit doubleau qui est peut-être un témoin de la construction primitive : le lancement de la grande voûte, dans la seconde moitié du XIᵉ siècle, a nécessité la surélévation des murs, le renforcement des piles et des arcades. Remarquez à l'Ouest de la nef l'effet monumental de la tribune, le revers du clocher à deux fenêtres et contreforts plats.

Le plan des parties orientales est connu : deux autres travées s'évasaient vers le transept, le chœur avait deux travées droites, rond-point à sept pans, déambulatoire et cinq chapelles. Une gravure de 1847 montre la pile Sud-Ouest de la croisée encore debout. Derrière l'actuelle abside, restent le mur des courtes travées du XIVᵉ siècle et le mur de fond du croisillon Sud, traversé d'une galerie. Le chœur avait de riches *chapiteaux* en calcaire, très différents par leur style des ouvrages limousins. L'un, à tiges et palmettes, a été transformé en cuve baptismale. Deux sont scellés au mur méridional dans la première travée : le premier montre trois rangs de petits pilastres terminés en arcatures ou entrelacs d'où pendent des pommes de pin, le second représente les Saintes Femmes au Tombeau. Au-dessous, deux corbeaux en granit, têtes d'homme et de chien ; au-dessus, trois médaillons ronds en pierre blanche, de date et de provenance inconnue : Christ bénissant, Vierge et Enfant, cavalier nimbé. D'autres chapiteaux du chœur sont conservés chez des particuliers, à Lesterps, à Confolens et à Joncherolles près Bussière-Boffy, (Haute-Vienne) : ils portent des tiges entrelacées avec palmettes, ou quatre lions rampants dont les têtes occupent les angles de la corbeille.

12 **LIMOGES. LA CATHÉDRALE.** *DES FOUILLES PRATIQUÉES EN 1876* ont renseigné sur les cathédrales carolingienne et romane. *Cette dernière, commencée vers 1013 par l'Évêque Audoin, brûla en 1074 ; réparée pour sa consécration par Urbain II le 29 décembre 1095, elle fut incendiée de nouveau en 1105 et rapidement restaurée. Son axe passait plus au Nord que celui de l'église gothique ; elle mesurait 61 m de longueur totale, 17 m de largeur et 40 au transept. Elle avait trois absides parallèles et, sous la principale, une crypte : un déambulatoire, relié par sept passages à un caveau central voûté d'arêtes sur six colonnes isolées et d'autres le long des murs. Partiellement obstruée par les fondations du chœur gothique, cette crypte ne se visite pas ; elle garde des fresques du XIIe siècle, un grand Christ, mutilé, entouré des symboles des Évangélistes avec la Madeleine prosternée à ses pieds. — Les arrachements observés à l'Est du clocher avant la construction du narthex moderne indiquaient une nef voûtée en berceau qui devait être, comme à Eymoutiers, flanquée de berceaux transversaux profonds.*

Du clocher roman restent trois étages, enrobés dans l'épais massif de maçonnerie nécessité au XIVe siècle par le poids de la surélévation. Le rez-de-chaussée formait porche, ouvert sur ses quatre faces par un arc plein cintre sur pilastres à impostes chanfreinées ; comme à Saint-Martial, et selon le principe repris ensuite aux cathédrales du Puy, de Valence et de Die, quatre colonnes, primitivement isolées, portaient au centre une couverture de forme inconnue et se trouvaient à l'aplomb des étages terminaux construits en retrait de la souche. Elles ont des chapiteaux nus, sauf un seul orné de têtes et de palmettes, et des tailloirs en biseau ; au XIIe siècle, elles ont été reliées aux murs par des piles à cordon en quart-de-rond qui portent des arcs brisés et une voûte avec oculus. A la haute salle supérieure et à l'étage au-dessus, le même contraste s'observe entre les murs du XIe siècle, leurs ouvertures, (bouchées), sur pilastres à chanfrein, et les renforts montés dans les angles avec quart-de-rond, arcs brisés et coupole aplatie : initialement les divisions de la tour n'étaient donc pas voûtées. Sur la terrasse du narthex demeure visible la face orientale du dernier étage roman ; ses trois arcades sur pilastres rappellent Eymoutiers et Lesterps. On ignore comment se terminait le clocher, mais la similitude de sa base avec ce qu'on sait de celui de Saint-Martial permet d'imaginer un rétrécissement progressif et peut-être un couronnement octogonal par l'intermédiaire de gâbles, tel qu'il fut réalisé ou refait à l'abbatiale après l'incendie de 1167.

13 *LUBERSAC.* **ÉGLISE SANS UNITÉ, INTÉRESSANTE SURTOUT PAR** ses sculptures. Les deux travées orientales de la nef paraissent les plus anciennes, trapues et voûtées en plein cintre, avec collatéraux en quart de cercle. Aux arcades légèrement brisées, le rouleau interne retombe sur des culots à la première travée, à la seconde sur des pilastres ; les impostes à chanfrein et cartouche indiqueraient une période peu avancée du XIe siècle.

Les deux travées de l'Ouest, plus hautes et plus longues, couvertes en lambris avec arcades brisées et impostes en double cavet, sont plus jeunes. Les croisillons, voûtés d'ogives, ont été retouchés au XVIIe siècle. Mais les trois absides parallèles remontent à la première moitié du XIIe. Les absidioles ont une partie droite, ornée d'une arcade aveugle, trois pans coupés à colonnes d'angle, des fenêtres nues. Au chœur, une travée droite, encadrée de doubleaux brisés sur colonnes, a contre ses murs deux arcs séparés par une colonne ; elle précède l'abside à cinq pans, plus étroite, munie d'une arcature sur colonnettes et de trois fenêtres nues. A côté de *chapiteaux* figurant des saints en gloire, des feuillages entremêlés d'oiseaux, observez la très vivante série des corbeilles historiées : l'Annonciation, l'Annonce aux bergers, le cortège des Mages, l'Épiphanie, la Fuite en Égypte, la Présentation au Temple, Jésus parmi les Docteurs, la Femme adultère, le Crucifiement, la Descente de Croix. Les tailloirs sont en quart-de-rond. Des chapiteaux de même type ornent à l'extérieur l'abside principale, sur les colonnes d'une arcature, comme aux chapelles de Vigeois. Au bout du croisillon Sud, le portail a trois voussures avec tores privés de leurs colonnettes, et un intrados polylobé.

14 *LUPERSAT.* **DE TOUT TEMPS SIMPLE PAROISSE, L'ÉGLISE** *Saint-Oradoux, (Adorator), est relativement vaste. Aucun document ne fixe sa date, mais ses belles masses sobres peuvent fort bien remonter au XIe siècle. Croisillon Nord repris et fortifié au XVe ; voûtes, mur Nord de la nef, clocher, sont des réfections du XVIe au XVIIIe. — Il y a trois nefs de quatre travées en berceau brisé, un transept saillant et un chœur carré muni au bas des murs d'une arcature sur pilastres. On a renforcé les murs du croisillon Sud, les ogives de la croisée remplacent sans doute une coupole sur trompes. Les voûtes d'arêtes des collatéraux sont mal raccordées aux piliers, lesquels, carrés à quatre demi-colonnes, n'ont peut-être porté d'abord que des charpentes. Les arcades des deux premières travées, plus basses, indiquent un changement de parti en cours de construction. Curieux chapiteaux en granit : de facture très archaïque, sous tailloirs en biseau, ils montrent de courtes feuilles épaisses en rangs superposés, des volutes ou des masques rudimentaires, de frustes figures, parfois d'une déconcertante truculence. Telles de celles-ci pourraient n'être que des œuvres paysannes, bien postérieures à l'âge roman.*

La façade a l'énergique austérité de la plus ancienne architecture limousine : quatre contreforts étroits, grand pignon unique comme à Sagnat, portail avec tores épais aux voussures et archivolte à billettes. L'extrémité du croisillon Sud, intacte elle aussi, a un contrefort médian, un cordon d'archivolte à billettes sur les deux fenêtres. Le haut mur du chevet est cantonné de contreforts plats, son triplet de baies très étroites et nues est fréquent dans les églises rurales limousines, mais surtout à partir de la fin du XIIᵉ siècle.

15 *MAISONFEYNE.* DÉPENDAIT DE L'ABBAYE DE DÉOLS EN BERRY.
La coupole de croisée, sur pendentifs, ses arcs légèrement outrepassés, les murs de la nef unique, datent du XIᵉ siècle. Au XIIᵉ, pour lancer une voûte (aujourd'hui remplacée par un lambris), on a construit un second doubleau à l'Est de la nef, renforcé intérieurement les murs de pilastres à colonne engagée et d'arcs de décharge, d'où le désaxement des fenêtres. Ces supports ont de beaux *chapiteaux*, animaux et feuillages dont le style rappelle ceux de la Souterraine. Les croisillons ont été démolis, l'abside remplacée au XIIIᵉ siècle par un chœur carré. L'extérieur, compact et trapu, est envahi d'une végétation pittoresque, mais qui aggrave le délabrement ! La porte primitive, très simple, est sur le flanc Sud ; la façade a deux contreforts étroits, un pignon triangulaire sur corniche à modillons, un portail à deux voussures avec colonnettes et tores.

16 *MEYMAC. ABBAYE BÉNÉDICTINE FONDÉE PAR ARCHAMBaud* vicomte de Comborn et donnée en 1085 à Uzerche, dont elle se sépara vers 1145 après de longs conflits. Elle s'affilia en 1669 à la congrégation de Saint-Maur, qui répara l'église.
Au XIIᵉ siècle, le monastère enrichi édifia une vaste abbatiale qui révèle plusieurs campagnes et peut-être plusieurs changements de conception. La travée occidentale, aujourd'hui la plus ancienne, montre comme à Saint-Yrieix l'absorption d'un clocher-porche par une église à trois nefs. Sa voûte d'arêtes sur arcs brisés, flanquée d'étroits collatéraux en quart de cercle, a de beaux chapiteaux à tailloir en double cavet : deux lions opposés, des monstres à gueule énorme dévorant des femmes nues, des rinceaux de branchages. Le plus remarquable montre un prêtre élevant un calice, un évêque ou abbé portant bâton pastoral et touchant un livre sur un autel, devant un fidèle agenouillé sous les arcades d'une église. Notez aussi, à l'entrée de la nef, deux chapiteaux transformés en bénitiers, l'un très archaïque, l'autre figurant un Ange qui tire Satan attaché par une grosse corde.
Abandonnant le plan initial, les deux travées suivantes sont à vaisseau unique, de longueur et de hauteur inégales ; les grosses piles carrées avec faisceaux de colonnes en avant, les profonds arcs transversaux, étaient prévus pour des coupoles mais ont reçu des voûtes d'ogives dont la mouluration et les chapiteaux indiquent le XIIIᵉ siècle. A la première travée, trois fenêtres plein cintre de chaque côté, à « mouluration limousine » abîmée ; l'oculus du mur Sud est postérieur ; à la seconde, deux fenêtres de part et d'autre.
— Ne manquez pas de voir, au côté Nord de la nef, une fort curieuse Vierge noire, en bois.
— Le transept a ses bras infléchis vers l'Ouest ; deux massifs saillants dans le croisillon Nord semblent attendre aussi une coupole, mais les trois travées ont des croisées d'ogives ; fenêtre « limousine » au Nord,

les autres sont du XVIIᵉ siècle. — Les trois absides, reliées par des passages, paraissent plus anciennes que la nef, celles du centre et du Sud déviées au Sud-Est et précédées d'un berceau plein cintre sur doubleaux et demi-colonnes à chapiteaux lisses. La principale a un cul-de-four nervé de quatre ogives toriques sur culots, qui rejoignent la clef du doubleau ; ses cinq fenêtres ont une voussure « limousine » endommagée, sous une arcature plein cintre portée par des colonnettes à chapiteaux sculptés et tailloirs à chanfrein. Dans les absidioles, trois fenêtres, celle du centre seule moulurée, également sous arcature.
La façade annonce la Souterraine et le Dorat : deux arcades très étroites, percées plus tard de portes, encadrent le portail à cordon d'archivolte, deux voussures « limousines » et intrados polylobé sur colonnes à chapiteaux sculptés. Comme à Saint-Yrieix, l'étage supérieur du porche, intérieurement couvert en coupole et qui ouvrait sur la nef, est épaulé par des rampants qui terminent le toit en appentis des collatéraux ; au centre trois baies moulurées, aux extrémités deux petites fenêtres. Le clocher, mesquin, a été refait au XVIIᵉ siècle. — Sur les flancs, la première travée avec ses contreforts plats se distingue nettement des autres, où les fenêtres, réunies par un cordon d'archivolte, ont gardé leur tore et perdu leurs colonnettes. Une porte au Sud, près du transept, donnait sur le cloître. Au chevet, encastré dans des bâtiments monastiques plus tardifs, les trois absides polygonales sont revêtues d'une arcature montant de fond sur des colonnes d'angle à chapiteaux lisses. Les fenêtres de l'abside centrale ont une tête à la clef de la première voussure, un tore privé de colonnettes à la seconde ; les fenêtres latérales des absidioles sont à voussure nue.

LE MOUTIER D'AHUN. SUR LES BORDS DE LA CREUSE, BOSON **17**
comte de la Marche fonda en 997 un monastère bénédictin, soumis à l'abbaye d'Uzerche puis indépendant. A demi ruinée par la Guerre de Cent Ans, l'église fut relevée, dévastée de nouveau en 1591, réparée et ornée, de 1673 à 1681, de ses magnifiques boiseries. C'est pour celles-ci que l'on va d'ordinaire au Moûtier d'Ahun, mais ne dédaignez pas l'église mutilée... Un riche portail flamboyant précède un jardin, à l'emplacement de la nef, le transept a aussi disparu. Restent la croisée, une travée d'avant-chœur et le sanctuaire carré, plus étroit.
A la croisée, coupole du XIIᵉ siècle sur trompes, portée par des arcs brisés et des piles rectangulaires avec imposte en quart-de-round. Des sondages ont montré qu'elle a remplacé une coupole plus large, de la fin du XIᵉ, à l'implantation de laquelle correspondent les arcs plein cintre aux claveaux étroits visibles au sommet des murs qui ferment la travée à l'Ouest, au Nord et au Sud. Vers l'Est, l'arc primitif retombe sur des colonnes aux chapiteaux garnis de feuilles pointues, avec tailloirs à chanfrein et filets. Il est indépendant du doubleau qui vient ensuite, arc brisé sur colonnes à chapiteaux nus, tronconiques sous un dé prolongé de pointes aux angles ; un des tailloirs a

une double torsade. L'avant-chœur à colonnes engagées et mêmes chapiteaux à son extrémité orientale et sous ses arcs latéraux, lesquels sont légèrement en avant des murs ; ses ogives sont du XVe siècle.

Un clocher carré, massif, surmonte la croisée dont les arcs plein cintre Ouest et Nord apparaissent sur les murs actuels. Premier étage aveugle à contreforts plats ; au second, trois baies géminées sur chaque face, avec faisceaux de colonnes à chapiteaux lisses, colonnes plus grosses au sommet des contreforts et sur les angles.

18 MOUTIER-ROZEILLE. *ANCIEN MONASTÈRE DÉPENDANT DE Saint-Yrieix, et par lui de Saint-Martin de Tours. Le vicomte d'Aubusson, Rainaud V le Lépreux, donna entre 1052 et 1073 une charte prévoyant la reconstruction du moûtier détruit par ses ancêtres. Église incendiée en 1575, pillée en 1610, réparée en 1684 et vers 1900. Elle avait trois nefs : les piles composées prises dans les murs de l'actuelle nef unique gardent des départs d'arcades. Chœur à trois absides parallèles (celle du Nord refaite), précédés d'une travée droite et communiquant par deux arcades sur colonnes trapues ; absidiole Sud encadrée de colonnes. Sur la nef, voûte d'ogives factice de profil disgracieux, avec culots maladroitement accrochés aux piliers. Les chapiteaux, sous tailloir en gros quart-de-rond, sont archaïques et d'un type peu courant dans la région : entrelacs, motifs végétaux, animaux et personnages sont maigres et secs, laissant à nu de larges parties des fonds ; ils évoquent la sculpture romane de Normandie et d'Ile-de-France. — Extérieurement, l'aspect primitif n'est conservé qu'au croisillon Sud, avec les contreforts plats caractéristiques ; à la fenêtre de l'absidiole, la mouluration torique est encore peu évoluée.*

19 OBASINE. SAINT ÉTIENNE, NÉ DANS LE PAYS VERS 1085, VÉCUT d'abord en ermite puis fonda vers 1135 une petite communauté selon la règle bénédictine, qui s'affilia en 1147 à l'Ordre de Cîteaux. L'église, commencée en 1156, eut une chapelle consacrée en 1176 et s'acheva, ainsi que les bâtiments conventuels, avant 1190. Trois des six travées de la nef furent démolies en 1731.

De tous les édifices cisterciens de la province, c'est le seul resté debout. Il adapte les usages de l'Ordre au style régional. L'abside polygonale à cul-de-four fait saillie sur le mur droit du transept qui dissimule de chaque côté trois chapelles carrées voûtées en berceau brisé. Plus basse que la travée qui la précède, elle est surmontée d'un triplet et percée de trois fenêtres « limousines ». Sur la croisée, coupole à pendentifs courbes. Nef en berceau brisé sur doubleaux comme le transept, épaulée et éclairée par les collatéraux à voûtes d'arêtes ; arcades brisées à deux rouleaux ; piles carrées à quatre demi-colonnes, celle vers la nef arrêtée sur un culot. Le sol monte d'Ouest en Est, deux marches introduisent la deuxième travée. Chapiteaux lisses et de dessin souple (deux seulement, vers le chœur, sont discrètement ornés), tailloirs à double quart-de-rond, bases à gorge entre deux tores ; la mouluration, à la première travée actuelle, indique un stade un peu plus jeune. La beauté des proportions, l'exécution châtiée, réalisent dans le granit le meilleur de l'esthétique cistercienne. — Au fond du croisillon Nord, oculus à voussures et tores, escalier du dortoir, porte menant à la sacristie qui est une ancienne chapelle en berceau avec abside polygonale. — Dans l'église, remarquez le magnifique tombeau de saint Étienne, sculpté au XIIIe siècle dans le goût champenois ; une très curieuse armoire romane, en bois, décorée d'arcatures sur les flancs ; des vestiges de vitraux en grisaille, absorbés dans leurs pastiches. Du trésor restent une châsse et une croix émaillées.

Extérieur beau de sa simplicité, rythmé de contreforts droits à la nef et aux angles du transept. Les masses étagées du chevet sont dominées à la croisée par un court clocher octogonal avec baies géminées en arc brisé et arcature sur colonnes d'angle. L'implantation sur la souche carrée rappelle Beaulieu et Saint-Léonard : des gradins partent des coins, butant contre des plans verticaux qui se rencontrent au milieu des faces et finissent en degrés.

Visitez les *bâtiments monastiques* : la salle capitulaire, aux baies en plein cintre géminées sur colonnettes à chapiteaux lisses, voûtes d'arêtes portées par deux colonnes et par celles qui surmontent des gradins contre les murs ; au-delà d'un passage, la salle des moines, voûtée d'arêtes sur piliers carrés aux angles abattus, impostes en quart-de-rond et consoles ; la cuisine à deux travées d'arêtes. Le cloître et le réfectoire ont disparu. Au Nord-Est, un curieux canal taillé dans le roc alimentait en eau le vivier et le moulin.

20 SAGNAT. *BELLE ÉGLISE, A PRÉSENT DANS UN TRISTE ABANDON, ce fut un prieuré dépendant de Saint-Martial de Limoges par l'intermédiaire de la Souterraine. Le style très dépouillé peut remonter assez loin dans le XIe siècle, les travées occidentales seules ont des traits un peu plus jeunes. Nef de quatre travées, sans fenêtres, épaulée de bas-côtés étroits voûtés comme elle en berceau longitudinal. Il n'y a de doubleaux qu'au vaisseau central et aux deux premières travées des collatéraux, sur piliers cruciformes avec impostes en double quart-de-rond ; plus à l'Est, supports en T avec impostes chanfreinées. L'absence de colonnes, le plein cintre des voûtes, évoquent Lesterps. Le croisillon Nord a été démoli ; à la croisée, coupole octogonale sur trompes dont les arcs ont été renforcés d'un second au dessous, ce qui étrangle l'entrée du chœur. Une travée droite précède l'abside semi-circulaire, ornée d'une arcature avec petits chapiteaux sommairement sculptés.*

La façade rappelle Lupersat, mais n'a que deux contreforts, celui du Sud épaissi plus tard. Portail en plein cintre à deux voussures avec colonnettes mais un seul tore, archivolte à billettes. Les murs latéraux, surhaussés ainsi que le comble dans un but défensif à la fin du Moyen-Age, ont de longs contreforts plats, des fenêtres petites et nues sans ébrasement extérieur.

21 SAINT-MATHIEU. LE NOM EST UNE CORRUPTION DE CELUI DE saint Martin, à qui l'église est dédiée. Trois travées de nef datent certainement du XIᵉ siècle, mais toute la partie orientale et le clocher Ouest sont du XVᵉ ; les voûtes de la nef sont factices et la peinture qui couvre tout l'intérieur gêne fort l'examen archéologique. *La première travée* a pu constituer un porche : de courtes colonnes, à chapiteaux nus en tronc de pyramide et tailloirs chanfreinés très débordants, recevaient latéralement une arcade basse, bien conservée au Nord, qui soutenait une tribune. A l'Est, vers la nef, subsistent des chapiteaux analogues, l'un muni de masques grossiers, mais placés plus bas encore, directement sur le socle. Au-dessus, et depuis le sol à la travée suivante, supports carrés à demi-colonne vers le vaisseau et sous les grandes arcades, avec chapiteaux nus, tailloirs biseautés. Du côté Nord et à la troisième travée Sud, les arcades, fourrées d'un arc évidemment plus jeune, donnent sur des collatéraux voûtés en berceau. Aux deux premières travées, pas de bas-côté méridional, mais un mur relié par un minuscule berceau transversal aux arcades qui passent en avant. Comment distinguer ce qui est originel et ce qui a été remanié ?... La quatrième travée a des pilastres au lieu de colonnes, sous son doubleau occidental flanqué à l'Est d'un second arc où s'attachent les voûtes du XVᵉ siècle. Ses piles portent trace d'un noyau primitif et de raccordements d'âges divers. — Au dehors, la première travée possède au Sud un portail du XIIᵉ siècle, mutilé, à trois voussures.

22 SAINT-ROBERT. *EN UN LIEU D'ABORD APPELÉ MUREL FUT fondé en 1070 un monastère qui prit le nom du fondateur de la Chaise-Dieu, dont il posséda des reliques. Mort en 1067, saint Robert était apparenté à la famille seigneuriale de Comborn. L'église n'est pas antérieure au XIIᵉ siècle ; elle fut fortifiée au XVᵉ, dévastée aux Guerres de Religion : la nef disparut, le croisillon Sud resta à demi ruiné. Ce qui subsistait fut consolidé vers 1720, puis au début du XIXᵉ siècle, et restauré après 1895.*

Chaque bras du transept a une absidiole orientée ; le croisillon Sud est aujourd'hui fermé ; sur la croisée, coupole octogonale à pendentifs plans et oculus polylobé. Chœur d'une travée droite et rond-point à cinq pans aux arcades brisées surhaussées ; déambulatoire très resserré, voûté d'arêtes sans doubleaux ; trois petites chapelles à fenêtre unique « limousine », séparées par une large travée avec fenêtre semblable. Piles monostyles au chœur, les premières avec

dosseret sur leur tailloir, vers le doubleau ; demi-colonnes à l'Est de la croisée, dans les croisillons et contre les murs du déambulatoire. Partout, beaux chapiteaux *sous tailloirs à double cavet : feuillages variés, personnage accroupi entre deux lions, deux hommes se tirant la barbe, des animaux. Une tribune basse, aux petites ouvertures plein cintre isolées, fait de ce chœur comme une réduction de celui de Beaulieu. Mais un véritable étage de fenêtres éclaire ici directement le sanctuaire au-dessous de la voûte, courtes baies plein cintre, groupées deux à deux, retombant sur des colonnettes.*

Les masses pittoresques du chevet, *passablement restauré, sont accidentées par une tour de défense carrée montée sur la chapelle absidale, une tourelle polygonale au Sud-Ouest et l'octogone à retraits du clocher central. Fenêtres basses « limousines » ; celles du rond-point, nues, sont surmontées de deux arcades aveugles à colonnettes et chapiteaux sculptés. De sorte que le mur s'élève au-dessus des toitures inférieures beaucoup plus haut qu'il n'est d'usage en Limousin.*

23 SAINT-YRIEIX. AREDIUS, L'UN DES GRANDS ABBÉS LIMOUSINS du Haut Moyen-Age, mort en 591, fonda dans sa villa d'« Attanum » un monastère rattaché à Saint-Martin de Tours. De l'église romane, bâtie à la fin du XIᵉ siècle et remplacée cent ans plus tard par la grandiose construction gothique, reste *le massif occidental,* intéressant à un double titre. — C'est, comme à Meymac, une transition entre le parti du clocher-porche et celui qui incorpore la tour à la première travée. En effet, d'étroits collatéraux plus hauts qu'à l'origine, obstrués à l'Est par les piles gothiques, amorcent ceux de la nef disparue. Mais on passe dans la travée centrale, couverte en berceau, par des arcs brisés trapus à double rouleau, sur piles à ressauts et impostes chanfreinées ; un arc semblable, un peu plus élevé, ouvre sur la nef. Une salle d'étage octogonale, avec coupole partant d'un cordon, avait primitivement une baie en arc brisé sur ses quatre faces principales. — C'est d'autre part, toujours comme à Meymac, un jalon vers le type de façade de Saint-Junien et du Dorat : trois arcades sur pilastres, au Sud une fenêtre désaxée, au centre un portail à deux voussures « limousines » qui conserve de belles pentures romanes. Au-dessus, trois arcs avec tore dans la voussure sont encadrés de rampants à petites baies (celui du Sud est refait). Le clocher a un étage roman orné sur chaque face de six arcs trilobés, sur colonnes alternativement fortes et minces, et pilastres aux angles ; l'étage supérieur est plus jeune. Les murs des bas-côtés paraissent plus anciens que la façade elle-même : ils sont en moellons, sauf les contreforts plats ; une corniche indique la surélévation ultérieure et le toit en appentis masque partiellement les anciennes ouvertures latérales de la tour ; fenêtre archaïque au mur Sud.

Maleu, Aimeric de Rochechouart donna l'église, une fois bâtie, au chapitre de Saint-Junien le 18 septembre 1075. En fait, la nef peut dater des dernières années du XI⁰ siècle, la façade du début du XII⁰, mais le chœur a été reconstruit au XIII⁰. Restaurée après 1907, cette originale église souffre de l'humidité car elle est à demi enterrée vers l'Est, bien que l'architecte de la nef ait incliné le dallage et l'ait relevé d'une marche par travée.

Vaisseau unique, en berceau brisé sur doubleaux, contrebuté de berceaux transversaux comme plus tard à Bénévent, avec étroits passages cintrés au travers des piles. Les demi-colonnes vers la nef ont, sur un stylobate, des bases à bandeau orné entre deux tores, rappelant Beaulieu; chapiteaux nus, tailloirs et cordons en biseau; fenêtres ébrasées avec tore et colonnettes, appui en gradins, parfois masqué plus tard. — Le transept a été absorbé pour raccorder le chœur, sensiblement plus large que la nef: restent les deux murs du croisillon Nord, peu saillant et fermé, et l'arc Ouest de la croisée, resserré et à double rouleau, avec une partie des colonnes de sa face orientale.

Le chœur a deux travées en berceau brisé, sans fenêtres au-dessus des bas-côtés voûtés d'arêtes avec formerets; à la première travée Sud, coupole sur pendentifs à la base du clocher; arcades et doubleaux inférieurs brisés, à double rouleau. Deux piliers cylindriques à quatre colonnes engagées ont socle rond, bases à tores écrasés, chapiteaux lisses surbaissés sous bandeau et tailloir à deux cavets. Contre les murs, demi-colonnes identiques avec dosseret, ressauts adoucis d'une colonnette sur l'angle. Au centre du chevet plat, triplet de fenêtres « limousines » en plein cintre, surmonté d'une baie semblable, plus petite. Cette architecture robuste et soignée a quelque chose de l'esprit cistercien; plutôt que d'une filiation précise, il s'agit de la simplicité raffinée qui marque en Limousin la survie de l'art roman dans le XIII⁰ siècle.

Au dehors, sur le flanc Sud de la nef, mur en moellons et très petite fenêtre sans voussure à la première travée, puis courtes baies à fruste mouluration torique et chapiteaux nus; les fenêtres Nord, beaucoup plus allongées, sont « limousines » avec chapiteaux calcaires sculptés sans tailloir; nulle part il n'y a d'ébrasement. — La façade mêle un portail de trois voussures « limousines » à des influences charentaises: cinq arcades, deux partant de la base sur des pilastres, trois au-dessus du portail, avec colonnettes jumelées à culots. Quatre niches, vides, surmontent un bandeau. Des reliefs calcaires, incrustés dans le mur, proviennent aussi de l'Ouest: Christ en majesté, deux personnages et deux panneaux décoratifs, deux lions. Le pignon sur corniche, avec fenêtre bouchée, est rehaussé au centre car la nef et ses berceaux ont des toits distincts. — Le chevet est extérieurement d'une grande pureté: mur unique, rectangulaire sur les bas-côtés, pignon médian à colonnes d'angle; chapiteaux lisses aux moulures des fenêtres ébrasées. — Le clocher, anormalement placé, finit en octogone sur des gradins partant des coins de la souche.

culte chrétien, d'où le nom de la localité implantée d'abord à Breilh (auj. Bridiers). En 997 ou 1015, le vicomte Géraud de Crozant donna la terre à Saint-Martial de Limoges; la crypte fut remaniée entre 1017 et 1022, une église commencée dès 1070. Sa reconstruction débuta vers le milieu du XII⁰ siècle par les trois travées occidentales; en 1177, la croisée était inachevée. Malgré les subsides d'Henri II d'Angleterre, le besoin d'argent provoqua un conflit entre les moines et la population. La coupole du transept posée en 1195, Richard-Cœur de Lion finança l'œuvre des croisillons et du chœur, montés de 1200 à 1233 ainsi que le clocher. Celui-ci fut plusieurs fois foudroyé et réparé du XV⁰ au XVII⁰ siècle. Classée en 1845, l'église a subi, de 1850 à 1873, l'indispensable mais trop radicale et parfois arbitraire restauration d'Abadie.

Logiquement, allez d'abord à *la crypte*. Étendue au XIII⁰ siècle sous le transept et le chœur, elle ouvre à l'Ouest sur un énigmatique caveau certainement beaucoup plus ancien, où vous noterez: les murs en énormes blocs, à moulure de cordons convexes sous un berceau; vers l'Est, isolés des parois, deux tronçons de colonnes antiques en granit, l'une ayant pour chapiteau une base retournée, portant un arc en blocage avec amorces d'arcs latéraux; vers l'Ouest, deux pilastres sous doubleau, d'aspect plus récent, et un puits. Dans le fond, un passage étroit débouche sur une sorte de vestibule barlong où aboutissait un escalier: en haut des marches, grande dalle funéraire avec inscription païenne, encastrée dans la muraille. Le tout est fort mystérieux, mais bien difficile à dater!..

A la première travée de *nef*, comme à Saint-Junien, au Dorat et à Bénévent, coupole sur pendentifs courbes avec arcades latérales extradossées et surmontées d'une petite ouverture; aux colonnes engagées, chapiteaux en granit à rinceaux et palmettes d'un style vigoureux comme au Dorat, tailloirs en double quart-de-rond. Les collatéraux, très étroits, ont fenêtres « limousines », voûtes d'arêtes sur doubleaux. Ils épaulent le berceau brisé de la deuxième travée, dont les piles orientales n'ont une demi-colonne que vers la nef, chapiteaux et imposte restant identiques. Même type de supports au couple suivant, mais la troisième travée est voûtée d'ogives, ornées de boules ainsi que les formerets, portant sur le dosseret des piles romanes; courte fenêtre au-dessus des grandes arcades. A l'Est de la quatrième travée, les supports, logiquement conçus en fonction des ogives, ont une colonne dans leur direction; moulures en double cavet. Le mur méridional des troisième et quatrième travées est roman, mais les fenêtres n'ont qu'un ébrasement nu. — Appréciez comme la structure gothique respecte l'économie des masses romanes, remarquez l'allure anglo-angevine du beau transept et du chœur (malgré son affreuse fenêtre!): bas-côté à l'Est des croisillons, voûtes de hauteur partout égale, faisceaux de colonnettes, celles des murs bizarrement coupées par un cordon.

Le bas de *la façade* rappelle le Dorat : massif rectangulaire à corniche et retraites, clochetons (modernes), deux arcades étroites et portail. Celui-ci, sans trumeau, à l'intrados polylobé comme à Bénévent, deux colonnes à chapiteaux calcaires figurant l'Annonciation et la Visitation, trois voussures sous cordon d'archivolte. La première est garnie d'un tore et festonnée comme lui depuis la base des piédroits ; les deux autres, semblables, ont en outre un ressaut avec tore régulier. Mal relié au rez-de-chaussée, le clocher présente un étage à grand arc brisé, puis accuse en un mélange plus singulier qu'harmonieux de multiples retouches. — Sur le bas-côté Sud, fenêtres « limousines » aux deux premières travées ; à la troisième, sur une porte nue entre deux contreforts reliés par un arc brisé et une double corniche, Vierge assise, qui peut dater du XII° siècle.

26 TOULX-SAINTE-CROIX.
L'ÉTRANGE ÉGLISE SE TASSE au sol, sur un âpre plateau battu des vents qui commande un immense horizon et porta un habitat celtique puis gallo-romain. Saint Martial aurait commencé à « Tullum » sa prédication : l'épisode, figuré sur un vitrail de la cathédrale de Tours et aux fresques du Palais d'Avignon, concerne Toulx et non pas Tulle, dont le nom latin est « Tutela ».

La date de l'édifice est inconnue. Son extrême rudesse de formes ne doit pas le faire trop vieillir, mais le chœur peut se situer au XI° siècle et fournir avec Uzerche l'un des plus anciens exemples de déambulatoire conservés en Limousin. Sanctuaire voûté en berceau et cul-de-four sans doubleau ; déambulatoire en berceau plein cintre, avec doubleaux fortement extradossés portant sur des consoles à chanfrein vers le mur. Autour du rond-point, quatre grosses colonnes à chapiteaux grossièrement tronconiques, dont deux ornés de palmettes ou de masques, et deux piles fasciculées réunissant trois fûts sous une tablette biseautée. Les chapelles greffées à l'Est et au Sud-Est ne sont pas d'origine. Le transept et la nef, réduite à une seule travée au lieu de quatre, paraissent du début du XII° siècle ; au croisillon Sud, fragments d'ancienne corniche à damiers, oves et dents de scie. Nef et bas-côtés sont en berceau plein cintre, sur piles cruciformes.

Le clocher, maintenant isolé, formait porche. Sa lourde souche carrée à un étage est défigurée par l'adjonction de contreforts à glacis vers l'Ouest et le Sud ; sur la face Nord, trace des ouvertures primitives. — Près de l'église, trois lions de pierre, très usés, sont analogues à ceux de Saint-Michel à Limoges ; il y en a d'autres dans la Creuse et à Saint-Maurice en Charente. Ce ne sont pas d'anciens supports de colonnes, mais des figurations « prophylactiques » d'origine gallo-romaine, employées ou copiées au Moyen-Age pour marquer les limites d'un cimetière ou d'une juridiction.

cartulaire d'Uzerche » indique que l'abbaye bénédictine entretint force légendes autour de sa turbulente histoire... La « Gallia Christiana » place vers 958 la fondation, en 1028 un incendie, en 1030 l'entreprise de la crypte. La Chronique de Vigeois mentionne, sous l'Abbé Géraud I°, une consécration du maître-autel par Hugues Archevêque de Lyon et Gui, Évêque de Limoges de 1073 à 1086. En 1095, le Pape Urbain II, passant par le Limousin, ne put consacrer la partie achevée de l'église, du fait de l'Évêque insoumis Humbaud qui accomplit en 1097 la cérémonie avec Rainaud de Périgueux. — Crypte, chœur et croisillon Nord peuvent dater du XI° siècle ; la nef paraît du début XII°, allongée au XIII°. Fortifiée au commencement de la Guerre de Cent Ans, l'église subit ensuite des dégâts (démolition de la chapelle absidale, de la flèche), réparés en 1622 (réfection des voûtes). Classée dès 1840, elle a été restaurée en 1910.

On aimerait dater avec précision *la crypte,* dont le déambulatoire, qui commande le plan du chœur, semble le plus ancien subsistant en Limousin. S'inspire-t-il de Saint-Martial, dont les relations avec Uzerche étaient étroites et où l'église consacrée en 1028 offrait peut-être déjà ce tracé ? Il reste quatre chapelles arrondies ouvrant sur un couloir en berceau annulaire ; derrière un mur à cinq baies étroites, le centre est voûté d'un berceau pivotant sur un pilier médian carré. Fenêtres irrégulièrement placées et nues, murs et voûtes en moellons noyés dans un épais mortier, avec traces de coffrages en charpente. Deux escaliers reliaient la crypte à l'église.

Celle-ci est pleine de disparates et d'étrangetés. *Chœur* d'une travée droite et rond-point à cinq pans, berceau brisé et cul-de-four ; l'arc d'entrée est outrepassé, mais le profil bizarre des voûtes et de plusieurs arcades doit résulter de remaniements. Six colonnes monostyles ont des chapiteaux à feuillages rudimentaires, parfois retouchés. Déambulatoire sur doubleaux plein cintre, voûté d'arêtes de plan carré en face des chapelles, en portions de berceau de plan triangulaire dans les intervalles, disposition qui rappelle les rotondes carolingiennes. Hautes absidioles flanquées de pilastres à impostes chanfreinées, fenêtres nues refaites ; aux travées intercalaires, fenêtre et oculus comme à Notre-Dame de la Couture au Mans et à Saint-Sernin de Toulouse. — Piles de la croisée carrées et sveltes, à trois colonnes engagées aux chapiteaux sculptés de feuillages, tailloirs à chanfrein. Croisillons en berceau brisé sur doubleaux et demi-colonnes, absidiole Nord arrondie, celle du Sud, plus jeune, polygonale avec « moulurations limousines » à l'entrée et à la fenêtre. Notez trois grands chapiteaux transformés en bénitiers, l'un orné de têtes humaines et de lions debout ayant une tête d'angle pour deux corps.

Nef de quatre travées sans fenêtres, épaulée de collatéraux en quart-de-cercle sur doubleaux plein cintre et pilastres muraux. La travée orientale a des murs du XIe siècle, des piles cruciformes à imposes biseautées, berceau brisé et arcades simples comme la travée suivante. Des piles à doubles ressauts, des arcs à deux rouleaux, soutiennent, plus à l'Ouest, la coupole du clocher, octogonale sur pendentifs plans. La travée rajoutée, plus longue, s'évase d'Ouest en Est sous un berceau.

Chevet extérieurement très nu, en moellons sauf les contreforts ; leur retrait vers le haut, les cylindres allongés des chapelles, font un peu penser à Conques. L'absidiole et l'angle Ouest du croisillon Nord sont pris dans les tours de défense ajoutées au XIVe siècle. — Une « moulure limousine » et une archivolte à billettes encadrent la fenêtre d'absidiole, le portail refait au XIIIe et la grande fenêtre du croisillon Sud. A la nef, fenêtres nues, murs en moellons et contreforts en assises, empattés d'un glacis à la base ; tour défensive greffée à l'angle Sud-Ouest. — Le clocher domine la seconde travée, on ne sait s'il couronnait primitivement une façade. Quatre étages : une souche carrée avec porte au Sud ; un étage percé de deux baies par face, en arc brisé à tore et colonnettes, géminées par une colonne à long chapiteau vigoureusement sculpté ; un autre avec deux baies séparées d'une colonne et surmontées d'un gable ; celui-ci ménage, avec les acrotères prolongeant les angles, la transition vers un octogone, court et percé de deux petites baies dans ses pans obliques. Comme à Collonges, une face de l'octogone correspond à une face du carré, variante plus lourde et probablement plus ancienne du type qui sera perfectionné à Saint-Léonard et amorcé à Saint-Junien.

28 VIGEOIS. *UN DES PLUS VIEUX MONASTÈRES LIMOUSINS PUIS*que fondé par saint Yrieix au VIe siècle. Dévasté par les Normands, relevé au IXe siècle, dominé ensuite par la famille de Comborn et incendié entre 1060 et 1080, il demanda l'intervention de l'Abbé clunisien de Saint-Martial en 1082. Il ressort du cartulaire que la reconstruction fut activement menée au moins jusqu'en 1124 et que l'abbaye était prospère au XIIe siècle. La Guerre de Cent Ans puis les luttes religieuses l'éprouvèrent : le siège de 1590 mutila des sculptures et ruina la nef, laquelle fut rebâtie en 1866. La réfection de l'absidiole du croisillon Nord et la restauration du chœur datent de 1908.

La nef ancienne avait trois vaisseaux, mais le très large chœur actuel, (13 m.), résulte-t-il de la suppression d'un rond-point à déambulatoire ?.. Il fait songer à Solignac : trois chapelles, celle du centre polygonale, les autres arrondies, séparées par une fenêtre « limousine » sous un arc de décharge surhaussé, donnent directement sur le sanctuaire voûté en cul-de-four ; un rang de petites fenêtres s'ouvre en pénétration à la base de celui-ci. Les croisillons, voûtés en berceau, ont chacun une chapelle polygonale ; aux colonnes sous les doubleaux, chapiteaux calcaires sculptés : gueules de monstres avec palmettes, saints en gloire, peut-être histoire de Zachée comme à Arnac. Autour du chœur, sous tailloirs en granit à double cavet, distinguez, de gauche à droite : une Ascension, peut-être les Saintes Femmes au Tombeau et le « Noli me tangere », un transfert de reliques, la Tentation du Christ, deux saints dans des mandorles, enfin un personnage nu monté sur un âne et entouré d'autres figures (?).

Le chevet, flanqué de deux tourelles polygonales et où les chapelles répètent fidèlement le plan interne, révèle le même goût pour les chapiteaux historiés, plus fréquents, on le sait, en Corrèze que dans le reste du Limousin. Ils garnissent l'arcature sur colonnes, à la chapelle d'axe et au croisillon Sud, la chapelle Nord étant moderne et les deux autres n'ayant que de petits contreforts. A l'absidiole centrale, la Parabole du Mauvais Riche occupe deux corbeilles ; à côté, Vierge en gloire, encadrée de figurines qui pourraient représenter le Réveil des morts ; enfin, Daniel dans la fosse aux lions. Au croisillon Sud, notez une Annonciation et une Annonce aux bergers. Chapelles et corniche supérieure du chœur ont de pittoresques modillons en granit, à têtes grimaçantes. Des contreforts étroits épaulent les angles du transept. Au Nord, massif rectangulaire où se creuse le portail : sous une première voussure, cordon d'archivolte à deux cavets, puis voussure avec tore privé de ses colonnettes, ensuite une autre également avec tore, mais festonnée. L'intrados de la porte est polylobé, l'extrémité des crossettes sculptée de petits animaux ; aux chapiteaux des piédroits arrondis, à gauche deux lions, à droite les Apôtres Pierre et Paul dans des gloires. Aux côtés de l'arc d'encadrement, deux petites niches sous arcs en mitre contiennent des figures de saints assis, mutilés ; sous celle de gauche, lion en granit encastré dans le mur. Une corniche à billettes sur modillons précède une fenêtre refaite et un modique clocher de charpente.

BEAULIEU

La table des planches illustrant ce chapitre se trouve à la page 52.

B<small>EAULIEU</small>... *Pour combien d'amis de l'art roman, ce nom évoque-t-il sim-*
plement un portail, l'un des plus grandioses certes, dont nous avons parlé
dans un ouvrage antérieur?

Mais il n'y a pas que cela à Beaulieu : c'est encore la Dordogne, l'une des
plus belles rivières de France. C'est ensuite une vieille ville extraordinaire qu'il
faut voir la nuit, à la lueur de son faible éclairage, et qui, par sa franchise limou-
sine, n'a rien d'un décor dont, à première vue, on pourrait l'accuser.

C'est surtout l'église romane elle-même, si simple, si belle, si noble, qui
serait peut-être plus célèbre si ne la masquait en partie l'éclat de son tympan...

BEAULIEU, TRIOMPHE DE LA CROIX

Nous ne reviendrons pas sur le portail de Beaulieu, puisqu'il a été étudié dans notre « *Quercy Roman* » (p. 291 à 319), nous rappellerons seulement ici le sens général de l'iconographie de cette page, l'une des plus importantes de la statuaire romane.

Beaulieu est marqué par la victoire du Christ, le triomphe de la croix. Le tympan l'évoque au travers de l'apparition grandiose qui clôturera la fin des temps et préludera au Jugement final : le Christ apparaissant sur les nuées, tandis que son signe — la croix — s'inscrit dans les cieux et que les trompettes des anges remplissent l'univers de leur clameur : les morts ressuscitent. Les Apôtres, assis sur des trônes, se préparent à juger avec le Christ, étonnés par la gloire d'une Passion qu'ils avaient d'abord refusé d'accepter mais à laquelle ils ont participé ensuite par leur propre martyre. Les sages des nations (à la gauche du Christ, sous les apôtres) se montrent avec stupeur cette croix ignominieuse, source de salut, qui confond leur science et déroute leur jugement. Les sept bêtes infernales, enfin, personnification des vices, sont placées sous les pieds du Christ triomphant, en signe de sa victoire définitive sur le mal. Le monde diabolique, désormais livré au Sauveur, ne tourmentera plus les bons mais seulement les damnés, exerçant ainsi la justice divine. Sur les contreforts du portail, l'Ancien et le Nouveau Testaments annoncent cette victoire définitive du Rédempteur. A gauche, Daniel dans la fosse aux lions est une figure du Christ vainqueur du démon. A droite, deux épisodes de la tentation au désert rappellent que, dès cet instant de la vie terrestre de Jésus, le monde de la grâce triompha de celui du mal.

Cette vision grandiose du portail que nous rappelons brièvement, pour être plus imagée, plus sensible — et donc plus facile à saisir — n'ajoute rien au langage de l'église elle-même qui, dans son architecture, parle aussi du triomphe du Christ, de la victoire de la croix. C'est pourquoi nous n'avons pas hésité à répartir la riche matière de Beaulieu en deux volumes : la conserver groupée comme elle l'est en réalité, aurait pu étouffer le message des formes architecturales sous celui, plus éloquent, des formes sculpturales.

Pourtant, comment oublier la signification du plan de l'église, tel qu'il est appliqué, entre autres, à Beaulieu ? C'est la croix qui est ici marquée par l'édifice, au point que, même ruiné, par ses bases, ses fondations, il trahirait encore sa raison d'être, livrerait son sens sans équivoque.

Le triomphe de la croix inscrit *sur* le portail, l'est plus encore *dans* l'église. Car il suffit de regarder le plan de Beaulieu pour le voir, cette croix majestueuse rayonne de gloire en son sommet. Le groupement des trois chapelles absidales, des deux chapelles du transept, s'ordonne selon des cercles qui entourent la partie supérieure de la croix, celle où le divin crucifié tint sa tête, celle où se placent, dans l'édifice, chœur, sanctuaire, autel. Par ailleurs — et ceci en élévation — à la croisée, centre plus encore de la croix, la coupole s'élève, immense, triomphale (pl. 12) qui traduit avec éclat la gloire et la splendeur promises et conférées au Rédempteur.

Tel est le sens de Beaulieu. Ici se trouve exprimée en perfection la réalité *totale* du Christianisme. La Passion n'est pas la fin mais le moyen nécessaire pour y atteindre. La fin, c'est le triomphe définitif du Christ à la consommation des siècles, déjà assuré et comme figuré par l'implantation de son Eglise sur la terre, dans le temps. Cette rédemption toutefois s'est opérée par la croix : la croix du Christ, de son Eglise, la croix dont la messe de chaque prêtre, chaque jour, rend la présence vitale sensible et manifeste. La Passion est source de gloire. La gloire ne peut être acquise que par la croix. Cette leçon-là, derrière le portail, c'est toute l'église de Beaulieu qui la formule et qui la donne. « Que celui qui a des oreilles pour entendre, entende ». Et, qu'ayant entendu, il sache mettre en pratique.

L'Atelier du Cœur-Meurtry

HISTOIRE

HISTOIRE DE SAINT-PIERRE DE BEAULIEU

La fondation

Selon la « Gallia Christiana », l'abbaye bénédictine « des saints Pierre, Paul et Félicité » fut établie par Raoul, Archevêque de Bourges, en un lieu d'abord appelé « Vellinum », sur la rive droite de la Dordogne. La terre se trouvait dans la vicomté de Turenne, mouvance du comté de Quercy dont le titulaire était alors le propre père de Raoul. Le monastère invoquait aussi le patronage de saint Denis et de ses compagnons, des saints Pancrace, Crispin, Crispinien, Ursin et Marcellin, Benoît et Théau, l'ermite de Solignac, ainsi que des Martyrs vénérés en Agenais, Prime, Félicien et Émile, dont l'église possédait les reliques avec celles de sainte Félicité.

La même source, interprétant une charte de donation effectuée « la première année du roi Charles », place la fondation en 840 ou 841. Elle dit par ailleurs que Cunibert, Abbé de Solignac, fournit vers 840 des moines pour Beaulieu à la demande de Raoul et conféra la dignité abbatiale à Gairulf, l'un d'entre eux. Trois ans plus tard, Raoul lui-même cède l'église de Saint-Saturnin « au monastère de Beaulieu... et aux moines qui y servent Dieu sous le gouvernement du vénérable Gairulf, Abbé. »

Dom Armand Vaslet, historien de l'abbaye en 1727, et, de nos jours, Dom Besse acceptent ces indications. Cependant Dom Mabillon adopte pour date originelle 845, le cartulaire de Saint-Étienne de Limoges 853. Lefèvre-Pontalis se prononce pour 855. En définitive, l'événement se situe vers le milieu du IXe siècle, époque qui vit de nombreuses restaurations ou créations de couvents en Limousin. Une charte du cartulaire, en 852, qualifie Beaulieu de « monasterium novi operis », terme repris à propos de nouvelles largesses de Raoul ; dans le Pouillé du diocèse de Limoges, constitué au XVIIIe siècle par l'abbé Nadaud, on lit que des constructions s'élevaient en 859-860.

Les premiers siècles

D'après la « Gallia » toujours, sous Gairulf resté longtemps en fonctions, le monastère s'enrichit grâce aux bienfaits de Charles le Chauve, du comte Geoffroi, de l'Archevêque Frotaire successeur de Raoul, et de nombreux particuliers. La prospérité se maintint jusque dans la seconde moitié du Xe siècle : un passage du cartulaire relate que l'Abbé Géraud fit, vers 971, décorer le cloître. L'abbaye passe peu après sous la direction de Bernard II, auparavant moine de Fleury-sur-Loire et Abbé de Solignac, lequel, devenu Evêque de Cahors, résigne sa charge à son neveu Hugues de Comborn.

C'est le signal de la décadence. La riche et turbulente maison de Comborn, vassale du comte de Périgord, accapare Beaulieu. Hugues, resté dans le siècle, provoque par sa conduite de vives plaintes au Concile de Limoges en 1031 : « Il y a grande destruction des lieux sacrés, ce pourquoi la colère jaillit de la face de Dieu sur le peuple. » Cependant tout foyer d'art et de culture n'était pas éteint : le cartulaire signale un oratoire de la Vierge, orné de peintures par le moine Bernard dans le premier tiers du XIe siècle. Au temps même des troubles, vivait au moûtier le « grammairien » Wervo, assez en vue pour compter parmi les destinataires de la fameuse lettre d'Adhémar de Chabannes sur l'apostolicité de saint Martial.

Installé par le Concile, l'Abbé Frodin tenta de rétablir l'ordre. Il eut fort à pâtir des menées d'un antiréformiste, Hugues de Châteauneuf, qui finit par l'évincer. C'est pourtant ce rebelle qui fit appel à Hugues de Cluny pour réorganiser complètement l'abbaye. Les luttes qui préludaient à la réforme grégorienne faisaient alors entrer dans « l'empire » clunisien, en 1062, Saint-Martial de Limoges, puis Saint-Sauveur de Figeac et Saint-Pierre de Moissac. La date de la soumission effective de Beaulieu reste imprécise car le texte de la « Gallia » manque de clarté. Mais, à la liste des Evêques de Limoges, il est dit que l'abbé séculier Hugues de Châteauneuf demanda et obtint en 1076 le consentement de l'Evêque Gui Ier de Laron à la cession qu'il projetait. Le Pouillé de Nadaud fixe pour sa part au 23 mai 1095 la prise de possession de l'abbaye par les moines de Cluny, mais note qu'un lien de dépendance existait depuis 1076.

L'église romane

La mise en chantier d'une vaste église est certainement en rapport avec la venue d'un personnel nouveau et l'essor des pèlerinages qui dut accompagner, ici comme ailleurs, la renaissance de la vie régulière. Bien que Beaulieu soit à l'écart de la vieille voie romaine Limoges-Périgueux, la route du Sud la plus fréquentée, nul doute que la proximité d'Aurillac et de Figeac, celle aussi du tombeau de saint Martial, enfin la réputation des reliques gardées sur place, n'aient attiré visiteurs et offrandes. Les grands axes naturels de relations favorisaient les échanges avec Souillac, Moissac, Conques, échanges attestés par les sculptures du porche. Il y a plus, le parti structural adopté pour la nouvelle église était en faveur au même moment le long de ces routes, de Saint-Martial de Limoges à Saint-Sernin de Toulouse et au-delà...

Malheureusement, nous ne connaissons pas les dates de cette construction. Le cartulaire garde mémoire de donations qui ont notablement accru les ressources du monastère, mais ne précisent pas l'emploi fait de celles-ci. Une bulle de Pascal II, donnée à l'Abbé Géraud II en 1103, confirme les privilèges de l'abbaye, laquelle jouit de plusieurs prieurés dans le diocèse de Cahors qui jouxte son territoire. L'Evêque de cette ville fait un don important en 1112 encore. Ces contacts aident à expliquer les analogies qu'on relève dans le décor architectural avec l'abside de la cathédrale de Cahors.

Force est en effet d'interroger le monument lui-même pour faire quelque lumière sur sa chronologie. Il est bien évident que rien ne subsiste de l'époque préromane et que l'essentiel appartient au XIIe siècle. Mais il y a des indices de campagnes différentes, dont Lefèvre-Pontalis appréciait comme suit la progression :

avant 1150 : chœur, transept, travée orientale de la nef ;

vers 1160-1170 : côté Sud de la nef et porche, ensuite mur du collatéral Nord ;

au XIIIe siècle : dernière travée Ouest de la nef et façade ; démontage et reprise en sous-œuvre des deuxième et troisième travées de nef au Nord, ainsi que du pilier les séparant.

Nous croyons, avec l'érudit limousin Albert de Laborderie, que c'est là trop retarder le début des travaux. La construction a dû commencer vers 1100 et peut-être même avant cette date, par le chevet : sa mouluration évoque le déambulatoire de Conques, ainsi que le chœur de Cahors dont le maître-autel fut consacré en 1119. Le transept et la quatrième travée de la nef portent les mêmes caractères et une vraie discontinuité n'apparaît, très nette, qu'à l'Est de la troisième travée. — Ensuite, le portail ouvert sur la deuxième travée Sud se range par son linteau et sa technique dans la filiation immédiate de Moissac, où Raymond Rey date les dernières sculptures de 1130 au plus tard, soit à peu près en même temps que celles de Souillac qui ont également servi de modèles. Par ailleurs, il est admis que le tympan de Beaulieu a inspiré celui de Saint-Denis, consacré en 1140, et le rapport entre les deux œuvres ne saurait être renversé. Il faut donc que le mur où ce portail se place ait été monté avant le milieu du XIIe siècle. — Le mur Nord ainsi que le pilier qui sépare au Sud la troisième de la deuxième travée doivent être contemporains, ou légèrement antérieurs. Point n'est besoin de supposer une reprise en sous-œuvre pour le pilier correspondant au Nord : il offre, comme les supports et l'élévation interne des deux travées occidentales, des traits sensiblement plus jeunes, ceux du début du XIIIe siècle en Limousin, traits qui s'affirment davantage encore à la façade. Quant au clocher assez gauchement greffé à l'angle Sud-Ouest de cette dernière, il ne remonte vraisemblablement qu'au XIVe siècle et fut surhaussé en 1556.

Les temps modernes

Les Huguenots causèrent à l'église de graves dommages en 1569 et 1574. Des maisons obstruèrent l'entrée occidentale et l'abbatiale devint temple réformé. Les moines, réfugiés au château d'Astaillac, ne purent rentrer qu'après la reprise de la ville par les catholiques en 1586, mais pour trouver leur couvent détruit. Ils réparèrent, en les voûtant d'ogives à liernes, la deuxième travée du bas-côté Nord et le croisillon Nord du transept dont deux murs furent remontés.

La prise de possession par les Bénédictins de Saint-Maur, le 11 mars 1663, entraîna une plus importante rénovation. Le prieur Dom Claude Lieutaud fit refaire le cloître, réparer la salle capitulaire. Ses successeurs commandèrent en 1676 et 1678 les retables de bois sculpté qui subsistent dans les chapelles du transept et de l'abside, aveuglant plusieurs fenêtres. Les bâtiments monastiques, connus par une gravure du « Monasticon Gallicanum » et disparus à la Révolution, furent construits de 1683 à 1699. Sous le prieur Dom Armand Vaslet fut dégagé, de 1717 à 1724, le portail Ouest et construit le triplet de fenêtres au sommet de la façade ; au

XVIIIᵉ siècle, on badigeonna tout l'intérieur d'un enduit à faux joints.

La Révolution fit de l'église une paroisse, (avant 1790 celle-ci n'occupait que le croisillon Sud). Il y eut peu de dégâts, mais le défaut d'entretien provoqua en 1808 un effondrement partiel à la voûte de la nef. Le classement intervint dès 1843, mais çe fut seulement de 1881 à 1883 que l'architecte de Baudot remonta les voûtes écroulées et refit les toitures. En 1889 on dégagea des maisons qui l'enserraient le flanc Sud de la nef et on lança la voûte du porche. En 1903 la salle capitulaire fut aménagée en sacristie ; en 1907, l'abside débarrassée des constructions parasites et restaurée. La pile Nord-Est et le bas des autres supports de la croisée ont été repris et consolidés à partir de 1921.

VISITE

COMMENT VISITER L'ÉGLISE DE BEAULIEU

Le portail de Beaulieu, maintes fois étudié, jouit d'une assez large réputation ; on rend moins fréquemment justice à l'église dont il fait partie. Il ne s'agit pourtant pas de saluer au passage un morceau renommé, mais d'éprouver la qualité d'un ensemble.

Le touriste qui se hâte vers les sites célèbres du proche Quercy n'aperçoit guère à l'avance la petite cité, installée dans une boucle de la Dordogne parmi les lignes calmes d'un paysage très boisé (pl. 1). La grande route la frôle plutôt, et c'est heureux : l'abbatiale est préservée des voisinages tapageurs par un agglomérat de vieilles maisons, qui conserve la forme et quelques vestiges de l'enceinte fortifiée. La nef allonge son flanc Sud, animé par le trou d'ombre du porche, sur une place irrégulière qui s'étrangle en étroits passages au pied du clocher et derrière le transept. A qui déplore l'aridité du vide arbitrairement taillé autour de trop d'édifices médiévaux, ce désordre est un agrément, même s'il a pour rançon quelque manque de recul. La façade occidentale se cache ainsi au fond d'un cul-de-sac, coincée entre des bâtisses indifférentes et le saillant inharmonieux de la tour ; mais voici, sur une maison, d'aimables sculptures du XVIᵉ siècle. Par le boyau qui se faufile contre les chapelles du chevet, vous atteindrez un terre-plein qu'ignorent les visiteurs pressés : de là vous verrez s'épanouir dans la lumière matinale la robuste et logique composition de l'abside, ses volumes étagés clairement lisibles dans leurs rapports et dominés à la croisée par un court clocher octogonal (pl. couleurs, p. 9). Contournant le croisillon Nord, vous découvrirez la jolie façade de la salle capitulaire, seul témoin du monastère démoli.

L'INTÉRIEUR

Bien entendu, c'est à l'intérieur que l'œuvre s'exprime le mieux, dans ses dispositions organiques, l'esprit de ses constructeurs, son âme enfin. Du premier coup s'imposent l'ampleur des proportions, l'élan des arcades, la sobre puissance des profils. Laissez-vous prendre à la grave atmosphère de cette église de moines. Oubliez quelques réfections très apparentes et la disgrâce du badigeon qui persiste au croisillon Sud, aux colonnes du chœur travesties de cannelures doriques, aux chapelles dont les retables, non dénués de mérite, manquent d'entretien et faussent la distribution de l'éclairage. Remettez à plus tard l'examen des différences de détail révélatrices des campagnes successives, pour considérer d'abord les traits d'ensemble.

Aspects généraux

Le plan, la structure, offrent à première vue peu d'altérations du dessein initial. Quatre travées couvertes d'un berceau sur doubleaux (pl. 9) ont des bas-côtés voûtés d'arêtes (pl. 10), d'une exécution assez gauche (la deuxième travée Nord est refaite dans un gothique tardif). Le transept large et fortement saillant, avec à l'Est de chaque bras une chapelle arrondie, est voûté en berceau (pl. 15) ; le croisillon Nord a reçu, à la fin du XVIᵉ siècle, des ogives avec liernes et tiercerons. Au centre de la croix, se hausse une coupole à huit pans inégaux, sur pendentifs plats (pl. 12, 13). Le chœur, formé d'une travée droite et d'un rond-point, paraît

47

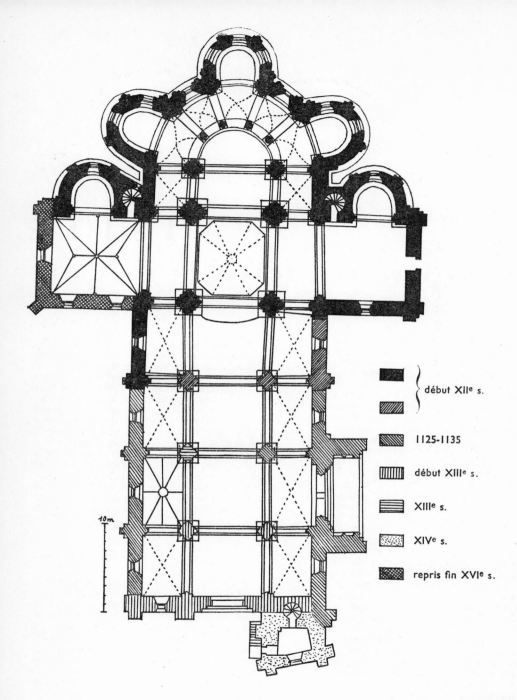

10 m

■ } début XIIᵉ s.

▨ 1125-1135

▥ début XIIIᵉ s.

▤ XIIIᵉ s.

▦ XIVᵉ s.

▩ repris fin XVIᵉ s.

B E A U L I E U

court (pl. 11) : en fait, le dallage surélevé d'une marche lui incorpore la croisée. Trois chapelles en hémicycle donnent sur un déambulatoire muni de voûtes d'arêtes avec doubleaux. C'est un plan roman sans anomalies, où seule une légère brisure d'axe entre la troisième et la quatrième travée de la nef indique une interruption temporaire.

Terminaisons du transept mises à part, *l'ordonnance* est partout semblable dans son principe. Pas de fenêtres dans le vaisseau central, sauf au rond-point où quatre courtes baies s'ouvrent en pénétration dans la calotte, et à la façade ajourée de deux triplets superposés, le premier du XIIIᵉ siècle, le second du XVIIIᵉ. Les grandes arcades sont larges et hautes dans la nef, plus resserrées dans le chœur. Au-dessus, de très petites baies, géminées par deux colonnettes trapues placées l'une derrière l'autre, jalonnent une galerie obscure. Trop peu de fenêtres demeurent libres dans les chapelles mais, outre les percées déjà signalées, la lumière se diffuse par celles des collatéraux et du déambulatoire, des parois occidentales et terminales du transept, enfin, peut-être par suite d'un remaniement, à la base de la coupole.

Les piliers sont identiques dans la nef et à l'entrée de l'abside : cruciformes, avec une demi-colonne sur chaque face, ils prolongent leurs ressauts dans le rouleau externe des arcades et des doubleaux, la demi-colonne répondant au rouleau interne. La liaison entre les courbes et les membrures verticales est ainsi nettement et vigoureusement affirmée. A la croisée seulement, le ressaut supplémentaire placé aux articulations des piles manque de se raccorder aux retombées des voûtes. Les divisions des piliers ne partent pas du sol, mais d'un socle ou stylobate, beaucoup plus élevé dans le chœur et la partie orientale du transept, de hauteur inégale bien que toujours notable aux supports de la nef. A l'abside, les arcades sont reçues sur quatre grosses colonnes monostyles. Partout, contre les murs goutterots, les doubleaux inférieurs portent sur des demi-colonnes à dosseret ; il en est de même aux entrées des chapelles.

Une église des confins limousins

Dans cette élévation abondent les éléments qui rattachent Beaulieu à la famille limousine : la stricte localisation et la concision du décor, la grande ouverture des arcades de la nef, le goût des mouvements à angles vifs qui maintiennent aux piliers comme une valeur murale. Et surtout la présence, autour des fenêtres latérales et de celles des absidioles, de colonnettes reliées dans la voussure par un tore de même calibre, avec de petits chapiteaux parfois sculptés, le plus souvent nus. Ces traits qui se retrouvent, réunis ou non, à Saint-Junien, au Dorat, à Bénévent et dans une foule d'églises rurales confèrent une

identité d'accent à des partis architecturaux très dissemblables.

L'originalité de Beaulieu tient à plusieurs facteurs précis, d'où ressort le rôle de carrefour imposé par la géographie à ce point-limite de l'ancien diocèse de Limoges que fractionna en 1317 la création du diocèse de Tulle. Ils vérifient également, tout comme les sculptures du portail, l'expansion de formes en usage dans le pays de Cahors et les centres de pèlerinages du Sud-Ouest.

— *Le grès*, jaune ou rougeâtre, tend à supplanter le granit. Moins résistant que celui-ci et plus facile à travailler, quoiqu'il ne permette guère les finesses du ciseau et se conserve assez mal, il emplit en effet la dépression de Brive, zone de transition entre les plateaux cristallins du Limousin proprement dit et les calcaires des Petits Causses. Ressentez cette différence du matériau : elle suffit à modifier l'aspect de lignes et de surfaces traitées cependant selon le goût de la province.

— *L'importance donnée aux bas-côtés* change aussi : à Saint-Junien, au Dorat, à la Souterraine, à Uzerche, ils sont beaucoup plus étroits. Participant davantage à l'organisation de l'espace intérieur, ils atteignent ici environ la moitié de la largeur de la nef. En revanche, dans la nef toujours, leur développement vertical rappelle les autres églises limousines, mais ceci, nous le verrons, s'écarte de l'intention première.

— *Le profil des voûtes* n'adopte pas partout le tracé brisé, indiscutablement préféré en Limousin dès la fin du XIᵉ siècle. De façon au demeurant mal explicable, le plein cintre persiste au doubleau et à la voûte de la quatrième travée ainsi qu'aux grandes arcades correspondantes. Ne nous hâtons pas pour autant de croire cette travée plus ancienne que le chœur : l'examen des tribunes fournira un argument en sens contraire. Plutôt serait-on en droit de penser que le doubleau anormalement saillant de l'entrée de l'abside et la calotte de celle-ci ont subi des retouches... Quant aux travées occidentales de la nef, de dessin faiblement brisé, on sait qu'elles ont été revoûtées au siècle dernier et que leur achèvement était bien postérieur à celui des autres parties. — Observez de plus, à la quatrième travée de la nef, à la travée droite du chœur et au transept de part et d'autre de la croisée, la physionomie archaïque des voûtes, appareillées à leur base en plusieurs lits de grosses assises, puis en pierres plus petites toujours disposées en rangs longitudinaux. Cette pratique est venue de pays où les matériaux se prêtent à la taille complexe qu'elle exige ; l'application en est ici grossière, les joints sont très épais, irréguliers. Les autres grandes voûtes limousines sont construites en blocage et revêtues d'un enduit.

— *L'aménagement des tribunes, le décor des bases et des chapiteaux,* méritent une attention particulière. Outre leur intérêt propre, ils vous aideront à lire les étapes de la construction.

La présence d'un étage de tribunes confère à l'abbatiale son individualité. Elle n'a d'analogue en Limousin qu'à l'église corrézienne de Saint-Robert, aujourd'hui mutilée, au chœur de Chambon et, sur une plus grande échelle mais à l'état de témoin, au chœur de Saint-Léonard. Cette répartition même autorise à classer Beaulieu dans le groupe des « églises de pèlerinage », bien qu'on n'y trouve pas tous les caractères ordinairement inclus dans cette notion.

M. Elie Lambert a montré le rôle largement initiateur joué par Saint-Martial de Limoges, dès le milieu du XIe siècle, dans l'élaboration du type illustré par Saint-Sernin de Toulouse et Saint-Jacques de Compostelle. La même formule a plus ou moins inspiré, en Quercy Saint-Sauveur de Figeac et Saint-Pierre de Marcilhac, ailleurs Sainte-Foy de Conques, Saint-Salvy d'Albi, Saint-Gaudens, Saint-Étienne de Nevers. Les églises limousines citées plus haut étaient comme Beaulieu réputées pour leur reliques et figuraient sans aucun doute sur maints itinéraires de pèlerins. Saint-Robert prit en 1070 le nom du fondateur de la Chaise-Dieu, mort en 1067, dont la mère appartenait à la famille de Comborn. Chambon est une fondation de Saint-Martial ; les reliques de sainte Valérie y furent transférées dès 847 et leur culte est à l'origine de la grande église élevée par la suite. A Saint-Léonard, directement placé sur un « Chemin de Saint-Jacques », le désir d'imiter les plus vastes sanctuaires du parcours ne s'est réalisé que durant le XIIe siècle, mais plus manifestement encore.

Sans doute, ces exemples n'offrent-ils qu'une réduction du schéma constitutif. C'est aussi le cas de Beaulieu : trois chapelles, au lieu de cinq, au chevet ; pas de bas-côtés sur le transept et, partant, pas de continuité dans les tribunes. Celles-ci sont conçues de façon modique : voûtées en quart de cercle dans l'abside, en berceau transversal dans la travée droite du chœur, elles sont beaucoup trop trapues pour concourir à l'éclairage, leur mur de fond est plein. Elles ne débouchent sur l'église que par des ouvertures exiguës, percées presqu'au ras de leur sol dans un mur épais. Très basses dès la travée droite, elles ne sont pas, comme à Toulouse, ramenées à un passage plus réduit autour du rond-point : leurs baies ont mêmes dimensions, même valeur dans l'ordonnance du sanctuaire. Rien de tout cela ne doit pourtant empêcher de les rapporter à leur véritable origine, laquelle n'est pas, comme l'avait bien vu Lefèvre-Pontalis, « l'école auvergnate » : ni l'équilibre de l'abside, ni la structure de la croisée ne permettent l'assimilation à ce groupe.

Ces tribunes du chœur (pl. 14), accessibles par deux portes placées près des chapelles du transept, épaulent à sa naissance la voûte centrale. Elles forment un tout cohérent et norma-

lement proportionné à l'élévation dont elles font partie. On note seulement que leurs baies en plein cintre sont désaxées vers l'Ouest à la travée droite. Elles répètent identiquement leurs ouvertures dans les croisillons, au-dessus des entrées du déambulatoire et aussi sur les arcades qui terminent les bas-côtés. C'est la preuve que des tribunes toutes pareilles étaient projetées, à la même hauteur, pour la nef.

Malgré l'âge inégal de ses travées, celle-ci possède effectivement des galeries sur toute sa longueur. On y monte en passant au-dehors, par le clocher occidental ; elles sont aujourd'hui privées de voûtes et couvertes par les rampants du toit moderne commun aux trois vaisseaux. — Mais regardez, depuis l'église, le contact du transept et de la nef : le brusque changement de conception est évident.

La hauteur nouvelle des collatéraux, fonction de l'importance donnée aux grandes arcades, comprime les tribunes entre ces dernières et la voûte (pl. 10). Les baies deviennent minuscules : aux travées de l'Ouest, leur pied entame même les claveaux d'archivolte de l'arcade inférieure, comme si elles avaient été ouvertes après coup ! L'architecte a fait du rez-de-chaussée la dominante de sa composition, selon le parti le plus fréquent en Limousin, tout en conservant l'étage. Par souci d'unité, ou pour lui faire contrebuter la voûte ? — Impossible d'affirmer, dans l'état actuel, que la couverture en pierre des tribunes ait été réalisée. Dessinait-elle, comme au chœur, un quart de cercle ? — En ce cas, son rayon et le niveau de sa base devaient la faire aboutir, non plus à l'origine du berceau central, mais nettement au-dessus des retombées. Peut-être se profilait-elle plutôt en segment de cercle très ouvert, comme à Saint-Léonard... En admettant que des voûtes aient jadis existé sur ces tribunes, leur démolition, dont la date est inconnue, a-t-elle entraîné l'effondrement partiel du berceau en 1808 ? — Le déversement des piliers, très prononcé, peut s'expliquer de la même manière ; mais il pourrait aussi remonter plus loin et trahir une déficience intrinsèque de l'épaulement. Le fait est que les restaurateurs n'ont pas jugé indispensable de rétablir, à supposer qu'il y en ait eu, des voûtes sur les galeries et que l'équilibre du vaisseau se rapproche désormais de celui des églises à trois nefs presque égales. Il semble avoir été d'abord un compromis entre le butement par les collatéraux (mais ils sont tout de même insuffisamment élevés, la déformation des piliers le prouve, quelle que soit sa date), et le butement par les tribunes (mais elles ne sauraient avoir eu autant d'efficacité que dans le chœur et l'on a pu, de nos jours, se dispenser d'y recourir).

Analysez de près *la quatrième travée de la nef*, la première construite. Le changement de programme a coïncidé avec un arrêt du chantier, arrêt sans doute bref mais indéniable : il y a dans le mur du bas-côté Sud une trace très nette de reprise, contre le support engagé qui précède

50

le transept. Remarquez les expédients qui ont permis de hausser les voûtes des collatéraux au niveau commandé par les grandes arcades : un doubleau supplémentaire extradosse le double rouleau débouchant sur les croisillons, les cantons Nord et Sud des voûtes d'arêtes sont relevés. La maçonnerie de celles-ci obstrue jusqu'à la base des chapiteaux, en arrière des colonnettes, les baies primitives de tribunes préparées à l'Ouest du transept : cela s'observe très bien depuis l'extrémité des galeries du chœur. Notez aussi que le mur méridional dévie vers le Sud et que l'alignement des piliers occidentaux de la travée s'infléchit vers l'Est. La travée du bas-côté Nord, un peu plus longue de ce fait, présente à l'Ouest un doubleau de surcroît qui n'existe pas en face ; pour redresser la perspective, il est jeté de biais, comme celui qui s'ajoute à l'Est du bas-côté Sud. Regardez enfin le départ de la voûte à la nef : pour laisser place aux baies des tribunes, toujours en plein cintre, on a fortement décalé le cordon d'imposte, sans liaison avec les piles de la croisée, qui reçoit le lourd berceau dont nous avons dit le profil inusité. Cependant, par une sorte de « repentir » en sens inverse, les chapiteaux du doubleau occidental se placent un peu plus bas... Sur eux s'aligneront plus tard cordons et chapiteaux des autres travées, où les grandes arcades au tracé désormais brisé sacrifient décidément les baies des tribunes, de même dessin. Du chœur au fond de la nef, on assiste à l'atrophie progressive d'un élément dont le rôle structural est inégalement compris et dont l'effet décoratif faiblit devant la primauté donnée au large rythme des divisions inférieures.

La décoration

L'ornementation sculptée fort discrète dans l'ensemble, reflète à son tour l'évolution du style. Dans les parties les plus anciennes elle atteste l'influence des régions méridionales.
Les bases, dans tout le chœur et à l'Est du transept, sont d'allure très archaïque. Demi-cylindriques, elles sont garnies de tores d'égal diamètre, souvent multipliés et presque tangents, parfois torsadés, (chapelle absidale, croisillon Sud). Ou bien deux tores encadrent un bandeau décoré de boules, de dés alternés (déambulatoire, absidiole Sud-Est, absidiole du croisillon Sud). Ces formes, ainsi que la hauteur des stylobates correspondants, donnent à penser que l'abside a été commencée dès avant 1100 ; elles ressemblent beaucoup à celles du déambulatoire de Conques et du chœur de la cathédrale de Cahors.
Aux piles de la croisée, les bases sont refaites, mais leur modèle authentique est conservé aux supports occidentaux de la quatrième travée de la nef. Il indique déjà plus de recherche : entre des tores toujours égaux, le bandeau porte une

frise sculptée, palmettes (pilier Sud), chiens qui se poursuivent, rinceaux (pilier Nord). Cette seconde manière, qui correspond à une diminution du stylobate, ne se retrouve en Limousin qu'à la nef des Salles-Lavauguyon, sans doute peu postérieure à 1100.

Les quatre piliers situés plus à l'Ouest et les supports engagés qui les accompagnent ont au contraire des bases plates où, sur un socle carré, s'écrasent deux tores, celui du dessous plus débordant. C'est une forme généralisée dans le cours du XIIe siècle et longtemps persistante. Au pilier Nord entre les deuxième et troisième travées, une scotie se creuse entre les tores, confirmant l'impression que ce pilier pourrait être le plus jeune de tous.

Les chapiteaux, dans la zone orientale de l'église, appartiennent à deux types, mais sont uniformément surmontés de tailloirs très débordants à bandeau et biseau, celui-ci parfois dégagé d'un mince filet au sommet. Les chapiteaux sculptés sont très rares : à part quelques encadrements de fenêtres, vous les comptez seulement aux entrées du déambulatoire (vers les murs), aux chapelles du transept et sous le doubleau du croisillon Nord, enfin — on se demande pourquoi — contre la muraille au débouché du collatéral Nord et sur la face Ouest du pilier sud-occidental de la quatrième travée. Ce sont des feuillages polylobés et retroussés avec volutes d'angle, des personnages agenouillés ou accroupis formant cariatides. La facture en est massive, le modelé épais. Mme Lefrançois-Pillion a justement noté que rien n'y révèle la main des artistes du portail. On en peut dire autant des deux bas-reliefs, inscrits dans les linteaux en bâtière, qui surmontent, l'un la porte de l'escalier des tribunes dans le croisillon Nord, l'autre l'ancienne porte du cloître au Nord de la quatrième travée. Le premier figure deux lions encadrant un arbre aux ramures entrelacées (pl. 8) ; le second, deux lions et un personnage assis, mains ouvertes, entre deux arbustes (pl. 7).

Partout ailleurs dans le chœur, le transept, les piles et les murs de la quatrième travée, les chapiteaux sont nus, mais d'une forme particulière. Un tronc de cône pénètre un tronc de pyramide, les deux renversés, ce qui dessine sur chaque face un petit arc de cercle. Ce chapiteau « géométrique » n'est aucunement limousin ; par contre il en existe de nombreux exemplaires aux parties basses du chœur de Cahors et en plusieurs édifices du Quercy. M. Pierre Quarré l'a repéré dans vingt-huit églises de la région de Mauriac, c'est-à-dire sur un territoire en contact à la fois avec Cahors et avec Beaulieu. Il reparaît avec des nuances à Saint-Etienne de Nevers, ce qui explique peut-être l'aspect simplifié qu'il affecte à Chambon.

51

(suite à la page 86)

TABLE DES PLANCHES

2

8

SOLIGNAC ▶

25

29

30

DIMENSIONS

Longueur totale dans œuvre : 69 m 77.

Longueur intérieure du porche : 10 m 40.

Longueur de l'entrée de la nef à celle de la chapelle absidale : 54 m 20.

Longueur du chœur, sans la chapelle absidale : 12 m 50.

Longueur intérieure de la chapelle absidale : 5 m 17.

Largeur de la nef au sol : 13 m 70.

Longueur intérieure du croisillon Nord : 10 m.

Largeur intérieure du croisillon Nord, absidiole non comprise : 13 m 30.

Profondeur de l'absidiole du croisillon Nord : 3 m 30.

Longueur intérieure du croisillon Sud : 7 m 50.

Largeur intérieure du croisillon Sud, absidiole non comprise : 13 m 30.

Ce même chapiteau existe encore tout le long du mur septentrional dans le bas-côté, ainsi que sur les quatre faces du pilier Sud entre la deuxième et la troisième travée, indiquant qu'il y a eu là comme une phase de transition. En effet, les bases aux mêmes endroits présentent deux tores aplatis, comme dans les supports plus jeunes. A-t-on voulu utiliser des chapiteaux déjà préparés ?.. — Les deux demi-colonnes qui encadrent, au mur Sud, le revers du portail révèlent un autre esprit : elles sont munies de corbeilles à longues feuilles lisses et grasses, sous un tailloir à deux baguettes toriques séparées par un filet.

Les piliers occidentaux de la nef et le pilier Nord-Est de la deuxième travée sont caractéristiques de l'art limousin au début du XIIIe siècle. La corbeille se raccourcit, tantôt nue et incurvée avec souplesse, tantôt garnie d'un décor très stylisé, boules, crochets, coquilles, aux angles et au milieu des faces. Les tailloirs, le cordon de la grande voûte affinent leur mouluration en cavets superposés, mêlés de fins listels. Ne soyez pas surpris de trouver un échantillon de cette manière évoluée sur la face Ouest du pilier qui précède au Nord la quatrième travée : la pile la plus proche à l'Ouest ayant été montée ou remontée en dernier lieu, l'arcade qui les relie se rapporte évidemment à cette ultime campagne.

Le décor des baies vous confirmera, pour terminer, la marche générale des travaux. Sauf aux trois travées les plus jeunes de la nef, où ils sont unis, les chapiteaux des tribunes appartiennent au type « géométrique ». Les tores et colonnettes encadrant les fenêtres sont, nous le savons, de pratique courante en Limousin mais, de la chapelle absidale jusqu'à la quatrième travée inclusivement, leur allure reste primitive, leur module gros, leurs bases cylindriques sont analogues à celles des supports. Il y a quelques-uns de ces petits chapiteaux calcaires sculptés, que l'on trouve partout dans la province et qui semblent avoir été importés en grand nombre des pays de pierre tendre, mais aussi majorité de chapiteaux « géométriques », d'un galbe assez lourd.

Tout cela change dans la troisième travée, à l'Est de laquelle, dans les deux murs, court une indiscutable discordance d'appareil : les fenêtres, placées plus bas, sont moins larges, leur mouluration plus svelte, leurs chapiteaux souples. Celles des travées occidentales étaient sans doute identiques, mais leur encadrement a disparu. Un dernier stade, franchement avancé dans le XIIIe siècle, est donné par le triplet de la façade : les chapiteaux à crochets se soudent en frise, les voussures multipliées sont adoucies de tores alternant avec des gorges ; c'est l'ornementation de nombreux portails limousins « gothiques », Aixe-sur-Vienne, Saint-Yrieix, Saint-Léonard, etc...

Complétez maintenant votre analyse par celle du dehors : vous retrouverez les indices du développement chronologique et serez amené à vous poser quelques problèmes nouveaux.

L'abside

Ses masses fermes et bien articulées reflètent les dispositions internes (pl. couleurs, p. 9). Un soubassement continu suit les inflexions des trois chapelles et de celles du transept, ainsi que les travées intercalaires du déambulatoire. Les contreforts, les fenêtres à « mouluration limousine » (pl. 5), les corniches sur modillons créent une impression d'unité. Nombreuses pourtant sont les disparités de détail, qu'il serait téméraire de vouloir interpréter trop rigoureusement.

Seule *la chapelle d'axe* est symétriquement composée. Quatre contreforts l'épaulent, dosserets avec demi-colonne à chapiteau « géométrique », tablette débordante et amortissement en pyramide sous la corniche. Celle-ci présente un rang de billettes et repose sur des modillons sculptés pleins de fantaisie : vous distinguez des animaux fantastiques, un bel oiseau, un personnage recroquevillé, et aussi des modillons « à copeaux ». Il y a trois fenêtres, celle du centre murée, les autres précédées d'un bahut plein. Dans leur unique voussure, les colonnettes descendant jusqu'au soubassement ont des bases toriques, des chapiteaux allongés et sculptés sans tailloir aux baies du Nord et de l'Est, un chapiteau décoré de griffons et un chapiteau « géométrique » à la baie Sud. Un cordon d'archivolte à billettes fait retour horizontalement jusqu'aux contreforts. La fréquence de ce motif au chevet, de même que celle des modillons à copeaux, permet ici de parler d'affinité avec l'Auvergne, mais plus généralement elle indique un stade ancien de l'architecture régionale. Sur les claveaux et sur les murs, autre indice de haute époque, on voit de très nombreuses marques de tâcherons (pl. 4).

Les deux chapelles obliques sont plus simples, avec trois contreforts et deux fenêtres, une dans l'axe, qui est obturée, et une vers l'Est. A l'absidiole méridionale, la corniche à billettes possède encore des modillons pittoresques et très variés ; les baies ont même cordon que précédemment, celle de l'Est a de petits chapiteaux « géométriques » ; de nouveau abondent les signes lapidaires. L'absidiole du Nord n'a qu'une corniche chanfreinée, sur des corbeaux plus frustes ; sa fenêtre orientale est étroite, collée au contrefort terminal et dépourvue de cordon, les chapiteaux y sont « géométriques ». L'autre baie seule est surmontée de billettes et ses chapiteaux sont sculptés ; à sa droite, pas de demi-colonne mais un contrefort plat terminé en glacis, qui pourrait être une réfection.

86

Entre les chapelles, *les deux travées du déambulatoire* sont flanquées de contreforts pareils à leurs voisins, mais le dosseret se prolonge en une petite pile rectangulaire qui monte faiblement contre la paroi de la tribune. Elles ont une fenêtre de même type qu'aux absidioles mais sans billettes.

Les chapelles des croisillons n'ont qu'une fenêtre, bouchée. Celle du Sud possède deux contreforts-colonnes, une corniche chanfreinée sur modillons, dont beaucoup sont refaits ; le tore et les colonnettes de la baie, que coiffe un cordon de billettes, sont plus gros qu'à l'abside. Celle du Nord n'a que des contreforts plats comme celui de l'absidiole voisine, mais, à côté de restaurations certaines, on peut se demander si son décor n'est pas plus ancien que tout ce qui précède. La fenêtre, avec cordon, montre une mouluration torique encore lourde, des chapiteaux à palmettes proches du méplat gravé en creux ; les modillons, oiseau, têtes d'hommes et d'animaux, frappent par une technique analogue, très différente de celle rencontrée aux autres chapelles (pl. 3) ; le biseau de la corniche porte un rinceau incisé qui évoque les imposes des piliers dans le croisillon Nord de Saint-Léonard.

Les parties hautes sont extrêmement simples. L'étage des tribunes est nu et plein, sous une corniche à modillons qui se retrouve, mais pourvue de billettes, au sommet du chœur. Les petites fenêtres du sanctuaire sont bordées, comme à l'intérieur (pl. 14), d'un tore continu, ce qui n'est probablement pas une forme très ancienne (pl. 2). Sur la croisée, entre deux tourelles arrondies, la coupole est enfermée dans un massif carré. Le clocher n'a qu'un étage octogonal, plus jeune que l'abside, largement percé de huit baies en arc brisé à une voussure de « mouluration limousine » ; une colonne au chapiteau lisse garnit chaque angle. Il ne semble pas avoir reçu de couronnement en pierre. Sa seule particularité est le passage du carré à l'octogone par un jeu de gradins obliques qui s'interpénètrent, partant les uns des coins, les autres du milieu des côtés de la souche. Ce procédé, plus bizarre qu'élégant, rappelle les tours de croisée de Saint-Léonard et d'Obasine.

Le transept

Il n'y a pas grand'chose à dire du croisillon Nord, dont les murs ont été rebâtis lors de l'établissement de la voûte ogivale. *Le croisillon Sud,* au contraire, a bien gardé ses caractères primitifs. Il est cantonné sur ses trois faces, près des angles, par ces contreforts étroits et minces, sans retraites, qui généralement signalent en Limousin des constructions antérieures au XIIe siècle (Arnac-Pompadour, transept de Saint-Junien, etc..) (pl. 6). Le bas du mur de façade montre un appareil plus petit et moins soigné que le reste ; la porte ne date probablement que

du XVIIe. Plus haut, une fenêtre en plein cintre avec cordon de billettes à retours, colonnettes et tore assez gros, bases cylindriques et petits chapiteaux « géométriques », est surmontée d'un oculus légèrement désaxé vers l'Est, entouré de billettes avec un tore dans la voussure. Le mur occidental, lui aussi, a sa base faite en matériaux de taille réduite, sommairement équarris, avec des joints épais, contrastant avec les pierres striées par le sciage et mieux assemblées qui prédominent ailleurs. Sa fenêtre est totalement semblable à la précédente, mais le cordon d'archivolte s'étend sur toute la largeur de la paroi. La corniche supérieure est à billettes, sur des modillons disparates et fort restaurés ; elle passe au-dessus d'un petit contrefort, qui limite le toit du collatéral de la nef et prolonge verticalement de quelques assises le mur de ce dernier.

La nef

Poursuivez par ce même *flanc Sud*. La quatrième travée s'isole nettement, comme à l'intérieur, entre deux reprises d'appareil : l'une sous l'aplomb du contrefort précité, tout contre le transept, l'autre à gauche du contrefort occidental qui fait corps avec la travée. Cet appui, unique en son genre de ce côté, rappelle ceux de l'abside : c'est une demi-colonne avec dosseret et chapiteau « géométrique », coiffée d'une tablette arrondie sur laquelle est posée une statue très mutilée. D'autres signes encore différencient la quatrième travée de la troisième : ses assises sont plus grandes et d'un grès plus rouge ; sa fenêtre reproduit absolument toutes les particularités rencontrées dans la plupart des baies inférieures du chevet et au croisillon Sud, notamment au bout de celui-ci où le cordon de billettes interrompt de même ses retours sur les murs.

La troisième travée est édifiée dans une pierre plus jaune dont les profils de son ouverture sont plus affinés. Cette fenêtre est moins longue, elle possède un ébrasement extérieur, ce qui ne s'était jamais trouvé encore ; sa voussure dessine un arc brisé où tore et colonnettes sont beaucoup plus légers ; les bases sont à tores aplatis, les chapiteaux sculptés de feuillages sans tailloirs ; le cordon d'archivolte avec retours est simplement mouluré. La baie semble décalée vers l'Ouest par suite de l'épaisseur exceptionnelle du contrefort qui flanque le porche.

La deuxième travée est entièrement masquée par *le portail,* dont vous trouverez l'étude complète au volume « Quercy Roman » (p. 291 à 319, cf. aussi dans le présent chapitre, p. 42). La voûte du porche, son gâble et son toit à deux pentes, avec le contrefort qui en émerge à l'Est, sont modernes. A la première travée, il y a une fenêtre ébrasée à « mouluration limousine » ; plus haut sur le mur, aujourd'hui pris dans le départ du clocher, reste un fragment de corniche sur quatre modillons, suivi vers l'Est d'autres corbeaux isolés.

Cet alignement donnerait-il la hauteur primitive de la corniche ? Celle-ci se développe au-dessus, après quelques assises visiblement refaites sur toute la longueur du mur. Elle est néanmoins ancienne, munie de billettes et soutenue par d'intéressants modillons sculptés de monstres, d'oiseaux, de motifs floraux, dont la plupart sont authentiques. Il faut admettre qu'elle a été déposée et remontée. Même en fonction du niveau présumé initial, le contrefort séparant les troisième et quatrième travées se termine relativement bas : rien ne renforce le mur à la hauteur des tribunes, au droit des doubleaux de la nef, et l'élévation ne permet pas de pressentir l'ordonnance interne.

Si vous vous portez *du côté Nord,* vous remarquez d'emblée que l'aspect des contreforts est plus homogène et qu'ils paraissent mieux s'appliquer au niveau où doivent en principe se transmettre les poussées. D'un bout à l'autre, ce sont des demi-colonnes sur socle carré, avec dosseret et chapiteau « géométrique » (plus allongé entre les troisième et quatrième travées). Tous s'arrêtent deux assises au-dessous des modillons, qui sont ici plus frustes ; le sommet du mur n'a pas l'allure neuve qu'il présente au Sud. Les étais montent ainsi beaucoup plus haut par rapport aux fenêtres et, par souci de solidité, ils sont obliques contre la paroi, leur saillie diminuant à mesure qu'ils s'élèvent. En dépit de cette précaution, ils semblent assez faibles quand on se souvient de la massive apparence des voûtes à l'intérieur. Mais ils accentuent l'impression produite par les supports engagés qui leur correspondent, à savoir que les trois travées occidentales ce de mur ont été construites ensemble, et sans doute un peu avant que fût continué le flanc méridional. A l'Est de la troisième travée, vous retrouvez la reprise à partir de laquelle a débuté la campagne. La quatrième travée, par contre, se distingue toujours par ses matériaux plus grands et plus foncés, sa fenêtre toute pareille à celle qui lui fait face du côté Sud ; en bas à gauche, vous voyez trace de l'ancienne porte du cloître. Ce dernier devant border la nef au Nord, toutes les fenêtres de ce flanc sont plus courtes ; toutefois, ce n'est qu'à partir de la troisième travée que leur appui, encore plus franchement remonté, coïncide avec un cordon en quart-de-rond qui règne sur les murs comme sur les contreforts.

La façade Ouest

Elle se réduit en fait à celle de la nef. Le rez-de-chaussée s'ouvre par un large portail sans tympan, précédé de deux voussures en arc brisé occupées par des tores, les colonnettes ont disparu. La silhouette reste romane et peut se dater de la seconde moitié du XIIᵉ siècle : on n'y trouve pas les finesses de mouluration, le décor de boules et de crochets visible à l'intérieur sur les piliers occidentaux. Ce répertoire, en revanche, caractérise comme sur son autre face le beau triplet du premier étage. Le couronnement de la façade a peu de caractère monumental : le triplet supérieur est un médiocre pastiche, très sec de lignes ; le pignon est nu, amorti en gradins. Vers la gauche, au-dessus d'un large contrefort rectangulaire, la muraille se prolonge sans ornements et finit en horizontale.

Un peu décevante donc, cette façade pose un problème. A la date où elle a été bâtie pour l'essentiel, la vieille formule du « clocher-porche », celle de Lesterps et de Saint-Martial de Limoges, tendait à disparaître ; cependant on élevait encore des tours de ce type à Saint-Martin de Tulle et à Chambon. L'autre composition chère au Limousin, celle qui coiffe la façade d'un clocher sur coupole, venait d'être perfectionnée au Dorat et à Saint-Junien. Ici nous n'avons qu'un simple mur, et ni les piliers ni les voûtes de la première travée n'indiquent le projet d'une tour à l'Ouest de l'église. S'il y a eu, à la place du clocher actuel, une construction dès la fin de la période romane, elle ne pouvait être que déjà hors-œuvre et nous ignorons tout de sa forme et de son importance. Où et comment s'arrêtait alors le mur du bas-côté méridional ? A gauche du fragment de corniche signalé sur l'extrémité de la première travée, une culée, munie d'un décrochement en équerre à son angle Sud-Ouest et aujourd'hui située au milieu de la face Sud du clocher, paraît se relier au mur roman. Serait-ce un témoin des dispositions premières, singulièrement utilisé ensuite pour porter le long et étroit contrefort qui part de son glacis vers les étages de la tour ?.. Beaucoup de choses d'ailleurs sont bizarres en cette dernière, que la forme de ses baies fait attribuer au XIVᵉ ou au XVᵉ siècle : son plan trapézoïdal irrégulier, son accès extérieur surélevé, sa quasi-indépendance de l'église. L'aspect général est militaire : ce ne serait pas, il s'en faut, le seul exemple d'adjonction défensive apportée à une église limousine en un quelconque moment de la Guerre de Cent Ans. Un détail pratique pourrait signifier que l'abbatiale n'avait pas tout d'abord de clocher occidental : il semble que de tout temps les cloches du monastère aient été sur la croisée du transept et que la tour de l'Ouest ait servi de beffroi pour la commune. En 1784, un arrêt du sénéchal de Tulle en confirme la propriété à l'administration municipale.

La salle capitulaire

Dans le prolongement du croisillon Nord, elle donnait sur l'aile orientale du cloître. Sa porte en arc brisé, bordé d'un tore sur colonnettes avec chapiteaux sans tailloir est accompagnée de deux baies semblables mais divisées chacune en deux lancettes sur colonnettes jumelées. Les bases à tores écrasés, celui du pied débordant, les chapiteaux à crochets, la sobre élégance du dessin, marquent l'extrême fin du XIIᵉ siècle, ou le début du XIIIᵉ. Vers les sommiers des trois arcs, de gros corbeaux ont porté les solives du cloître. L'intérieur, profond de deux travées, est couvert de six voûtes d'arêtes sans doubleaux, qui retombent sur deux piles carrées et sur des colonnes adossées aux murs.

Le Trésor

Ne quittez pas Beaulieu sans demander à voir les quelques pièces d'orfèvrerie que conserve encore l'église. La plus remarquable est une *Vierge,* en bois recouvert d'argent repoussé, dont la date, fort discutée, peut se placer vers la fin du XIIᵉ siècle. Dérivée des Vierges auvergnates, elle est assise sur un trône et tient l'Enfant sur son genou gauche. Les couronnes, le bord des manches, le siège, sont décorés de filigranes d'or, de pierres dures antiques et de cabochons.

Notez aussi : un curieux reliquaire en forme de lanterne porté par trois boules et muni au sommet d'un cachet gravé probablement carolingien, l'objet lui-même serait du XIᵉ ou XIIᵉ siècle ; — une châsse en émail de Limoges, du XIIIᵉ, figurant sur le devant l'Adoration des Mages, et des Apôtres aux pignons ; — deux bras-reliquaires de la même époque, en argent repoussé, avec dorures, filigranes et cabochons.

SOLIGNAC

La table des planches illustrant ce chapitre se trouve à la page 52.

On aimerait dire parfois qu'il est, sur la route, des églises essentielles, d'autres secondaires. Entendons-nous. Sur le vrai plan, toute église est essentielle, toute église est lieu de rencontre avec Dieu. Mais parmi elles, les unes permettent ce contact, les autres le facilitent. Et puis il y a les églises anonymes, les églises célèbres. Il y a les églises affreuses, les églises courantes, les belles églises, les églises exceptionnelles.

Nous dirions volontiers que, dans sa simplicité, dans sa rigueur, Solignac fait partie de ces dernières, tant elle sait atteindre son but avec un minimum de moyens.

SOLIGNAC ET NOTRE TEMPS

Plus on étudie l'art roman et plus on admire la façon dont, en une portion somme toute réduite d'espace et de temps, les hommes d'alors ont exploré et exploité les ressources à la fois techniques et spirituelles des problèmes qu'ils avaient à résoudre. La seule question du mode de voûtement des églises a trouvé, en leur esprit et par leurs mains, des solutions multiples où le génie de l'invention confine au génie tout court.

Mais chez ces hommes la matière n'est jamais indépendante de l'esprit et, lors même qu'ils cherchent des solutions techniques aux difficultés qui surgissent : celle par exemple de couvrir un local avec des pierres sans risquer de catastrophes (tout en conservant à celui-ci le maximum d'ampleur), ils se rappellent en même temps la portée spirituelle de leur geste et ne décident en fin de compte, de la solution dernière que dans la mesure où, sur ce point, elle leur semble particulièrement respectueuse des exigences profondes de leur œuvre.

Comment expliquer, sinon, que certaines trouvailles techniques matériellement remarquables, aient eu si peu d'écho et que leur vogue ait été presque inexistante, alors qu'elles auraient dû, normalement, connaître autant de succès, sinon plus, que d'autres a priori moins séduisantes ? Nous pensons aux voûtes à berceaux transversaux dont fait usage la nef de Tournus et qui représentent un cas presque isolé, à peine reproduit hors de cette église.

A l'inverse, d'autres solutions connurent une immense faveur et se répandirent en de vastes régions. Ainsi la coupole dans le Sud-Ouest de la France.

Solignac, mieux que d'autres, nous montre le bonheur de cette pratique. Dès le premier contact, cette église ne peut manquer de séduire. Lorsque l'on ouvre la porte de la façade Ouest et que, débouchant en haut du narthex, on aperçoit ce vaste édifice dépouillé, largement assis, d'une paix et d'une luminosité incomparables, où les proportions sont parfaites, où la puissance du matériau s'accorde si bien avec la nudité du décor, où la délicatesse et la chaleur de la coloration du granit viennent tempérer la rudesse de son grain, on s'avoue vaincu. Les préventions les plus accusées contre les nefs à coupoles cèdent d'un coup. Solignac apparaît comme la solution parfaite, — esthétiquement et spirituellement parlant — à l'intérieur d'une solution techniquement heureuse.

Il faut dépasser cette impression première, pour favorable qu'elle puisse être et l'approfondir par un long contact, un réel usage. Plus on vit dans cette église, plus on y prie, plus on s'y sent à l'aise. Ce vaste espace clair, limpide, pur dans son élévation comme dans son plan, cette bonhomie carrée, cette simplicité sans raideur, cette rigueur sans sécheresse ni dureté, tout ceci ne fait qu'amplifier et confirmer la réaction immédiate.

Est-il nécessaire d'insister sur le bonheur pratique d'une telle formule ? L'action liturgique est ici aisée à suivre, en quelque lieu de l'église que l'on se trouve pour y participer. En outre, cette simplicité, cette clarté répondent à notre spiritualité moderne que décourage la complexité comme aussi l'obscurité, pourtant riche elle aussi.

Car la solution de Solignac, pour parfaite qu'elle soit, n'empêche pas le bonheur d'autres solutions bien différentes d'elle à maints égards. La rupture poitevine entre nef et sanctuaire, les jeux savants de lumière et d'ombre des églises à piliers, Solignac les ignore.

Mais pour aller à la perfection dans l'imperfection radicale des œuvres humaines, il faut savoir choisir. Il faut avoir ce courage : aller jusqu'au bout des données acceptées, admises au départ.

La richesse romane, sensible en une église telle que Solignac, est non moins tangible en maints autres édifices, bien différents mais tout aussi adaptés à leur rôle, proportionnés à leur but. « Il y a beaucoup de demeures dans la maison de mon Père ». Il y a, dans la richesse et la diversité romanes, des solutions multiples — accordées aux besoins des âmes — toutes finalement reliées entre elles par l'unicité de leur dessein, la concordance de leur objet, de leur désir, but et dessein que l'on pourrait formuler de la sorte : pour tous les bâtisseurs de cette époque, l'église est un lieu sacré, un lieu qui doit permettre, et, dans la mesure du possible, faciliter la relation de l'âme avec Dieu, c'est-à-dire la religion, réalisée dans et par son acte essentiel : la prière.

L'Atelier du Cœur-Meurtry

DÉCOUVERTE DE SOLIGNAC

La vallée de la Briance, où se blottit Solignac, est l'une des plus typiques du paysage limousin. Ses brusques pentes vêtues de taillis épais, ses prairies fraîches coupées de lignes d'arbres, ses eaux vives où le fond rocheux met un éclat brun-roux, lui valent une réputation méritée encore qu'assez discrète pour la protéger de l'envahissement. Remonter ses détours depuis son confluent avec la Vienne est une attrayante promenade, qui aboutit au seuil même du moûtier. Préférez cependant la route de Limoges à Saint-Yrieix, que vous quittez au Vigen : là finissait le domaine du monastère, là mourut l'ermite saint Théau dont les reliques étaient jadis portées en procession au long du chemin que vous allez suivre, pour implorer le soleil ou la pluie sur les champs. Donnez mieux qu'un bref regard à la petite église : dominant un portail à cinq voussures, son « clocher-mur » aux deux étages de baies est le plus élégant du pays.

Bientôt vous voyez le val comme barré par la masse paisible de l'abbatiale. Approchez ainsi le matin, quand le soleil anime les tons du granit, chauds et légers tout ensemble, les plans énergiques du chevet polygonal, le vaste déploiement du transept (pl. 32). Une ombre fine découpe au sommet des murs la frise continue d'une arcature ; le grand toit moderne de tuiles plates concourt à l'affirmation des horizontales et sa couleur s'enlève sans crudité sur le fond vert du coteau. Et voici d'un seul coup, bien liée, l'ample couronne des chapelles, toute la progression, tout le mouvement des volumes, taillés dans l'admirable matière où chaque forme prend vigueur, sans sécheresse ni facilité.

Vous contournez le vaisseau par le Nord, prenant mesure encore de cette force racée. Dans le bel appareil précis, entre de larges contreforts, s'annonce la double cadence interne : un couple de spacieuses fenêtres par travée, flanqué de trilobes, de menus arceaux décoratifs à la partie basse. Si la tour occidentale, aujourd'hui pesante, et le portail mutilé vous déçoivent, gardez-vous pourtant de chercher une autre entrée : celle-ci vous réserve de Solignac la vision qui ne s'oublie pas.

C'est le privilège de la nef unique, qu'elle soit romane ou voûtée d'ogives, de livrer dans l'instant un espace à la fois défini et magnifié, d'exprimer avec la plus intelligible clarté la solennité d'un vide et la cohésion de l'organisme qui l'englobe (pl. 17). Cultivé en vertu d'un goût atavique par les peuples méridionaux, comme l'a marqué Focillon, cet effet trouve dans l'architecture à coupoles son total accomplissement. « Sa beauté est faite de l'harmonieuse combinaison de volumes géométriques, réalisant avec une franchise qui n'exclut pas l'élégance la difficile solution d'un laborieux problème d'équilibre. « (J. Vallery-Radot). Ici, comme à Angoulême, à Saint-Etienne de Périgueux, à Souillac, à Cahors, des calottes juxtaposées se gonflent au-dessus d'énormes arcs brisés, des pendentifs transmettent la charge aux piles, les murs abondamment évidés en haut portent une coursière sur leur base épaissie. Solignac ne diffère pas dans le principe de ces monuments, tous étrangers à la province, dont le nom vient spontanément à la mémoire. Comment expliquer leur influence, à quelle date placer parmi eux l'abbatiale, c'est affaire de réflexions ultérieures. L'œuvre saisit par sa personnalité, qui se ressent plus vite qu'elle ne s'analyse.

Moins vaste qu'Angoulême, moins élancée que Souillac, moins audacieuse que Cahors, moins ornée que ses sœurs charentaises ou périgourdines, oserons-nous avouer qu'elle nous satisfait intimement davantage ?... Ce n'est pas faire injure à de tels édifices que de regretter, là des grattages ou restitutions systématiques, ailleurs un excès d'ajoutes disparates ou de fâcheuses vulgarités de décor ou d'ameublement. Il est loisible de trouver que la corniche très saillante qui borde les coupoles de Souillac s'oppose avec trop d'insistance à l'aspiration verticale des supports et des arcs. — Rien de tel à Solignac : les dimensions, exemptes de timidité, ne visent pas au colossal ; les proportions s'établissent dans un calme essentiel, une qualité tempérée qui reste très humaine en sa noblesse. Grise ou faiblement ocrée, la pierre aux joints sans maigreur garde une saveur rustique ; son grain, rebelle aux prouesses du ciseau, vit et se nuance dans la lumière, mieux qu'un calcaire trop égal et trop aisément rénové. Dans sa famille si particulière, l'église appartient à une « génération » qui n'agrémente pas encore les piles de colonnes mais leur laisse avec une abrupte autorité l'évidence de leur rôle fonctionnel. Le récent mobilier se subordonne heureusement à cette loyauté complète ; seules les boiseries du chœur, anciennes d'ailleurs et dignes d'être conservées, ont le défaut de couper l'ouverture des chapelles (pl. 28).

Demi-consciente peut-être tout d'abord, l'impression vous étreint d'une plongée au cœur de cet espace, souple de contours et lumineux. Quatorze marches mènent du porche à la nef : le sol accidenté de nos régions exige assez fréquemment de hausser l'abside par une crypte et d'enfoncer partiellement dans le terrain déblayé la portion occidentale du vaisseau. De cette contingence, les architectes limousins ont fait une valeur monumentale dont vous aurez au Dorat le plus grandiose exemple. A Solignac déjà, constatez ce qu'ajoute à la beauté plastique de l'église le fait d'en dominer dès le seuil l'étendue. Puis descendez, lentement, vers son austérité sereine, vous purifiant par là même des agitations du dehors. Voyez comme se dilater à mesure toutes ses puissances d'accueil, s'amplifier tel un chant, sur sa lucide et ferme texture, son envol de confiante, de joyeuse liberté.

HISTOIRE

HISTOIRE DE SAINT-PIERRE DE SOLIGNAC

Les textes sont nombreux, qui évoquent le glorieux passé du monastère. Les archives, échappées en majeure partie aux pillages des Huguenots, épargnées par la Révolution, ont fait l'objet des études récentes de M. Pierre Morel. Dom Jean Laurent Dumas, (1609-1678), profès de Saint-Augustin de Limoges, qui passa presque toute sa vie à Solignac, avait composé d'après elles sa Chronique. Elles ont été consultées par les auteurs des grandes collections hagiographiques et historiques du XVIIᵉ siècle ; Dom René du Cher et Dom Claude Estiennot établirent des recueils de leurs principales pièces. Les Chroniques de Saint-Martial, celle notamment de Bernard Ithier (1163-1225), plus tard « les Annales manuscrites de Limoges », contiennent aussi d'utiles indications.

Cependant, comme il arrive si souvent, ces documents sont très pauvres en ce qui concerne les églises successives de l'abbaye. Pour la période romane, on se trouve en présence de plusieurs dates de consécration, mais les sources qui les fournissent sont de valeur inégale. L'acceptation ou le rejet de points de repère trop rares ou discutables dépend donc, une fois de plus, d'un examen détaillé de l'édifice. La comparaison avec les œuvres des régions voisines s'impose aussi, d'autant plus que l'abbatiale offre un cas unique en Limousin. Ses coupoles l'apparentent à un groupe localisé surtout dans les pays de la Charente et de la Dordogne, groupe dont les problèmes de technique et de filiation ont préoccupé maints archéologues. Qu'ils aient admis naguère l'existence d'une « école du Périgord » ou élargi cette notion, tous les travaux relatifs à ce mode de couverture intéressent à quelque titre Solignac et aident à mieux situer l'église dans le temps. Les monographies minutieuses de René Fage et d'Albert de Laborderie ont éclairci beaucoup de points ; elles divergent sur quelques-uns, qui demeurent à vrai dire fort malaisés à trancher.

" Un grand souvenir monastique "

Cette formule de Dom Pierre Basset résume les fastes de Solignac et son rôle éminent dès l'époque mérovingienne. — Saint Eloi, né à Chaptelat près de Limoges, orfèvre et conseiller de Clotaire II puis de Dagobert, obtient de celui-ci, vers 631, la villa de « Solemniacum ». Admirateur du monastère de Luxeuil, il en fait venir des moines, avec saint Remacle pour premier Abbé. La charte de fondation, « en l'honneur des saints Pierre et Paul Apôtres, Pancrace et Denys Martyrs et leurs compagnons, des saints Martin, Médard, Rémi et Germain Confesseurs », tout en reliant spirituellement l'abbaye aux grands évangélisateurs de la Gaule, l'exempte de la juridiction épiscopale. Contresigné, entre autres, par les Evêques de Mâcon, Tours, Laon, Beauvais, Nantes, Sens et Limoges, l'acte donne aux religieux la propriété perpétuelle du domaine, pourvu qu'ils suivent « regulam Beatissimorum Patrum Benedicti et Columbani ». A cette date en effet, la règle bénédictine et celle de saint Colomban se distinguaient assez mal : c'est à partir du IXᵉ siècle que la première prévaudra.

Saint Eloi procure au jeune monastère, qui compte bientôt plus de cent cinquante moines, les faveurs royales ; il lui prescrit d'imiter la ferveur et l'austérité de Luxeuil, le visite après son élévation à l'Evêché de Noyon. La vie du fondateur, attribuée à son ami saint Ouen de Rouen, vante le lieu « fertile et plaisant », « les vergers copieux et bien arrosés », « la proximité d'une belle rivière, au-delà de laquelle se dresse une montagne couverte de forêts et couronnée de rochers escarpés ». Avant tout, témoigne l'auteur, « j'y ai vu une si belle observance de la sainte Règle que la vie de ces moines est presque unique en son genre lorsqu'on la compare à celle des autres monastères de la Gaule... Là se trouvent de nombreux ouvriers habiles aux différents arts ou métiers, et tous se sont élevés à la plus haute perfection par la crainte du Christ et la pratique d'une prompte obéissance ».

Ce couvent modèle aurait été ainsi le premier centre de l'orfèvrerie limousine, en même temps qu'une pépinière de saints. Devenu évêque de Maestricht, Remacle paraît avoir regretté la vie monacale : il fonde l'abbaye de Stavelot, où il se retire et meurt. A Solignac, il a formé saint Hadelin, originaire comme lui d'Aquitaine, qui le suit en Belgique, est Abbé de Celles puis de Visé. Un jeune esclave saxon, racheté par saint Eloi, entre au moûtier ; épris d'ascétisme il part dans la solitude en Auvergne, près de Mauriac : c'est saint Tillo ou Théau, qui revient achever sa vie dans une cellule bâtie tout au bout de l'enclos, à l'emplacement de l'église du Vigen. Il fut enseveli plus tard sous le chevet de l'abbatiale ; son culte se répandit jusqu'aux Pays-Bas qu'il avait, semble-t-il, parcourus lui aussi ; des prodiges accomplis autour de ses reliques, le « miracle de la pluie » de 1067 restait, au temps de Dom Dumas, le plus célèbre.

A cette première étape brillante succède, de la fin du VIIIᵉ au XIᵉ siècle, au rythme de l'Histoire générale, des jours alternés d'épreuve et de relèvement. L'invasion sarrasine au reflux, vers 735, une incursion mal précisée en 793, causent des dégâts que les privilèges de Pépin, de Charlemagne, de Louis le Pieux surtout en 817, aident à réparer. L'Abbé Agiulf, vers 820, milite pour la réforme que mène saint Benoît d'Aniane ; Cunibert, son successeur, fournit des moines pour la fondation de Beaulieu. Mais, dès 846, la menace des Normands sur Limoges contraint à replier vers le Sud les reliques de saint Martial. Elles s'arrêtent...à Solignac : sans doute les nobles du voisinage, — et peut-être les moines — n'entendent-ils pas laisser échapper un gage aussi précieux ? Il s'ensuit deux ans de contestations. Pour les chroniqueurs, le saint lui-même refusait de laisser déplacer son corps tant que les chanoines qui le revendiquaient n'auraient pas adopté la règle monastique !

Solignac est pris par les « païens du Nord » en 860 ou 864, pillé, incendié. Des religieux réfugiés en Gascogne s'emparent à Vic-Fezensac des reliques d'une jeune Martyre, sainte Fauste, qu'ils rapportent chez eux. En 866, l'Abbé Bernard paraît au Concile de Soissons, présidé par Charles le Chauve, et en obtient confirmation de ses privilèges, non sans avoir exagéré quelque peu sa détresse puisqu'on possède plusieurs diplômes originaux antérieurs à cette époque. D'autres ravages d'ailleurs sont survenus dans l'anarchie qui gagne à la fin du IXᵉ siècle, car en 922 Charles le Simple donne seize églises à Solignac « brûlé et ruiné de fond en comble ».

Nous ne savons pas quand l'abbaye fut reconstruite et fortifiée, ni ce qu'était l'église au début de l'âge roman. En revanche, nous entrevoyons la personnalité de plusieurs Abbés, nous constatons l'enrichissement de Solignac et la persistance des liens qui l'unissaient aux monastères de Fleury-sur-Loire, Saint-Michel de Cluse, Saint-Denis de Paris, Saint-Géraud d'Aurillac, la Chaise-Dieu, etc... L'Abbé Géraud II fonde dès 942 une « société » ou « fraternité » de prière avec Fleury. Bernard II, Abbé de Solignac en 983, puis de Beaulieu, ensuite Evêque de Cahors, a été instruit par Abbon dans l'illustre maison du Val de Loire. De son successeur, Amblard, Dom Mabillon reproduit une lettre adressée à Hervé, le trésorier-bâtisseur de Saint-Martin de Tours : Amblard rappelle avoir été son condisciple à Fleury, il évoque leurs communs entretiens avec le roi Robert, auquel, par l'entremise d'Hervé, il fait parvenir une vie de saint Eloi. Géraud III participe en 1031 au Concile de Limoges, y soutient la thèse qui fait de saint Martial l'envoyé immédiat des Apôtres. Sous les Abbés du XIᵉ et du XIIᵉ siècle, se multiplient les donations, d'où l'on peut inférer que Solignac, à la tête d'un important patrimoine dans les diocèses de Limoges et de Périgueux, dispose de larges ressources pour réédifier son église. L'Abbé Géraud IV voit confirmer titres et droits par les Bulles des Papes Eugène III, en 1147, et Adrien IV.

Le trésor des reliques, déjà très abondant, s'accroît aussi. Un catalogue antérieur au XVIᵉ siècle en cite beaucoup, d'authenticité pour le moins douteuse — on y trouve jusqu'à un pain de la Cène et des cheveux de la Vierge ! — rapportées probablement des premières Croisades. Mais, vers 1143, le moine Boson Deschazadour exécute un buste de métal pour contenir une portion du chef de saint Martin, une châsse qui renfermera la chasuble de saint Denis, « teinte de son sang ». En 1157, l'évêque de Noyon Baudoin II fait une translation des restes de saint Eloi, dont il envoie solennellement un bras à Solignac. L'Abbé de Stavelot visite le monastère limousin en 1234 et renouvelle avec lui la « fraternité » ; en 1264 Stavelot fait don de souvenirs de saint Remacle et, en 1268, d'un bras de celui-ci que rapportent deux envoyés de Solignac, le cellérier Clément et le sacriste Vivien, avec les reliques des compagnes de sainte Ursule.

Il va sans dire que, pareillement munie, l'abbaye devait être fort visitée par les pèlerins. Venant de Limoges, la voie romaine vers Périgueux franchissait la Briance au « Pont Rompu » (deux kilomètres plus à l'Ouest), ce qui n'imposait aux routiers de Saint-Jacques ou de Rocamadour qu'un bien minime crochet. Le rayonnement de Solignac, sa solidarité de prières avec de multiples églises, ont été favorisés par cet incessant passage. Le précieux « Rouleau des Morts » qui nous est parvenu, du premier tiers du XIII⁰ siècle, porte témoignage des relations spirituelles du monastère : cette liste nécrologique circulait entre les communautés dépendantes ou amies, chacune inscrivant son nom, la date d'arrivée du messager, la mention des suffrages offerts pour le défunt. A la mort de l'Abbé Hugues I⁰ʳ de Maumont, vers 1233, elle fut, dit Dom Dumas, présentée à quatre cents églises.

L'église romane

C'est au XII⁰ siècle, ère de prospérité, que fut certainement édifiée l'abbatiale actuelle. La première date de consécration connue est 1143. Mais elle ressort d'une note prise sur un manuscrit disparu, par un secrétaire de l'Hôtel de Ville de Limoges, collectionneur peu sûr. Plusieurs textes mentionnent en 1178 (« environ l'an mil cent septante » pour Dom Dumas), un incendie qui détruisit la toiture et le mobilier de l'église, ainsi que les bâtiments monastiques. Après réparations, une nouvelle consécration serait intervenue en 1195, date « encore plus incertaine que la première » selon Fage. Celle du 9 mai 1211, expressément attestée par Bernard Ithier, se déduit en outre d'un passage de ses « Notae breves » ; les recueils de titres transcrits par les Mauristes l'ont retenue, tandis qu'une mauvaise copie du XVII⁰ l'appliquait par erreur à Souillac.

La réfection du couvent a suivi de peu : d'après le nécrologe, l'Abbé Hugues de Maumont « fecit fieri claustrum per integrum et claustrum de infirmatorio et tertiam partem clocherii superiorem ». Ces derniers mots concernent le clocher occidental, dont la base est peut-être antérieure à la nef ; il ne put être couronné de sa flèche, les murailles s'étant fissurées.

Ce clocher fut saisi par les habitants du bourg, lors de troubles prolongés de 1240 à 1246. Durant le même XIII⁰ siècle, les moines eurent plus d'un litige avec leurs remuants voisins, les seigneurs de Chalucet. Au XIV⁰, les bandes anglaises désolèrent le pays, s'emparant des défenses du monastère, causant force dommages à son temporel. Au cours du siège de 1388, elles incendièrent le chœur de l'église : le Pape d'Avignon Clément VII accorda des indulgences et des quêtes en faveur de sa restauration, mais il faut attendre 1460 environ pour voir l'Abbé Martial Bony de Lavergne l'orner de vitraux et de stalles neuves. C'est peut-être sous cet Abbé que l'on démolit le clocher monté à une date inconnue sur le croisillon Nord.

En 1568, les armées protestantes, victorieuses à la Roche-l'Abeille (vingt kilomètres au Sud), pillèrent Solignac au moins une fois. Les châsses furent saccagées, les reliques jetées au bûcher : on n'en ramassa ensuite que des débris calcinés. Un pilier de la base du clocher, endommagé par le feu, dut être réparé au XVII⁰ siècle. Toutefois, les archives, bien qu'assez malmenées, ne souffrirent pas autant que le prétendirent les religieux. Mais la décadence où glissait déjà l'abbaye ne fit que s'aggraver jusque sous l'Abbé commendataire Jean Jaubert de Barraux, Evêque de Bazas qui, le 26 juin 1619, appela pour y remédier la Congrégation de Saint-Maur. D'abord confinés dans une chapelle, les nouveaux occupants, maîtres de la place en 1635, rebâtirent le couvent, dressèrent un inventaire des restes du trésor, se procurèrent d'autres reliques, réparèrent l'église. La nef était alors isolée par un mur ; un autel, dit pour cette raison de « Notre-Dame de la Moitié », y servait à la paroisse, laquelle avant le XV⁰ siècle disposait dans le bourg d'un édifice distinct. Ce mur fut abattu, note Dom Dumas, car « il ôtoit la beauté de l'église ».

L'extérieur de l'abbatiale vers le même temps nous est connu par une planche du « Monasticum Gallicanum » et par un tableau conservé sur place, qui figure saint Eloi offrant le moûtier à saint Martial. Un petit clocher de charpente surmontait la croisée du transept : foudroyé le 18 mai 1734, il fut rétabli mais n'existe plus à présent. Le clocher de l'Ouest, avec son dernier étage cantonné de tourelles rondes, son parapet crénelé, son toit en pavillon, ressemblait à celui d'Eymoutiers : ces parties hautes s'écroulèrent le 29 mars 1783 et furent remplacées au début du XIX⁰ siècle par un lourd et médiocre clocher-pignon.

La Révolution vida Solignac mais respecta les bâtiments qui, transformés durant un siècle en fabrique de porcelaine, abritent aujourd'hui un séminaire des Oblats de Marie Immaculée. Les façades et les cours du XVII⁰ ont retrouvé leur dignité simple ; l'église, précédemment classée et restaurée dans son ensemble, a été débarrassée des surcharges malencontreuses. On a découvert en 1951, sur un des piliers de la croisée, une grande peinture du XV⁰ siècle représentant saint Christophe.

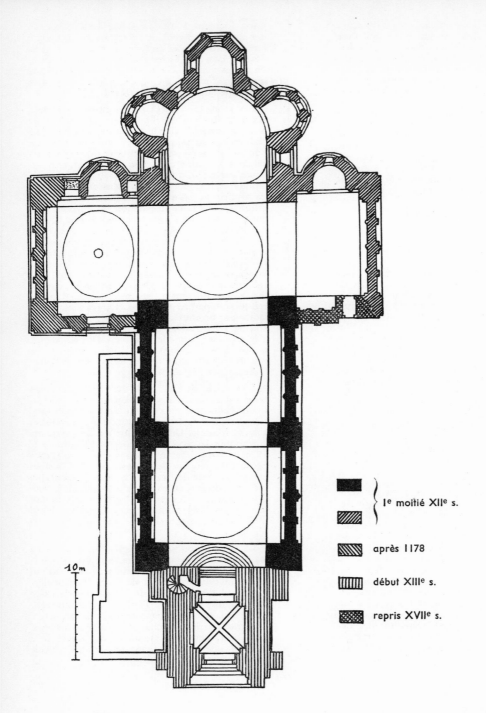

l^e moitié XIIe s.

après 1178

début XIIIe s.

repris XVIIe s.

10 m

SOLIGNAC

VISITE

COMMENT VISITER L'ÉGLISE DE SOLIGNAC

L'INTÉRIEUR

L'entrée

Ce qui reste du clocher-porche ne forme pas un tout homogène et ne se relie qu'imparfaitement à la nef, orientée selon un axe différent. Les ogives du porche indiquent le début du XIIIᵉ siècle : elles ont trois tores entre deux baguettes, celui du milieu plus gros. Les pilastres, moulurés à l'imposte en bandeau, cavet et listel, ressautent sous les formerets et les doubleaux.

Vient ensuite un palier, couvert d'un berceau brisé ; à gauche, un escalier conduit à une salle supérieure, octogone, dont les piles en pan coupé s'articulent aux piédroits de quatre arcs brisés qui portaient jadis une coupole circulaire sur pendentifs.

Dix marches descendent du palier à la nef. Face à celle-ci, le mur de la tour est fait à sa base de très grosses assises, mal raccordées à ce qui les encadre. Plus haut, au Nord du perron, une porte murée donnait sur l'escalier de l'étage. La coursière venue des murs latéraux traverse à angle droit les piliers mais débouche dans le vide ; il ne reste qu'un fragment de corniche contre la paroi. Monté sur une souche préexistante, plus ancienne peut-être que la nef même, le clocher paraît n'avoir jamais correspondu à l'ordonnance du vaisseau.

La nef

Les deux travées carrées, de mêmes dimensions, sont voûtées de coupoles hémisphériques,

103

en moellons revêtus d'un enduit blanc (pl. 17). Les calottes, sans ouvertures ni tambour, débutent très légèrement en retrait d'une mince corniche biseautée. Sous les pendentifs appareillés, de grands arcs brisés portent leur clef près de la naissance des coupoles. Leur intrados est large et nu, leurs claveaux dépourvus de toute mouluration gauchissent vers les sommiers pour prolonger la pointe des pendentifs jusqu'aux angles des piliers. Un cordon chanfreiné limite ceux-ci, qui sont carrés et nus, fortement saillants en avant des murailles.

Huit arceaux par travée, des deux côtés, supportent une coursière. A la première travée, ils retombent alternativement sur des pilastres et des culots ; à la seconde, des demi-colonnes remplacent les pilastres, sauf aux extrémités (pl. 19). Pilastres et colonnes partent d'un soubassement qui forme banquette dans les intervalles. Tous ont, ainsi que les culots, un tailloir biseauté coiffant, sauf aux pilastres terminaux de chaque travée, des chapiteaux ou des corbeaux en granit. Chose assez rare, les motifs se répètent symétriquement au Nord et au Sud. Ils sont spécialement archaïques dans la première travée : les chapiteaux, en tronc de pyramide sans astragale, ont un damier de petites cavités ou de frustes palmettes traitées en méplat ; les corbeaux montrent un dé avec croix « à fond de cuve », une tête de félin, une sorte de modillon « à copeaux », deux têtes d'animaux accolées. Aux chapiteaux de la travée suivante, parfois refaits, notez des masques aux bras levés, des palmettes, des gueules de monstres tenant des rinceaux ; sur les culots, des enroulements de volutes, un chat grimaçant, un magot à grosse tête et membres grêles.

Les passages ménagés dans les piles coupent leur imposte et entaillent le pied des arcs. Un biseau marque le bord de la coursière, que dominent, sur chaque flanc des deux travées, deux vastes fenêtres jumelles en plein cintre. Leurs piédroits prononcent un rentrant où se loge une colonnette à chapiteau calcaire sans tailloir, sculpté d'animaux ou de feuillages. Mais il n'y a pas de voussure : le cintre à bords vifs repose directement sur l'angle de la corbeille, ce qui est tout différent des habitudes limousines.

Le Transept

Solignac s'écarte par son transept du plan de Cahors et de Saint-Étienne de Périgueux, mais se rapproche d'Angoulême et de Souillac. La coupole de la croisée est en tous points semblable aux précédentes : même forme et même ouverture, même simplicité vigoureuse des arcs et des piliers. Les croisillons au contraire introduisent des disparates et ne sont même pas identiques l'un à l'autre, ce qui a donné lieu à beaucoup de commentaires et d'hypothèses. Observez avec soin leurs particularités.

Le croisillon Sud est nettement plus court, sans doute limité par le voisinage des bâtiments conventuels (pl. 24). Il est couvert d'un berceau plein cintre à cordons chanfreinés. Un arc de décharge brisé embrasse toute la largeur du mur méridional, dont la composition paraît très légèrement plus jeune que dans la nef. Dans le haut, une ample fenêtre, bouchée, s'encadre de colonnettes avec tore et petits chapiteaux sans tailloir. La coursière repose sur quatre arcs plein cintre, que reçoivent deux pilastres sans chapiteau et trois colonnes à corbeille de feuillages et tailloir biseauté, sans bases ni banquette.

Vers l'Est, une absidiole arrondie est éclairée par une fenêtre « limousine » à voussure unique (pl. 27). Son entrée à ressaut, de profil peu brisé, porte sur deux colonnes à chapiteaux sculptés qui reçoivent aussi deux petits arcs latéraux. Au-dessus, une tribune en berceau plein cintre, avec fenêtre à voussure nue, est accessible par un escalier montant de la coursière.

Le mur occidental du croisillon, refait probablement au XVIIe siècle, forme en bas, dans sa moitié Sud, un massif rectangulaire percé d'une porte, puis un retrait garni de trois arcs sur pilastres nus. La fenêtre ébrasée qui surmonte la coursière, et le ressaut saillant à sa gauche sont pris sous un cintre profond, extradossé pour rejoindre la voûte. Cet arc retombe bizarrement sur le pilier Sud-Ouest de la croisée : à sa base quelques assises amorcent une courbe beaucoup plus ouverte et leur angle abattu suggère une pointe de pendentif. Aurait-on d'abord prévu une coupole sur ce croisillon ?..

Le croisillon Nord, plus développé, en possède une, pareille aux autres quant à son implantation, mais de tracé ovoïde et munie d'un oculus au sommet. Au mur de fond, la fenêtre « limou-sine » est ouverte, les quatre arcs ont leurs pilastres et leurs colonnes pourvus de socles sur un soubassement ; les tailloirs des chapiteaux sont à bandeau et double cavet, indice d'évolution. La coursière atteint ici le pied des arcs de la coupole car, au mur de l'Ouest, elle se relève en venant de la nef par un plan incliné pour ménager la place d'un portail, dont le seuil domine de sept marches le dallage de l'église. Autour de ce portail, il n'y a que trois arcs, toujours sur pilastres aux extrémités et colonnes intermédiaires, mais à tailloirs chanfreinés ; plus haut s'ouvre une fenêtre « limousine ».

L'absidiole reproduit celle du croisillon Sud (pl. 25) mais, du fait de l'extension de la travée vers le Nord, deux petits arcs avec retombée médiane sur culot garnissent le mur à sa gauche, au-dessus d'une ancienne porte en arc brisé. A droite de la chapelle, aboutissait un escalier desservant le clocher qui coiffait jadis le croisillon. La tribune se retrouve aussi, mais décalée au Nord et très raccourcie par le grand arc de la coupole. Notez enfin que les piliers carrés contigus au mur septentrional montrent à partir d'une certaine hauteur, par rapport à ses assises et à celles des pilastres attenants, des discordances d'appareil prouvant qu'ils ont été remaniés.

Le chœur

Au lieu d'un berceau s'achevant en cul-de-four, solution la plus fréquente, l'abside est couverte d'une sorte de coupole déformée, appuyée vers l'Ouest sur des pendentifs irréguliers et aplatie contre le revers de l'arc d'entrée (pl. 20). Deux corniches biseautées saillantes délimitent sous cette voûte un court étage, percé de cinq petites fenêtres en plein cintre dans la courbe du chevet. Ce dispositif pourrait, comme le tracé peu élégant de la couverture, ne pas être d'origine.

Le rez-de-chaussée est rythmé par sept arcades (pl. 28). La plus proche du transept, de part et d'autre, marque une double voussure peu brisée, sur pilastres à ressauts et imposte chanfreinées ; sa fenêtre plein cintre à voussure unique nue est déportée vers l'Est à toucher le piédroit (pl. 24, 25). L'arcade des trois chapelles est reçue sur des colonnes qui portent aussi le cintre surhaussé des deux travées intermédiaires ; il y a en outre une colonne à l'angle occidental de l'absidiole Nord-Est. Les chapiteaux, en calcaire, sont d'un style relativement avancé : rangées superposées de palmettes, griffons saisis au col et à la queue par deux hommes, personnages luttant avec des serpents entrelacés (pl. 21)... Un cordon continu, biseauté, relie les tailloirs en passant dans les chapelles et sur le mur qui les sépare. Au-dessus, ce mur est plein, sous une voussure ; au-dessous, il présente une fenêtre à voussure nue.

Chaque absidiole oblique a trois fenêtres nues, encadrées d'une arcature sur deux colonnes ; les chapiteaux sont sculptés de palmettes ou de moines dans des mandorles (pl. 22, 23). La chapelle d'axe est un peu plus allongée mais également arrondie, sans arcature intérieure ; de ses trois fenêtres, seule celle du centre est « limousine » avec petits chapiteaux calcaires ornés d'animaux.

Il est, certes, fort regrettable que les chapelles soient isolées et masquées en partie par les dossiers des stalles. Ne soyez pas injuste toutefois pour cet ensemble de boiseries : certains éléments (notamment le fond du chœur et les portes) ne datent que du XVIIIe siècle, mais l'essentiel remonte au XVe. Les jouées sont richement sculptées de fenestrages et de grandes volutes avec statuettes, les dossiers de trilobes et de feuilles frisées ; les miséricordes et les accoudoirs abondent en sujets pleins de verve et de fantaisie.

Voyez de même, avant de quitter l'église, les autres vestiges des embellissements dus à l'Abbé Bony de Lavergne. Quelques vitraux subsistent aux fenêtres du sanctuaire. Sur le pilier Sud-Est de la croisée, un saint Christophe de taille gigantesque, peint à la détrempe, se détache sur un fond de tapisserie (pl. 27). Autour de lui, de nombreux petits personnages figurent, soit des épisodes de sa légende, soit des membres de la famille du donateur ; un navire semble faire allusion au secours obtenu du saint lors d'un voyage en mer.

L'EXTÉRIEUR

Le clocher

Réduite à deux étages, la tour, plus étroite que la nef, est épaulée de gros contreforts en équerre. Ceux de l'Ouest sont pris au rez-de-chaussée dans un massif terminé en glacis, qui abrite un très large portail. Sous une archivolte à retours et une première voussure nue, un arc profond aux piédroits rectangulaires précède quatre voussures : trois conservent des débris de tores mais ont perdu leurs colonnettes, la dernière est vide, la porte sans tympan.

Le reste du mur occidental est refait, sous le banal clocher-pignon. Les autres ont à l'étage deux arcades aveugles en plein cintre à « mouluration limousine » et sont pleins au-dessous ; du côté Nord apparaît le soubassement plus ancien.

La nef

Vous avez entrevu dès l'arrivée la puissance et la magistrale exécution du *flanc Nord*. Sur un important soubassement, que dégage un fossé, les contreforts, larges mais peu saillants, mon-

tent droit jusqu'à la corniche, soutenue entre eux par des modillons à copeaux et surmontée d'un bahut. Dans l'axe de chaque travée une demi-colonne traverse toute la hauteur, son chapiteau a des crochets rudimentaires. Elle sépare, de la moitié inférieure du mur, deux groupes de quatre arcs, aux retombées alternées sur pilastres sans décor et sur culots sculptés de volutes, de personnages accroupis ou de monstres. Un cordon biseauté suit l'appui des deux fenêtres, rapprochées de la colonne, et des deux arcades qui occupent l'espace entre elles et les contreforts. Cette succession de baies et de trilobes aveugles rappelle Chamalières en Velay. Les tracés d'allure « mozarabe », si répandus dans l'art hispanique et diffusés en Aquitaine par les pèlerinages, ne sont pas rares en Limousin : ils ornent les clochers de Saint-Yrieix et du Dorat, l'abside de Ladignac, et toute une série de portails polylobés.

Le flanc Sud, en entier visible de la seconde cour du monastère, est identiquement conçu, mais le sol rehaussé ne laisse apparaître qu'une courte banquette au bas du mur et les arcades qui flanquent les fenêtres sont simplement cintrées (pl. 31). Les corbeaux de l'arcature montrent des entrelacs, des têtes d'animaux, des figurines. Un portail en plein cintre, sur la seconde travée, donnait accès au cloître. La colonne médiane de la première travée a une curieuse base à gros tore et deux rangs de billettes, avec têtes de monstres aux angles. Plus à l'Ouest, un arc brisé perpendiculaire à la muraille, reste d'une entrée du cloître ou d'une chapelle, retombe sur deux beaux chapiteaux en granit : l'un est sculpté d'entrelacs sous tailloir à bandeau, listel et cavets (pl. 30), l'autre de feuilles côtelées à souples tiges avec dents de scie sur le biseau du tailloir (pl. 29).

Le transept

Vous voyez, dans la même cour, la face Ouest du croisillon méridional, remaniée et très simple : à gauche, un petit contrefort sous la fenêtre ; à droite, la porte dans un retrait nu. Le mur-pignon est masqué par l'aile du couvent qui s'y appuie.

Le croisillon Nord a plus d'intérêt, mais accuse lui aussi des retouches. Son mur occidental se termine au niveau supérieur du bahut de la nef, par un maigre bandeau sans modillons. Limité par un large contrefort plat, il se divise verticalement en trois parties : sous un cordon horizontal, une arcade aveugle à droite, deux à gauche avec culot médian, encadrent le massif rectangulaire du portail. Celui-ci, très peu brisé, a cordon d'archivolte à retours, deux voussures « limousines », petits chapiteaux calcaires finement sculptés. Deux pilastres vont des angles du massif jusqu'au toit. Au milieu, sous la fenêtre « limousine », est enchâssé un panneau de pierre calcaire où trône un Christ en majesté entre quatre petites niches superposées deux à deux, celles du haut contenant encore un Ange et un aigle, très abîmés ; de part et d'autre, trois arcades bordées de feuilles, avec rosaces dans les écoinçons et colonnettes torsadées, gardent quelques débris de statuettes. On a dû couper une arcade pour loger à son emplacement actuel ce morceau, qui provient sans doute d'un devant d'autel ou d'un retable roman. Plus à gauche sur le mur, un corbeau isolé porte un lion.

La face Nord continue au rez-de-chaussée l'ordonnance de la nef. Mais la colonne axiale s'interrompt brusquement sous l'unique fenêtre « limousine ». Le reste du mur, pourvu de modillons sous la corniche, est d'aspect assez sec : tout le haut du croisillon doit avoir été repris après la suppression de son clocher, mais nul détail de style ne caractérise l'époque de ce travail.

Dans la majestueuse composition qui les unit à l'abside, *les deux croisillons, sur leur face orientale,* se ressemblent pour l'essentiel. Mais, au côté Nord, sensiblement plus allongé, l'arcature supérieure compte sept divisions au lieu de cinq et les deux plus proches du chœur sont séparées par un pilastre, les autres par des colonnettes à chapiteaux sculptés (au Sud, il n'y a que des colonnettes, à chapiteaux lisses). L'arcature Nord est aussi plus trapue car plus distante de la corniche, dont les modillons sont à copeaux vers le chœur puis à motifs figurés (au Sud, modillons à copeaux seulement). Un cordon marque des deux côtés le pied de cet étage, mais se répète plus bas au seul croisillon Nord. Les absidioles sont arrondies sur un soubassement ; celle du Nord, un peu moins saillante, n'a pas de contrefort à l'extrémité. Deux colonnes flanquent leur fenêtre à voussure nue, jusqu'à hauteur de ses imposes et se prolongent par deux colonnettes à base torique et chapiteau sculpté, disposition qui se retrouve au chevet de Saint-Léonard. Les modillons sont ornés de têtes ou de copeaux.

Les chapelles obliques, arrêtées contre des pilastres ont le même plan que celles du transept et les mêmes colonnes-contreforts, dont les chapiteaux en calcaire, sans tailloir, représentent des masques ou des griffons ; les modillons sont à copeaux pour la plupart. Le cordon qui souligne la base des colonnettes se poursuit sur les murs, coupé par la voussure nue des trois fenêtres (pl. 33).

Aux pans droits de l'entrée du chœur, une arcade à bords vifs descend jusqu'au soubassement et encadre la fenêtre. Il en est de même entre les chapelles, mais selon des dimensions moindres. La travée Sud-Est et l'absidiole contiguë sont entaillées à leur pied par des enfeus, dont l'un fut ensuite transformé en porte.

La chapelle absidale, pentagonale extérieurement, a des pilastres terminaux et quatre colonnes du type déjà décrit. Un cordon mouluré traverse les pans aveugles et relie les trois fenêtres, celle de l'axe « limousine » et surmontée d'une archivolte à damiers comme à Saint-Léonard. Sous la corniche, les chapiteaux en calcaire, semblables deux par deux mais sans symétrie, figurent un acrobate et des combattants avec bouclier et javelot ; entre les modillons, quelques « métopes » sont illustrées de scènes de chasse. Une porte à l'Est mène à la petite crypte voûtée d'arêtes qui fut le sépulcre de saint Théau.

L'arcature haute du chevet repose sur des pilastres aux angles et des colonnettes à chapiteaux sculptés dans les intervalles des pans obliques, sur des pilastres dans les pans droits (pl. 34). Ses arcs sont alignés sur ceux du croisillon Nord ; son cordon de base est doublé, comme à ce dernier, d'un second, du début des pans droits au toit de la chapelle la plus proche. Entre les chapelles, ce deuxième cordon descend au niveau des corniches basses. La corniche supérieure de l'abside a des modillons à copeaux et un larmier, détail qui ne peut être antérieur au XIIIe siècle.

NOTES

NOTES ARCHÉOLOGIQUES SUR SOLIGNAC

D'après les caractères de l'abbatiale et par référence aux monuments analogues, peut-on préciser l'époque de sa construction, interpréter les dissemblances relevées en plusieurs de ses parties ?

— Solignac est en marge du plus dense groupement des églises à coupoles, dont Brutails a dressé la carte ; leur principale zone de fréquence accompagne la voie de Cahors à Saintes, coïncidant avec une bande calcaire dont les matériaux conviennent à leur structure. Tel n'est pas le cas en Limousin où, si la coupole est fréquente sur les croisées de transept et sous les clochers, Solignac demeure isolé. Mais l'abbaye touchait la route de Limoges à Bordeaux, qui croisait la précédente à Périgueux et que jalonnent aussi des édifices du même type. *Les rapports de Solignac avec le diocèse limitrophe, avec Cahors, avec le monastère bénédictin de Souillac, suffisent à expliquer que ses architectes aient à leur tour adopté cette manière de concilier la grande largeur de la nef et la stabilité de la voûte.*

— La chronologie des modèles possibles, quoique fragmentaire, se présente ainsi : la première coupole actuelle de Saint-Etienne de Périgueux se date par sa similitude avec l'église de Saint-Avit-Sénieur, consacrée en 1117 ; le chœur et probablement la coupole orientale de Cahors ont été consacrés en 1119 ; la coupole occidentale d'Angoulême est la plus ancienne de la cathédrale commencée vers 1110 et consacrée en 1128 ; Souillac devait être terminé en 1140. Tous ces exemples, quand ils sont intacts, montrent des arcs et des supports entièrement nus, des calottes en blocage, des coursières sur arcatures à pilastres, des bandeaux simplement biseautés, A Angoulême comme à Périgueux,

seules les parties plus récentes ont des arcs à ressauts, des colonnes aux piliers et le long des murs, un décor plus abondant. Rien n'empêche donc d'accepter pour Solignac l'idée d'une consécration, au moins partielle, en 1143, même si le texte qui la mentionne a peu d'autorité. La première travée de la nef peut fort bien remonter au premier quart du XIIᵉ siècle et la suite des travaux vérifie l'évolution qui s'accomplit ailleurs. Le remplacement des pilastres par des colonnes à la seconde travée ne marque pas une véritable différence de campagnes ; la nef est manifestement une œuvre homogène. *Nous croyons avec Fage que ses coupoles ont résisté à l'incendie de 1178 et que celle de la croisée est également antérieure au sinistre.*

— Il est beaucoup plus difficile de fixer l'âge du chœur et des croisillons ; les remaniements subis par ces derniers compliquent encore le problème.

L'incendie se propagea, nous dit-on, du monastère aux toits et au mobilier de l'église. Fage estime logiquement que le chœur, plus garni d'objets combustibles, fut le plus atteint et dut être remonté, mais « sur les mêmes bases, en conservant peut-être une partie des murs ». Nous citons d'autant plus volontiers cette réserve que nous avons peine à croire à une reconstruction totale du chœur en une période aussi tardive. En effet, si l'abside possède quelques sculptures d'aspect plus jeune qu'à la nef, son plan et son élévation procèdent trop évidemment de Cahors et de Souillac pour ne pas avoir été conçus en même temps que les autres parties inspirées par ces édifices. Elle rappelle aussi beaucoup l'église corrézienne de Vigeois, abbatiale bénédictine terminée probablement vers 1130. L'ornementation extérieure du chevet de Solignac paraît un peu plus avancée que celle de Vigeois, tandis qu'elle annonce le plus riche développement du chœur de Saint-Léonard qui date sans doute de la seconde moitié du XIIᵉ siècle. *Ainsi, bien qu'on ne puisse affirmer que l'abside de Solignac existait en 1143 telle qu'aujourd'hui, il semble que les réparations postérieures à 1178 y furent limitées ;* elles pourraient n'avoir concerné que l'étage supérieur et sa curieuse couverture. On verrait certainement au rez-de-chaussée, s'il était œuvre de la fin du siècle, un emploi plus copieux de la « mouluration limousine », avec ces petits chapiteaux lisses et comme faits au tour qui sont alors si caractéristiques de l'art roman régional.

Une objection cependant vient à l'esprit : si la cérémonie bien attestée de 1211 n'est qu'une seconde consécration, il faut que les travaux consécutifs à l'incendie aient été assez importants pour la motiver. — Peut-être les anomalies constatées dans le transept fournissent-elles une réponse.

Pour Fage, des coupoles ont été initialement prévues sur les deux croisillons. Pour d'autres auteurs, dont Laborderie, ceux-ci devaient être couverts en berceau et la coupole Nord n'a été construite qu'après coup. La première hypothèse considère l'actuel croisillon Nord comme primitif et ne tient pas compte d'indices tels que le désaxement de l'absidiole, la mouluration plus jeune du mur de fond, etc... La seconde invoque à tort l'exemple de Souillac, car les berceaux y sont perpendiculaires à la nef ; elle néglige l'ébauche de pendentif qui subsiste au pilier Sud-Ouest de la croisée. À nos yeux, ce « témoin » paraît pourtant irrécusable, mais décèle-t-il un changement de parti au cours des travaux ou la suppression après 1178 d'un croisillon muni de coupole ? Fage pense que le berceau méridional s'explique par le désir de ne pas empiéter sur des bâtiments préexistants et qu'il est antérieur à l'incendie, sinon la destruction du couvent eût permis une extension normale. On pourrait aussi bien soutenir que le monastère brûlé fut rebâti plus vaste, ce qui contraignit à réduire le plan primitif du croisillon... Mais, en ce cas, il faudrait admettre, soit la réfection complète de l'absidiole qui est dans l'axe de la travée et se relie à son mur Sud, soit, dès le premier état, le rejet de l'absidiole vers le chœur, comme au Nord. Un tel plan semble peu normal ; d'autre part, les deux chapelles forment visiblement au dehors une composition homogène avec celles du chevet. Or nous avons dit plus haut la difficulté d'attribuer aux années 1180-1200 l'étage inférieur de celui-ci.

Avec toute la prudence requise, voici plutôt ce que nous suggérons :
— initialement, projet de coupoles sur les croisillons, après achèvement de la nef ;
— construction des piles orientales et des arcs de la croisée, de la base du chœur et des absidioles du transept, celles-ci axées en fonction de croisillons relativement courts pour lesquels on s'est résolu à adopter la couverture en berceau ;

— ultérieurement, et peut-être après l'incendie, décision d'allonger le croisillon Nord, soit pour faciliter l'assistance des fidèles aux offices monastiques (d'où la présence d'un portail distinct), soit pour lui faire porter un clocher ; en même temps, réfection des parties hautes du chœur, dont l'arcature extérieure est la même qu'au mur oriental du croisillon ;

— en dernier lieu, réparation du sommet du croisillon Sud, dont l'arcature n'est pas de mêmes dimensions que la précédente et possède des chapiteaux lisses.

Pourquoi n'est-on pas allé jusqu'à tracer sur plan carré le croisillon Nord ? Est-ce afin de ne pas augmenter le désaxement de la chapelle, ou parce que le terrain disponible était ici encore limité ? La tribune, par contre, a été placée dans l'axe de la travée, mais elle semble coupée par l'arc de la coupole : un nouveau berceau devait-il la surmonter ? On ne saurait répondre... Cette « tribune », sans relation avec le monastère de ce côté, n'est en fait qu'un passage au jour entre l'escalier venant de la coursière et celui qui montait du sol au clocher près du pilier du chœur. Les piles septentrionales de la coupole sont solidaires des murs à leur pied et les irrégularités d'appareil qu'elles présentent ensuite tiennent aux réparations nécessitées plus tard par le poids du clocher. L'existence de ce dernier est attestée par l'escalier, et par l'oculus au sommet de la calotte. Très large et trop faiblement soutenu, il écrasait les supports, bien qu'il ait dû rester assez court car Dom Dumas, qui y fait allusion, l'appelle « le petit clocher ». Répétons que nous ignorons totalement la date de sa démolition : le couronnement des murs Ouest et Nord indique seulement une époque tardive.

— *La tour-porche occidentale appartient au début du XIIIᵉ siècle.* On avait conservé jusque là, et utilisé pour appuyer la première coupole, la base d'un clocher plus ancien que la nef. Il se peut qu'on ait décidé de la reprendre quand on eut constaté l'impossibilité de monter suffisamment haut le clocher du transept. Peut-être aussi l'incendie avait-il endommagé l'entrée occidentale de l'église ? — Quoi qu'il en soit, les ogives du porche ne prêtent pas à discussion et nous savons que l'étage supérieur de la tour datait de l'abbatiat d'Hugues de Maumont, qui mourut vers 1230.

— *Dernière remarque, mais d'importance. Tout essai de résoudre les énigmes posées par le transept et le chœur de Solignac doit réserver une part d'inconnu, car les Mauristes trouvèrent sans aucun doute l'église en assez mauvais état et y firent des réparations.* Dom Dumas parle seulement de la suppression du mur qui barrait la nef et du déplacement des stalles qui étaient auparavant dans la croisée. « En ce temps, ajoute-t-il, on fit faire la sacristie, la tribune qui est par-dessus et la galerie par où nous descendons au chœur ». Le mur occidental du croisillon Sud pourrait conserver trace de ces transformations ; il est probable qu'il y en eut d'autres. On a l'impression, quand on regarde du dehors comme du dedans les extrémités du transept, que tels parements, tels détails, ont été remis à neuf, voire même pastichés. Lorsqu'on sait le soin qu'ont pris les architectes bénédictins du XVIIe siècle à restaurer des édifices romans ou gothiques en imitant leurs formes originelles, on doit se demander si une meilleure connaissance des travaux effectués à Solignac après la réforme ne ménagerait pas des surprises...

DIMENSIONS

Longueur totale dans œuvre : 62 m.

Longueur de la nef : 32 m 80.

Longueur de la croisée : 10 m 20.

Longueur du chœur, chapelle absidale non comprise : 14 m 60.

Profondeur de la chapelle absidale : 4 m 40.

Largeur totale à la nef : 17 m 70

Largeur de la nef, (axe des piliers) : 8 m 50.

Largeur de chaque collatéral de la nef : 4 m 60.

Longueur totale du transept dans œuvre : 38 m 35.

Largeur des croisillons du transept : 8 m 70.

Profondeur des absidioles du transept : 4 m 60.

Largeur du déambulatoire : 4 m 10.

Hauteur des voûtes du déambulatoire : 9 m.

Hauteur des voûtes des bas-côtés de la nef : 10 m 45.

Hauteur de la nef : 16 m 70.

Hauteur de la coupole de la croisée : 22 m 60.

Profondeur de l'absidiole du croisillon Sud : 3 m.

Ouverture des arcs latéraux de la croisée : 10 m 80.

Largeur Nord-Sud des piles de la croisée : 3 m 30.

Diamètre des coupoles de la nef : 10 m 55.

Hauteur des coupoles de la nef : 18 m 60.

Largeur extérieure de la base du clocher, (au centre) : 11 m 60.

Largeur extérieure du clocher au contact de la nef : 15 m.

SAINT-LÉONARD

La table des planches illustrant ce chapitre se trouve à la page 132.

SAINT-LÉONARD de Noblat est tout le contraire d'une église facile. Au premier coup d'œil elle pourrait rebuter le visiteur. La nef étrange, le chœur avec ses piles carrées surajoutées, tout cela impressionne fâcheusement.

Il faut savoir dépasser les réactions immédiates, aller plus avant. Découvrir les richesses cachées qui ne font pas défaut.

Au reste l'admirable chevet — bien que retouché dans ses parties hautes —, le clocher — lui aussi refait en partie — suffiraient malgré tout à plaider — si besoin était — en faveur de l'église. Et puis il y a encore la petite ville entière, aux rues étroites, si pittoresque, si attirante.

LE SAINT PATRON DES PRISONNIERS

Le manuscrit carolingien de la *Vita Sancti Leonardi* fait naître le futur apôtre des captifs vers 494, près de Vendôme. De noble famille franque, — Clovis lui-même l'aurait tenu sur les fonts baptismaux, — il fut introduit par saint Rémy à la cléricature. Promis de bonne heure à l'épiscopat mais préférant se consacrer au rachat et au relèvement des prisonniers, il se retira d'abord à Micy dans l'Orléanais, sous la direction de saint Mesmin. Il y retrouva comme condisciple Liphard, fondateur du monastère de Meung, qui serait un de ses parents, peut-être son propre frère.

Épris d'austérité, Léonard, qui demeura diacre toute sa vie, gagna par le Berry les solitudes du Limousin et s'établit à quatre lieues en amont de Limoges, sur la rive droite de la Vienne, dans la forêt de « Pavum ». Il pratiqua la pénitence et l'oraison, défricha son coin de sol, attira par sa charité les paysans des environs. Sur le versant opposé de la vallée, le roi Théodebert possédait une *villa* où la reine, en péril de mort, dut à l'intercession de l'ermite son heureuse délivrance. De tous les présents royaux, Léonard n'accepta qu'une portion de forêt et y bâtit une chapelle, « Notre-Dame de Sous les Arbres » ; le lieu, exempté d'impôts, s'appela dès lors *Nobiliacum*, qui est devenu Noblat. Aidé de quelques prêtres, le saint accueillit sur son domaine d'anciens captifs et condamnés de droit commun, pour les réhabiliter par le travail. Il gouverna jusqu'à sa mort cette colonie agricole, ne la quittant que pour visiter, deux fois par an, le tombeau de saint Martial.

Léonard s'éteignit en 559 et fut enseveli dans son oratoire. Une bourgade grandit autour de sa sépulture. Pépin le Bref en 763, durant la guerre d'Aquitaine, puis en 832 Louis le Pieux viennent vénérer les reliques, transférées au IXᵉ siècle dans une plus vaste église, à l'emplacement de l'actuelle. Adhémar de Chabannes atteste dès le XIᵉ l'immense renommée du pèlerinage, que confirme au XIIᵉ Geoffroi de Vigeois. Le « Livre du Pèlerin de Saint-Jacques », étrangement muet sur l'étape de Saint-Martial, fait passer par Saint-Léonard la route de Bourgogne vers le Sud-Ouest. Maint Croisé, libéré des geôles turques par le recours à l'ermite de Noblat, suspend comme ex-voto ses fers dans l'église : en l'occurrence, Bohémond, prince normand d'Antioche, fait don de chaînes d'argent. Richard Cœur de Lion accomplit un pèlerinage de reconnaissance après sa captivité en Autriche. Sorti de Vincennes, le prince de Condé l'imite en 1620 et sa démarche est commémorée depuis par les réjouissances de la « Quintaine ». — L'iconographie du saint s'est fixée dès le Moyen-Age : il tient toujours à la main ceps ou entraves. L'antienne de son Office le proclame « *Salvator captivorum et confractor carcerum,* Sauveur des captifs, briseur de prisons. »

Mais on l'invoque aussi aux temps de calamité, par exemple en 1094, lors de l'épidémie dite « Mal des Ardents ». Charles VII, venu en 1438 implorer la délivrance du royaume, offre après la victoire des châsses somptueuses. Saint Léonard est le protecteur des naissances difficiles : Anne d'Autriche se fera envoyer de ses reliques. De nos jours encore, pour obtenir la fécondité des foyers, on va toucher le « verrou », l'énorme chaîne pendue au-dessus de l'ancien sarcophage. Comme en d'autres cités limousines, des « Ostensions » solennelles, qui ont en 1953 repris leur éclat de jadis, sont célébrées tous les sept ans depuis le XVIe siècle.

Le culte de saint Léonard s'est répandu dans tout l'Occident. Nombre de communes, d'églises, de chapelles, portent son nom : il y en eut cent-cinquante-deux en Angleterre avant la Réforme, une cinquantaine subsiste en France. En Belgique, le saint patronne les mineurs du bassin de Liège et il est honoré par plusieurs pèlerinages fort vivants. Même diffusion en pays germanique, où la Bavière conserve l'important sanctuaire d'Inchenhoffen ; au XIIe siècle, l'évêque saxon de Naumburg visita le tombeau limousin, un village de « Saint-Léonard » existait en 1164 près de Salzbourg. La toponymie, la fréquence du prénom sont significatives aussi en Italie ; des mosaïques retracent la vie de l'ermite à Saint-Marc de Venise, dont une chapelle lui fut dédiée. Ce sont des Vénitiens, pèlerins de Noblat en 1106, qui fondèrent dans les environs le monastère de l'Artige, plus tard chef d'un ordre de chanoines réguliers.

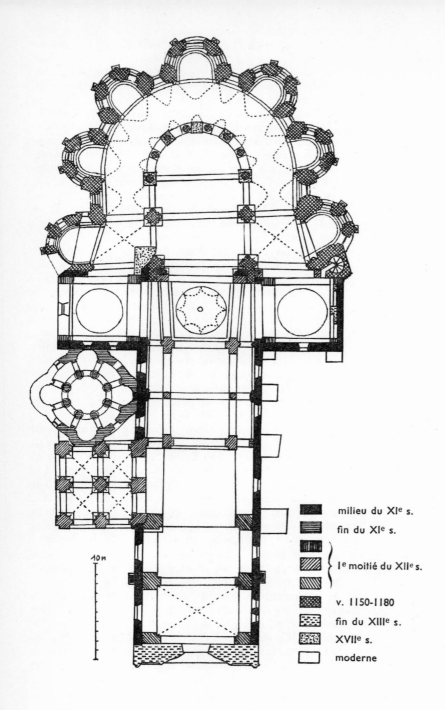

milieu du XIᵉ s.

fin du XIᵉ s.

} Iᵉ moitié du XIIᵉ s.

v. 1150-1180

fin du XIIIᵉ s.

XVIIᵉ s.

moderne

10 м

SAINT-LÉONARD

VISITE

COMMENT VISITER L'ÉGLISE DE SAINT-LÉONARD

Aucune église en Limousin n'est plus déconcertante. Point d'unité, mais des morceaux juxtaposés qu'un parcours méthodique vous permettra de définir, chacun révélant à mesure sa propre complexité. Toute hypothèse sur leur âge respectif et leur enchaînement ne peut procéder que d'une telle analyse, car les données chronologiques positives sont ici d'une grande indigence.

L'INTÉRIEUR

La nef

Entrez par le portail de l'Ouest. Pour les cinq travées de la nef, vous remarquez aussitôt deux conceptions différentes (pl. 6).

1 *Un vaisseau unique à berceaux transversaux, de trois travées.*

Les deux premières ont à peu près même longueur, mais celle de l'Ouest est voûtée d'arêtes, l'autre d'un berceau plein cintre. La voûte d'arêtes est une réfection, plus basse que la couverture ancienne : elle coupe la fenêtre occidentale ; les impostes des doubleaux, quart-de-rond entre deux filets, sont abaissées par rapport aux grandes arcades. Les berceaux brisés de celles-ci ont des impostes chanfreinées ; les piles sont nues et pleines, avec un ressaut vers la nef. Arcs et supports sont indépendants des murs gouttereaux, ce qui est visible surtout au Nord où les cintres passent devant les fenêtres. Le mur Sud de la première travée garde trace de deux vieilles baies jumelles.

Sensiblement plus longue, la troisième travée est couverte d'un berceau un peu plus étroit et bas, sans que ses cordons changent de niveau. A l'Ouest elle n'a pas de doubleau et la pile Sud marque un décrochement depuis le sol. La pile Nord, évidemment remaniée et renforcée, est énorme : carrée à la base, elle empiète sur la deuxième arcade latérale puis, par une série de retraites, elle en dégage incomplètement la retombée et rejoint la voûte. Les berceaux transversaux sont dissymétriques : au Nord, l'arc embrasse les deux portes d'où l'on descend du porche par un perron, il est extradossé d'un mur qui montre deux petites ouvertures rectangulaires bouchées ; l'arc Sud atteint le pied de la voûte mais coupe la fenêtre qui, dans le mur de fond, surmonte une arcade basse, obstruée et décalée vers l'Ouest. Les piles orientales de la travée présentent, à mi-hauteur de leur face Ouest, un cordon chanfreiné qui ne correspond pas à l'arrivée des berceaux. D'étroits passages cintrés les traversent : plus court, celui du Nord retombe vers le mur partie sur un cordon biseauté, partie sur un pilastre ; celui du Sud, légèrement en retrait de la face occidentale du support, finit assez gauchement sur un pilastre mural.

2 *Un vaisseau flanqué de bas-côtés et sans éclairage direct, de deux travées.*

Les piles précitées rétrécissent la nef, vers laquelle elles prononcent un ressaut. Elles soutiennent un fort doubleau, dont le rouleau externe a pour impostes l'extrémité des cordons de voûte de la troisième travée. Le rouleau interne amorce un berceau brisé plus bas, sous

117

lequel il fait seul saillie et dont les cordons prolongent ses propres impostes.

Les deux travées forment une composition solidaire, bien que la cinquième soit un peu plus longue. En effet, elles se terminent au transept par des piles à ressauts rectangulaires, qui portent un doubleau simple et reçoivent des grandes arcades de profil brisé comme à l'Ouest de la quatrième travée. Mais les supports intermédiaires déterminent une alternance de « temps forts » et « faibles » unique en Limousin : ce sont des colonnes monostyles aux bases rudimentaires, tambour cylindrique sur socle carré, et aux chapiteaux sculptés de palmettes. Le doubleau correspondant ne les rejoint pas, mais s'arrête sur des culots en tronc de pyramide renversé. Les tailloirs et la plupart des moulures sous les arcades sont à bandeau, mince filet torique et biseau.

Les collatéraux, montant assez haut pour épauler la nef de leurs berceaux parallèles (pl. 8, 9), sont étrésillonnés de petits arcs, que coiffe une tablette chanfreinée. (pl. 10) A l'Ouest de la quatrième travée, l'étrésillon du bas-côté Nord, plaqué contre un mur qui extradosse le passage, prolonge la portion de pilastre qui n'est pas engagée sous ce dernier ; celui du côté Sud s'identifie au passage, qui est plus élevé. Entre les travées, ces arcs retombent sur le tailloir des colonnes. Plus bas et surmontés de murets à la rencontre des croisillons, il portent de chaque côté sur deux colonnes peu engagées dont les chapiteaux tronconiques sont nus, sauf au revers du pilier méridional où un bandeau entre deux tores s'orne d'un grossier rinceau.

Des arcs de décharge, collés aux murs goutterots, partent des pilastres extrêmes de chaque travée et de longues colonnettes, aux bases et chapiteaux nus d'aspect archaïque, qui flanquent le pilastre intermédiaire. Dans la quatrième travée, l'arc méridional est très déformé pour ne pas masquer la fenêtre, désaxée vers l'Est à toucher la colonnette ; la fenêtre Nord est désaxée vers l'Ouest et l'arc mord légèrement sur elle. Les baies de la cinquième travée, toutes deux décalées à l'Ouest, sont plus courtes que les autres.

Le Transept

Constatez que le transept, à son tour, groupe des éléments distincts.

1 *La croisée et le prolongement des bas-côtés de la nef.*

La croisée s'élargit vers l'Est et les massifs rectangulaires qui encadrent l'entrée du chœur trahissent, aux retombées des arcades latérales, la difficulté du raccordement. Au-dessus de ces arcades passe un cordon biseauté, mal relié à celui de la nef et brusquement arrêté contre l'arc oriental, lequel est assis un peu plus bas, sur deux impostes à chanfrein superposées. Des pendentifs courbes mènent au plan circulaire d'une tour-lanterne ; ils prolongent leur pointe jusqu'au cordon par les claveaux gauchis de leurs arcs brisés, saillants contre les murs et le dernier doubleau de la nef. Huit fenêtres nues, en plein cintre, ajourent le tambour de la lanterne, celles de l'Est donnant aujourd'hui dans le chœur surélevé. Des colonnettes les séparent, dont quatre correspondent aux axes de l'église ; leurs chapiteaux, sobrement sculptés de feuilles ou de boules d'angle, reçoivent des arcs sans mouluration qui entaillent la base de la calotte, percée d'un oculus au sommet.

Au Nord comme au Sud, les collatéraux de la nef se continuent par une étroite travée, toujours voûtée en berceau longitudinal que soutiennent plusieurs arcs, fort curieux à examiner. Celui qui ouvre vers la croisée est doublé d'un mince rouleau, non saillant sur le mur qui forme le revers des précédentes grandes arcades. Vers l'extérieur, un arc plein cintre, peu profond, s'aligne sur le même plan vertical que les arcs de décharge des goutterots ; il est suivi d'un second, plus épais, qui ne lui paraît pas lié et dont les claveaux étroits dessinent un plein cintre quelque peu outrepassé.

Observez les retombées de ces arcs. A l'Ouest, sous le dernier d'entre eux, c'est un pilastre avec imposte à bandeau et tore assez gros, dégagé par une petite gorge. Sous l'arc de la croisée, le ressaut de la pile a son imposte propre, bandeau, filet torique et biseau. Un cordon pareillement mouluré surmonte le passage venant du collatéral et reçoit les deux arcs intermédiaires, mais seul celui qui touche à la nef se distingue depuis sa base, l'autre se termine en fait sur le muret qui extradosse le passage. — A l'Est, et du côté Sud seulement, un cordon toujours identique règne sur toute la largeur de la travée, de l'angle de la croisée jusqu'auprès du pilier qui supporte la coupole du croisillon. Du côté Nord, il est remplacé sous l'arc le plus extérieur par le bandeau et le tore qui caractérisent ce même arc à l'Ouest. Selon leur ouverture, les divers arcs se perdent plus ou moins dans le mur qui, en retrait du cordon, rejoint la voûte.

Les deux travées butent, en direction du chœur, contre des parois actuellement pleines, où se voient nettement les traces de deux longues et étroites ouvertures cintrées. Celles-ci ne retombent, par des claveaux complets et une imposte, que sur le piédroit le plus proche de la croisée ; de l'autre côté, elles se greffent contre un élément de pile qui répond à l'arrivée de l'arc extérieur et diffère par son appareil du reste du massif.

2 *Les croisillons.*

Chacun, plus bas que la nef, est couvert d'une coupole hémisphérique sur pendentifs courbes ; les arcs brisés sont gauchis à leur base pour finir en pointe sur le coin de piles rectangulaires à impostes chanfreinées. Ces piles ne s'accordent, ni pour l'alignement ni pour l'appareil, avec les supports contigus, tant à l'extrémité des murs de la nef que vers le chœur.

Dans le croisillon Nord, le biseau des impostes offre un décor gravé en creux, arabesque ou petits disques. L'arc septentrional et ses piles ne prononcent qu'une faible saillie sur le mur de fond, qui est moderne et percé d'une fenêtre en plein cintre. L'arc occidental, plus profond, coupe deux fenêtres assez écartées l'une de l'autre, la plus au Sud étant seule ouverte.

Dans le croisillon Sud, les piles et l'arc du fond ne débordent pas sur le mur, qui présente une fenêtre dans le haut et qu'entaillent, dans sa moitié inférieure, deux arcades inégales. La plus grande, à l'Est, évide le support de la coupole, au-dessous du cordon biseauté qui limite l'intrados de l'arc oriental ; celle de l'Ouest laisse place pour un petit pilastre au coin de la travée. Chaque arcade s'approfondit en un enfeu, décalé vers la droite ; l'enfeu de l'Est abrite le « verrou » et le sarcophage ancien de Saint Léonard, au couvercle orné d'imbrications. L'arc occidental de la coupole est en avant du mur et coupe l'unique fenêtre ouverte dans son axe.

Le chœur

Analysez séparément l'attache du chœur sur le transept et la grande composition qui se développe au-delà.

1 Le raccord du chœur avec le transept.

Au centre comme dans les bas-côtés subsistent les témoins de constructions antérieures à l'abside actuelle.

Sur la face Est des piles orientales de la croisée monte un pilastre qui n'est appareillé ni avec elles, ni avec les supports du chœur proprement dit. Le redan qu'il provoque est garni d'une colonnette, qui a pour base des cylindres superposés, pour chapiteau un tronc de cône côtelé de feuilles pointues sous tailloir carré. Vers l'Ouest, le socle de la colonnette ne raccorde pas ses assises au reste de la pile, qui semble même s'appuyer partiellement sur lui. Au-dessus du chapiteau, une tablette chanfreinée, coupée à l'alignement du pilastre, est ornée de rosaces gravées ; elle s'encastre faiblement dans le sommet de la pile, au niveau et au contact de l'imposte inférieure qui termine celle-ci. En retrait, le pilastre s'achève par deux assises, coiffées d'une seconde tablette biseautée qui ne porte rien. De là, en arrière du pilastre vers le Nord et le Sud, mais le débordant à l'Est par un petit encorbellement en double quart-de-rond, s'élève un mur crépi qui va rejoindre la portion de voûte comprise entre le revers de la tour-lanterne et le premier doubleau du chœur.

A l'angle Nord-Est du croisillon Nord, derrière l'arc de la coupole, l'accès au déambulatoire est rétréci par l'avancée d'un mur, non appareillé avec ce qui l'entoure. A quelque distance du sol, mais sur le coin regardant le tran-

sept, une colonnette logée dans un redan possède un chapiteau identique à ceux de l'entrée du chœur. Un cordon biseauté traverse les deux faces du mur, lequel se poursuit et rattrape l'arc du croisillon puis reçoit, sur une imposte à bandeau, filet torique et biseau, un arc brisé plus haut que le précédent et axé beaucoup plus au Sud. La retombée méridionale passe en effet derrière la pile de la coupole ; elle disparaît dans un épais massif ajouté au XVIIe siècle.

Symétriquement, l'arc oriental du croisillon Sud est doublé vers le déambulatoire par un arc brisé plus élevé et désaxé vers le Nord, en avant duquel la pile de la coupole fait également saillie. Les retombées s'effectuent, vers le chœur sur un large ressaut rectangulaire d'appareil distinct, vers le mur sur un massif en avancée qui contient l'escalier des combles. Les impostes sont, de part et d'autre, soulignées de cordons à chanfrein.

Ce n'est qu'à l'Est de tous ces morceaux passablement hétéroclites que débute le nouveau chœur. Par des piliers à noyau carré et trois demi-colonnes, soudés au revers des piles déjà si complexes de la croisée, le pilier Sud étant seul entièrement visible aujourd'hui. Par un autre arc à chaque extrémité du déambulatoire, encore plus haut et plus rapproché du centre de l'église que ses voisins, et reçu à sa retombée extérieure sur une demi-colonne appuyée à un dosseret saillant.

2 Le chœur « d'église de pèlerinage ».

Le chœur actuel est dévié au Nord-Est. L'ampleur de son plan et son élévation surprennent : deux travées droites, la première plus longue, et une abside ; sept chapelles autour d'un large déambulatoire ; des piles exceptionnellement élancées, surtout au rond-point ; un berceau brisé et un cul-de-four plus hauts que la coupole du transept. Le déambulatoire et sa couronne d'absidioles sont admirables d'élégance et de légèreté, par l'abondance des jours, la soumission du décor à son rôle fonctionnel (pl. 7) : notez la savante gradation des colonnettes, dont le module diffère selon qu'elles bordent les fenêtres, les encadrent d'une arcature ou soutiennent des voûtes. La souplesse et l'exactitude des lignes, dans la belle pierre gris pâle, tempèrent ici d'une grâce de bon aloi l'ordinaire fermeté de l'architecture limousine.

Malheureusement, ce chœur a beaucoup souffert. Outre qu'on le voudrait moins encombré, il est défiguré par les consolidations qu'entraînèrent en 1603, (la date est inscrite sur une des piles de renfort) l'écroulement et la reconstruction des parties hautes. Alors fut épaissie la pile Nord de l'entrée, monté sous l'arcade centrale un support quadrangulaire, enveloppée de soutiens analogues une colonne sur deux autour du chevet ; on dirigea la charge vers les piliers ainsi fortifiés par des maçonneries fourrées sous les arcs. Sauf aux deux premières travées méridionales, toute la zone supérieure du sanctuaire

119

est une réfection, d'allure pauvre et froide avec ses cinq fenêtres sans style qui interrompent un cordon formé de morceaux disparates et mal ajustés.

Les travées droites, du côté Sud, permettent de se représenter l'ordonnance originelle : de façon plus fidèle et plus monumentale qu'à Beaulieu, elle reprenait le parti des basiliques de pèlerinage. Une baie de tribune, qui certainement se répétait jadis au Nord, domine la haute arcade brisée de la première travée (pl. 12) ; deux cintres sans arc de décharge portent ensemble sur des colonnettes jumelées plantées l'une derrière l'autre, munies de bases en tronc de pyramide sous un tore, de chapiteaux sculptés à tailloir biseauté commun. La tribune épaule la voûte centrale mais ne fournit pas de lumière : sa couverture en segment de cercle de grand rayon part de très bas sur le mur extérieur. Dès la seconde travée, et autrefois tout autour de l'abside comme le prouvent quelques vestiges à la travée suivante, une petite ouverture en plein cintre, beaucoup plus réduite, devait donner sur une galerie ; un dessin du chœur de Saint-Martial de Limoges montre une disposition tout à fait semblable. Même si cette galerie était plus basse que la tribune et que de très courtes fenêtres aient pu trouver place au-dessus, elle jouait son rôle dans le contrebutement : on voulut sans doute, en la supprimant, améliorer l'éclairage du sanctuaire, ce qui provoqua l'effondrement de la voûte. Au prix d'expédients fâcheux celle-ci fut rétablie au même niveau, ce qu'atteste la position de la tribune.

Le noyau carré des piliers qui encadrent la première travée est muni de demi-colonnes ; il forme dosseret pour celle qui va recevoir le doubleau supérieur. A l'Est de la seconde travée, le doubleau d'entrée de l'abside retombe sur des pilastres nus ; ils aboutissent au tailloir de fortes colonnes, masquées à présent mais que révèle, au Nord, le chapiteau partiellement dégagé. Sur des fûts monostyles d'une singulière sveltesse, les arcades du rond-point sont très surhaussées. Partout où on les voit encore, les bases sont à deux tores inégaux séparés d'une gorge, les chapiteaux en granit, sculptés de palmettes et de feuillages. Les tailloirs sont à chanfrein, sauf ceux du début de l'abside qui ont bandeau, tore et biseau, et celui du chapiteau supérieur entre les deux premières travées Nord, qui est à bandeau et double cavet comme les portions de cordon qui l'avoisinent.

Le déambulatoire n'est voûté d'arêtes sur doubleaux qu'à la première travée Nord et Sud, dont le plan est trapézoïdal pour se relier au transept. Vient ensuite un berceau courbe sans doubleaux, entamé de pénétrations face aux divisions de sa bordure interne et externe ; il ne semble pas refait, l'extrémité des pénétrations disparaissant dans le sommet des piles de renfort. Vers le mur, les retombées se font sur de fines colonnes adossées à la paroi au-dessus d'une banquette ; les tailloirs à chanfrein de

leurs chapiteaux sculptés prolongent un cordon continu de même profil, qui règne aussi au bord de la voûte des chapelles. Il y a deux colonnes jumelles sous le doubleau qui sépare les travées droites. Les travées ménagées entre les absidioles ont toutes une fenêtre « limousine », dont le pied s'appuie sur une tablette chanfreinée. A la seconde travée droite, la fenêtre, plus large, est précédée d'une voussure nue et surmontée, par delà le cordon, d'une autre petite baie sans décor ; cette baie supérieure se retrouve seulement de part et d'autre de la chapelle absidale.

Toutes les chapelles sont arrondies, voûtées en cul-de-four, éclairées par trois fenêtres. La première au Nord est irrégulière : sa voûte marque un décrochement par rapport à l'entrée ; de ses fenêtres, rejetées vers la moitié droite, l'une est « limousine », les autres nues sous une arcature qui échancre le mur et retombe entre elles sur une colonnette, avec tablette chanfreinée au pied. Les cinq chapelles suivantes sont régulièrement tracées ; l'arcature s'y répète, portée de même manière et munie de colonnettes entre les ouvertures ; les fenêtres ne sont uniformément « limousines » qu'à la plus septentrionale de ces chapelles et à celle de l'axe (un peu plus grande, avec baie centrale plus large) ; dans les trois autres, les fenêtres latérales ont un cintre à bord vif sur deux colonnettes, comme à la nef de Solignac. La dernière chapelle au Sud, très déviée par la proximité de la tourelle d'escalier, présente un arc d'entrée sur deux colonnes puis un arc oblique reçu à l'Ouest par une saillie du mur ; sous l'arcature habituelle, la fenêtre de droite est nue, les deux autres sont « limousines ». — Les diverses absidioles offrent de jolis exemples de petits chapiteaux calcaires sans tailloir, sculptés de feuillages, de griffons, d'oiseaux.

L'EXTÉRIEUR

L'église montre au-dehors moins de complications, bien que ses masses ne soient nullement homogènes. Laissez à part la façade Ouest, d'époque gothique, œuvre harmonieuse d'ailleurs avec son large portail aux piédroits et voussures animés de moulures multiples, encadré de deux niches trilobées à colonnettes sur un bandeau sculpté qui continue les frises-chapiteaux des ébrasements. Une grande fenêtre de décor analogue occupe l'étage, sous un pignon sommé de trois croix de pierre.

La nef et le transept

Les retours de la façade, en pierre de taille, contrastent nettement avec les murs latéraux de la nef, réunis à eux par une maçonnerie irrégulière en lames de schiste puis faits de petits moellons. Aux quatre premières travées, la hauteur de ces murs résulte d'un relèvement du comble, demeuré plus bas sur la cinquième : un retrait et des corbeaux de pierre au Nord de la quatrième, des restes de cordon du côté Sud, révèlent cette modification.

Le flanc méridional est en grande partie caché par la sacristie et ses dépendances. La première travée conserve, au-dessus d'une petite baie plus jeune, ses deux fenêtres bouchées que sépare un pilastre ; celle de l'Est, un peu plus large, est bordée d'une feuillure et son sommet seul apparent. Le contrefort voisin enveloppe d'assises modernes la culée primitive, mince et sans retraites d'après les documents antérieurs à la restauration. Les suivants, inégaux mais très massifs, sont également des ajoutes de date incertaine ; à l'Est de la quatrième travée, le contrefort est plus étroit, probablement plus ancien. Les fenêtres, qu'on aperçoit mal de la place, sont nues ; celle de la troisième travée, fort courte, aboutit bien au-dessus des autres, à sa base court un cordon qui surmonte deux gros corbeaux.

Le flanc Nord (pl. 4) possède, aux deux premières travées, une fenêtre assez vaste, en plein cintre et sans ébrasement, très restaurée ; l'archivolte à billettes se prolonge sur le mur par un cordon mouluré horizontal et s'interrompt à l'Ouest contre l'attache de la façade. Le contrefort intermédiaire a subi la même transformation que celui du Sud et se présentait auparavant comme lui. La troisième travée est entièrement masquée par le clocher, qui mérite d'être étudié à part. La fenêtre de la quatrième travée s'ouvre entre le clocher et la rotonde du « Sépulcre » ; elle n'est pas ébrasée, un chanfrein souligne son archivolte ; à l'Est, un contrefort plat émerge au-dessus de l'absidiole Sud de la rotonde. Derrière celle-ci, un étroit espace, accessible depuis la chapelle, permet de voir l'archaïque fenêtre nue de la cinquième travée ainsi qu'une autre, semblable, dans le mur Ouest du croisillon que dérobe l'absidiole orientale du « Sépulcre ».

Dans *le mur terminal du croisillon Nord,* en petit appareil et couvert d'un toit bas en pavillon, se dessine l'arc qui porte intérieurement la coupole ; le reste de la paroi, avec sa fenêtre refaite, est monté sous celui-ci.

Au Sud-Est de l'abside, sollicitez l'entrée d'un jardin privé, pour aller voir *le bout du croisillon Sud,* mur de moellons très retouché auquel des arrachements de constructions adventices donnent une physionomie confuse. Les bâtiments du Chapitre se situaient en effet de ce côté. Au centre, deux fenêtres jumelles, non ébrasées, en plein cintre, semblent primitives ; celle de gauche est obstruée. A l'Est, il y a une petite baie bouchée, en arc brisé. A l'Ouest, une autre trace, de même profil mais plus grande, se place bizarrement tout à l'angle du mur : sa retombée, incomplète, s'appuie au contrefort ajouté sur la face occidentale du croisillon. En saillie sur le coin oriental, la tourelle d'escalier est comme démantelée, avec l'indice d'une porte à mi-hauteur précédée d'une sorte de palier, que

marque contre le mur un rang de grosses assises sous les fenêtres. Un pan oblique en pierre de taille, muni en bas d'un arc brisé aveugle, se relie directement à la première absidiole ; le sommet de la tourelle et du mur oriental, pris sous le toit du croisillon qui est de ce fait asymétrique, sont également en relation avec le chœur et sa tribune.

L'étage unique de *la tour-lanterne* est un octogone, qui sort d'une souche carrée aux angles traités en gradins, disposition qui évoque Obasine et Beaulieu. Les fenêtres n'ont qu'une voussure nue ; une colonne garnit chaque arête, celle de l'Est apparaissant aujourd'hui dans le chœur. Un couronnement fut certainement projeté ; impossible de dire s'il a été réalisé.

Le chœur

La vigueur plastique et l'abondant décor du rez-de-chaussée de l'abside s'opposent à la maigreur des parties hautes, rebâties au XVIe siècle, que maintiennent des arcs-boutants inégalement espacés à partir de longues et étroites culées plantées sur les chapelles (pl. 1). Le mur nu du sanctuaire est bordé d'une corniche à modillons carrés, ses fenêtres n'ont pas de mouluration ; un cordon continu passe à leur pied, un autre, interrompu par elles, à la tête des arcs-boutants.

Dans la hauteur comprise entre ces deux cordons s'appliquait jadis la tribune. L'élévation ancienne se voit encore plus qu'à *la première travée Sud,* à l'Est de laquelle se voit en coupe le segment d'arc qui amorçait la galerie tournante. Au point correspondant du côté Nord, une tourelle dessert le comble supérieur. Dans leur état primitif, les masses étagées du chevet devaient se rapprocher beaucoup de celles de Beaulieu, quoique avec des proportions plus élancées. S'il y avait des fenêtres hautes, elles étaient nécessairement modiques et peut-être, ici aussi, ménagées dans le départ de la voûte.

Une tablette moulurée surmonte la plinthe des *chapelles,* qu'accidentent les bases rectangulaires de petits contreforts ; elle se poursuit aux travées intercalaires, où elle est soutenue par un modillon non sculpté. Comme à l'intérieur, il n'y a d'irrégularité qu'aux absidioles extrêmes : celle du Sud a le piédroit gauche de sa fenêtre occidentale formé par le mur de la tourelle d'escalier, contre lequel arrive une voussure nue ; celle du Nord montre près du transept un mur nu et plein tandis qu'à l'Est sa paroi prononce un ressaut, percé d'une fenêtre sans mouluration. Partout ailleurs, un contrefort rectangulaire rattache les chapelles au déambulatoire (pl. 2) ; deux autres, entre les fenêtres, sont faits comme à Solignac de deux colonnettes superposées de diamètre inégal, séparées par un cordon à bandeau, filet torique et biseau qui se poursuit sur les murs et les renforts terminaux, au niveau de l'imposte des baies. Les bases sont en tronc de pyramide écrasé sous un tore ; les colonnettes supérieures ont un chapiteau sculpté qui reçoit la corniche, portée dans les intervalles sur des modillons en granit ornés de figurines ou de têtes. Les fenêtres, hormis les exceptions précitées, ont une voussure « limousine » à petits chapiteaux sculptés sans tailloir remplacés, aux baies latérales de la chapelle Nord-Est la plus proche de l'axe, par des bagues moulurées. La fenêtre médiane de la chapelle absidale est beaucoup plus large et couronnée à l'archivolte d'un cordon de billettes.

Entre les première et deuxième chapelles Nord, la fenêtre est « limousine » ; les autres *baies intermédiaires* sont nues, plus étroites et comme coincées entre les contreforts des absidioles. Les petites fenêtres supérieures qui donnent aussi sur le déambulatoire, sont également très simples.

Le clocher

Saint-Léonard possède le plus bel exemplaire du clocher dit « limousin », c'est-à-dire où le plan passe du carré à l'octogone par l'intermédiaire de gâbles (pl. 4) La silhouette est ici beaucoup plus élégante qu'à Collonges ou Uzerche et les gâbles correspondent non à une face mais à un angle de l'octogone. Fine et robuste, la tour domine de haut l'église et tout le pays environnant. Ses étages supérieurs sont une restitution : ils ont été démontés et rétablis, de façon d'ailleurs très plausible, par l'architecte Lucien Roy entre 1880 et 1884 car, plusieurs fois foudroyés, ils avaient subi diverses altérations de 1270 à la fin du XVe siècle.

Un habile jeu de lignes fait contraster les angles, rentrants aux trois premières divisions et au sommet de la quatrième, à coins vifs entre les colonnes de celle-ci et au dernier étage carré. Des retraits à gradins de plus en plus importants allègent la souche, marquant fortement les horizontales sans nuire au puissant verticalisme de l'ensemble. Sur chaque face libre du porche, deux arcades brisées sont portées par des pilastres munis d'un cordon à bandeau, filet torique et biseau, par des demi-colonnes sous leur rouleau interne. Ces arcades se répètent à l'étage au-dessus, que couvre une coupole octogonale sur pendentifs plans ; elles ont même mouluration, mais des colonnettes et un tore dans leur voussure (sauf à la baie méridionale de la face Est), en avant de piédroits rectangulaires. Une courte frise d'arcatures, groupées par quatre entre des pilastres et retombant sur un culot ou une colonnette, précède un autre grand étage, largement évidé de deux baies par face : ici l'archivolte est reçue vers l'extérieur par des demi-colonnes aux vigoureux chapiteaux de granit sculptés de palmettes, une mouluration « limousine » garnit la voussure. Les gâbles très aigus coiffent des massifs percés d'une

simple ouverture en arc brisé et saillants sur des murs nus (pl. 2). Entre les rampants, l'octogone laisse voir un bref soubassement aveugle, puis un rang d'arcades jumelles dont la colonnette médiane recoupe un arc en retrait ; de petits contreforts surmontent obliquement les angles du carré. Un étage de baies géminées par une colonnette, sous arcs de décharge, et un bandeau d'arcatures alternant sur un pilastre et sur un culot, soutiennent la flèche de pierre.

Le porche est divisé en quatre voûtes d'arêtes par un pilier central carré, muni, comme le revers des supports médians de chaque côté, d'une demi-colonne sous les doubleaux. Les bases à tore et scotie reposent sur un socle quadrangulaire qui a dû être retaillé, car elles le débordent parfois. Les chapiteaux sont en granit, de facture assez fruste mais non sans valeur décorative. Notez : diverses combinaisons de palmettes et de tiges entrelacées ; sous les arcades Nord, des personnages aux jambes croisées, des oiseaux opposés détournant le col et des têtes d'angle dont la bouche émet des branchages, des guerriers porteurs de hauts boucliers ; sous les arcades et au pilier Ouest, une figurine aux bras levés entre deux animaux, une grosse tête barbue avec de petits bras dressés, des quadrupèdes se chevauchant et des personnages, des hommes aux jambes écartées qui s'appuient d'une main sur une tête. Trois des corbeilles du pilier central sont d'allure archaïque : l'une imite un travail de vannerie, les autres n'offrent qu'un dessin en creux (feuilles pointues, feuilles arrondies et superposées en deux collerettes). Contre le mur de la nef, les colonnes sont plus minces qu'ailleurs et on peut se demander si elles ne sont pas plus anciennes, ainsi que leurs chapiteaux. Allongés et étroits, ceux-ci figurent : à l'Ouest, des palmettes en méplat ; entre les portes, des palmettes et des monstres avec des colonnettes d'angle coiffées de masques ; à l'Est, une tige sinueuse aux feuilles terminées en boules. Les deux premiers ont un tailloir très débordant, fait de trois baguettes convexes sous un bandeau. Les autres tailloirs sont chanfreinés, sauf sous les arcades Nord et au revers du pilier les séparant, où il y a bandeau, filet torique et biseau.

Les vantaux des portes de la nef gardent la trace de fausses pentures : on discerne le contour de quadrupèdes dont la gueule crache des rinceaux, de barres finissant en volutes et feuilles découpées, de croix aux branches terminées de la même façon. Les pièces de ferronnerie correspondantes étaient encore en place en 1913 ; elles se trouvent aujourd'hui... au Musée des Cloîtres de New-York, sans que l'on puisse préciser quand et comment elles ont quitté Saint-Léonard ! La comparaison avec des motifs d'enluminures, notamment avec des œuvres de l'atelier de Saint-Martial, conduit Mme Serge Gauthier à les dater de la fin du XIe siècle.

La chapelle logée entre le clocher et le croisillon Nord est aménagée en baptistère, mais telle ne fut certainement pas sa destination primitive. Il ne paraît pas non plus qu'elle ait jamais abrité les reliques du saint Patron. Comme plusieurs édifices analogues en diverses régions, elle doit très probablement son nom usuel et sa forme à quelque pèlerin ou chevalier retour de Palestine et désireux d'évoquer le Saint-Sépulcre. A demi-ruinée et abandonnée depuis le XVIIIe siècle, elle a été restaurée après 1879 et toute sa partie Nord reconstruite selon les fondations authentiques (pl. 4).

Le plan est circulaire, avec quatre absidioles. Celles du Sud et de l'Est, touchant la nef et le croisillon, ne peuvent développer leur saillie extérieure ; celle de l'Ouest, encastrée entre les piles du clocher, a sa paroi de fond tronquée et faite de matériaux irréguliers, un mur en retrait au-dessus bouche l'arcade du porche. La construction est en moyen appareil jusqu'au toit des absidioles, puis en petits moellons carrés ; le toit repose sur une corniche à modillons. Les murs sont enduits intérieurement ; trois fenêtres et une porte s'ouvrent entre les absidioles.

Au centre, une coupole hémisphérique est portée par huit colonnes disposées en rond, que relient des arcs plein cintre pénétrant la calotte (pl. 11). La voûte du déambulatoire annulaire se rapproche du quart de cercle, avec doubleaux en plein cintre reçus par d'autres colonnes contre les murs. Tous les supports sont de technique assez grossière, formés de tambours très inégaux. Ceux de la rangée centrale ont de lourds chapiteaux en granit sans astragale, évasés et carrés dans le haut avec, sous les angles, des saillies simplement épannelées. Ceux du pourtour, également nus mais pourvus d'astragale, sont parfois pris dans la dernière assise de la colonne. Le biseau des tailloirs est bordé d'une rainure en forme de cartouche. Les bases présentent, pour la plupart, des tores superposés de même diamètre ; quelques-unes, à la périphérie, ressemblent à des pyramides renversées aux angles abattus. L'ensemble, d'une exécution rude et sommaire, conserve en dépit des restaurations un frappant caractère d'archaïsme.

NOTES

NOTES HISTORIQUES ET ARCHÉOLOGIQUES

La destruction des archives capitulaires par la Révolution réduit à fort peu de chose les sources anciennes sur l'histoire de la Collégiale.

— La tradition veut que Louis le Pieux ait financé le projet de l'église bâtie durant le IXe siècle au nouvel emplacement choisi pour le tombeau du saint. Plus précise est la mention de travaux effectués après le passage des Normands sous l'épiscopat de Jourdain de Laron (1023-1050), ancien prévôt de Saint-Léonard, et d'Ithier Chabot (1051-1073). Le bourg appartenant au temporel de l'évêché, Ithier concède en 1060 un terrain pour poursuivre la construction, que son testament, daté de 1062, dit avoir été commencée avant lui. Vers le même temps fut rétablie l'observance régulière pour la communauté.

— Des renseignements de seconde main attribuent aussi à cette époque la fondation du « Sépulcre ». Une épitaphe se voyait jadis près de la chapelle, au nom d'un certain Goncerad, « qui aedificavit hoc sepulcrum ». Les caractères indiquaient, dit-on, le XIe siècle, mais rien ne prouvait que la pierre, qui ne portait aucune date, fût à sa place originelle.

— Indirectement toujours, nous apprenons que l'église possédait une crypte, accessible aux pèlerins. L'Évêque Sébrand Chabot (1178-1198), et le prévôt Bernard l'auraient fait murer (en 1191 ?), à la suite de désordres. La fin du XIIe siècle fut en effet très troublée : Saint-Léonard subit en 1183 l'assaut de brigands, les « Paillers », un peu plus tard celui des « Brabançons ». On perdit ainsi jusqu'au souvenir du lieu où était cachée la tombe et le pèlerinage déclina. En 1403 seulement, « l'invention » quasi-miraculeuse des reliques permit de les placer derrière le maître-autel, où elles sont toujours.

— Pour tout le XII⁰ siècle, nous savons, sans plus, que Richard Cœur de Lion fit en 1197, un don pour remercier de sa délivrance. Par la suite, ne sont signalés que les dégâts causés au clocher et aux voûtes par la foudre, en 1270, 1463, 1467, et de nouvelles réparations en 1470-1473.

La modicité de ces informations, l'enchevêtrement de traces que décèle l'examen de l'édifice, expliquent la divergence des conclusions auxquelles sont arrivés, de Mérimée à nos jours, historiens de l'art et architectes, ou spécialistes des études locales. On peut toutefois s'étonner que même les derniers venus aient appuyé plus d'une fois leur thèse sur des observations matériellement inexactes et que les plans publiés par eux soient entachés d'erreurs du même ordre. Les monographies de Fage en 1913, Fage et Deshoulières en 1921, Albert de Laborderie en 1937, n'évitent pas toujours ces défauts. L'essai de Thellier de la Neuville, paru en 1926, se rapproche davantage de la réalité objective et de la vraisemblance chronologique.

Il ne peut être question dans ces pages de discuter les opinions de chacun, non plus que tous les problèmes particuliers. Bornons-nous à classer selon l'ordre le plus probable les remarques accumulées au cours de la visite.

L'église du XI⁰ siècle

Cette église dessinait une croix latine, *dont subsistent pour l'essentiel les murs de la nef et du transept.* La technique des maçonneries, le style des fenêtres au Nord-Est de la nef, aux croisillons, à la première travée Sud, les contreforts envisagés dans leur état primitif, peuvent se placer entre 1045 et 1070 ; les deux premières fenêtres Nord de la nef semblent un peu plus jeunes. L'ensemble évoque de très près ce qui, à Uzerche, Eymoutiers, Lesterps ou Chambon, correspond à la même période.

Cette église se terminait sans doute à l'Est par trois absides parallèles. Des fouilles dans le chœur seraient infiniment souhaitables, pour tenter de retrouver la crypte et la forme initiale du chevet. Nous croyons, en tout cas, que *le mur, la colonnette et le chapiteau observés au Nord-Est du croisillon Nord ont appartenu à l'entrée d'une absidiole.* De même, à l'Est des piles de la croisée, *les deux colonnettes* avec chapiteaux identiques au précédent, la tablette qui les coiffe et les pilastres en arrière, *encadraient l'ouverture du sanctuaire.* Les colonnettes étaient jadis dégagées vers la croisée, comme le montre la discordance de leurs socles

avec le reste des piles montées plus tard pour porter celle-ci. Au croisillon Sud, en revanche, toute trace d'absidiole a disparu.

Le transept, très débordant, devait être déjà plus bas que la nef, parti fréquent dans les églises monastiques de haute époque. L'un et l'autre étaient-ils voûtés ? — Nous ne le pensons pas. Il faut plutôt considérer comme des arcs-diaphragmes, destinés à soutenir la charpente, *les deux cintres faiblement outrepassés* qui relient l'extrémité des murs de la nef aux piles d'entrée du chœur. Car ces arcs et les étroits pilastres qui les reçoivent n'appartiennent ni à la campagne qui a voûté les croisillons, ni à celle qui a flanqué l'Est de la nef et la croisée de berceaux longitudinaux : leur profil et leur appareil les caractérisent nettement comme plus anciens.

Pour Thellier de la Neuville, la nef avait six travées, dont deux à la place de la troisième actuelle. Hypothèse peu recevable, car ces travées eussent été bien resserrées. Les contreforts séparant les première et deuxième travées sont plus à l'Est que les appuis intérieurs actuels ; un léger allongement des deuxième et quatrième travées, dont nous ne voyons plus les contreforts anciens, aux dépens de la troisième, restitue sur le plan *cinq divisions à peu près égales.* Le décalage à l'Ouest des fenêtres de la cinquième travée s'explique par la proximité du transept ; celui de la fenêtre Nord de la quatrième par un raccourcissement ultérieur de celle-ci, dont la fenêtre Sud est peut-être reportée vers l'Est par suite de la présence d'autres constructions sur le flanc de la nef. On connaît à cette place l'existence, mais non la date, d'une église Saint-Michel, avec laquelle communiquait probablement l'arcade bouchée de la troisième travée.

Il est possible que l'entrée principale ait été déjà sur le flanc Nord, quoique nous ignorions ce qu'a remplacé la tardive façade Ouest. La date avancée par Mme Gauthier pour les pentures des portes, l'archaïsme des chapiteaux au pilier central du porche, amènent à situer dès la fin du XI⁰ siècle l'entreprise de ce dernier. Mais *les colonnes et les chapiteaux collés au mur de la nef* ne seraient-ils pas des vestiges d'un ouvrage antérieur ?

La rotonde du « Sépulcre », dont l'âge a été très diversement estimé, *fut construite après l'église :* son absidiole Est bouche une fenêtre du croisillon, son absidiole Sud enveloppe le contrefort intact de la nef. Par contre, Thellier de la Neuville montre judicieusement *qu'elle est plus ancienne que les piliers du porche :* l'absidiole Ouest a été entaillée pour permettre de les dresser, on a refait ensuite sa partie supérieure en une maçonnerie grossière qui mord légèrement sur les chapiteaux de l'arcade voisine. Le fait qu'on ait bâti le porche si près de la rotonde, malgré la gêne qui en résultait, peut fortifier l'hypothèse d'une entrée monumentale précédemment fixée à cet endroit.

124

Elles ont réalisé deux œuvres capitales, le clocher et le grand chœur. Elles ont voûté le transept et la nef, en recourant à toute la variété des solutions romanes. La difficulté est de savoir comment se sont succédé les travaux.

Convient-il de donner la priorité aux *coupoles des croisillons* ? — Leurs arcs rappellent ceux de Solignac et pourraient être des premières années du siècle. Mais l'ornement gravé des impostes du croisillon Nord, proche de celui qui surmonte les colonnettes de l'entrée du chœur, interdit de trop les rajeunir. Franchement plus récentes sont les arcades à enfeus du croisillon Sud.

L'aménagement de la croisée et des travées orientales de la nef dut également intervenir assez tôt, peut-être en premier lieu. On a cherché à rétrécir l'espace à voûter, à rapprocher du carré le plan de la croisée par l'épaississement de ses piles Est sur deux faces et par le lancement des arcs ; les murs ont été renforcés d'arcs de décharge. La tour-lanterne devait naturellement émerger tout entière au-dessus de la couverture du sanctuaire, de niveau encore inchangé. — Que signifient les deux ouvertures visibles de part et d'autre de l'entrée du chœur ? On a parlé d'accès à la crypte, ou bien à des « secretaria », réduits logés entre les absides, comme il en existe en Berry. Fage y voit les entrées, fort étroites, d'un déambulatoire prolongeant les nouveaux bas-côtés. Pourquoi ne pas songer plutôt à des escaliers desservant les combles ? L'énigme demeure entière, ce n'est pas la seule à Saint-Léonard...

Les deux ou trois premiers étages du clocher semblent contemporains de cette transformation du vaisseau. On retrouve ici et là les cordons à bandeau, filet torique et biseau, qui existent aussi, il est vrai, au dehors des chapelles de l'abside. Le clocher s'appuie sur le mur de la troisième travée, repris en conséquence, et il a sans doute déterminé l'ampleur donnée à celle-ci. *On fut conduit de la sorte à abandonner la triple nef pour les berceaux transversaux,* dont nous savons qu'ils ne font pas corps avec les murs. Ce procédé paraît bien, en effet, plus récent que l'autre : à l'Est de la troisième travée, les piles ont une

imposte pour recevoir des grandes arcades comme dans la quatrième ; l'arc transversal Nord masque la section du collatéral, en avant de laquelle a été reporté le passage ; sous l'arc Sud, un fragment d'imposte attend un arc de décharge prévu contre le mur.

Tous ces travaux peuvent s'échelonner dans la première moitié du siècle, avant la construction du grand chœur. Mais, entre le chevet primitif, altéré du reste par la saillie des piles des coupoles, et l'actuelle abside, *il y a eu un stade intermédiaire.* La surélévation du mur qui garde la colonnette de l'absidiole Nord, les arcs plaqués derrière l'arc oriental des coupoles, font penser qu'un premier déambulatoire fut au moins commencé. De toutes manières, ces arcs sont distincts de ceux qui les suivent aujourd'hui à l'Est. La même étape de transition a substitué des massifs rectangulaires aux piédroits de l'absidiole méridionale.

La science et le raffinement de *la nouvelle abside,* le décor de ses chapelles, apparenté à celui de Solignac mais plus riche, suggèrent de la dater *entre 1150 et 1180.* Descendre au-delà serait une erreur : les circonstances locales, à la fin du siècle, ne permettent guère une grande activité, elles ont entraîné la décadence du pèlerinage. Ceci empêche de rapporter aux générosités du roi Richard une œuvre totalement exempte, d'ailleurs, des influences anglo-angevines qui signalent à la Souterraine la contribution de ce prince. Tout ce que l'on peut admettre, c'est que celui-ci ait facilité l'achèvement des parties supérieures, peut-être aussi celui du clocher : dans l'un et l'autre cas, nous ne sommes plus en présence des originaux...

Enfin, les disparates de la couverture, aux premières travées de la nef, résultent de retouches très postérieures à la période romane. La voûte d'arêtes de l'Ouest paraît du XVIIe siècle : ses impostes ont la même mouluration que les piles ajoutées en 1603 dans le chœur. Fage indique que le berceau des deuxième et troisième travées a été refait après 1880, quand on restaurait le clocher. Auparavant, les chutes de pierres et les désordres occasionnés à celui-ci par la foudre avaient dû nécessiter des réparations dans cette zone, ainsi que le renforcement de la grosse pile voisine du porche, où beaucoup d'assises sont également modernes.

DIMENSIONS

Longueur totale dans œuvre : 63 m 50.
Longueur de la nef : 33 m.
Longueur de la croisée : 6 m.
Longueur du chœur, chapelle absidale comprise :
  24 m 50.
Largeur totale à la nef : 11 m 15.
Profondeur des arcs latéraux à la première travée :
  1 m 30.
Largeur de la nef aux 4e et 5e travées : 6 m 75.
Largeur des bas-côtés ibid. (axe des piliers) : 2 m 20.
Longueur totale du transept dans œuvre : 26 m 50.
Largeur du croisillon Nord : 7 m.
Largeur du croisillon Sud : 6 m 70.
Largeur des piles orientales de la croisée, non com-
  prises les piles des coupoles du transept : 3 m.
Largeur des anciens passages à travers ces piles :
  0 m 77.
Largeur du déambulatoire : 4 m 80.
Hauteur des colonnes du déambulatoire : 8 m 50.
Hauteur du chœur : 21 m 50.
Hauteur de la tour-lanterne : 20 m 50.
Hauteur de la nef à la 4e travée : 13 m 20.
Côté de la base du clocher : 9 m 20.
Hauteur du clocher : 52 m.
Diamètre intérieur du « Sépulcre » : 7 m 85.
Diamètre de sa rotonde centrale : 4 m 40.
Colonnes du « Sépulcre » : diamètre 0 m 63 hau-
  teur 4 m 15.
Absidioles du « Sépulcre » : Nord 2 m 12 × 1 m.
                             Est   2 m 04 × 0 m 92.
                             Sud   2 m 05 × 0 m 95.
                             Ouest 2 m 09 × 1 m.

CHAMBON

La table des planches illustrant ce chapitre se trouve à la page 132.

Dans son état présent, l'église de Chambon-sur-Voueize est un fort bel édifice. Elle pourrait l'être plus encore si quelques destructions opportunes venaient ruiner de malheureuses ajoutes du siècle dernier. La suppression des voûtes d'arêtes rendrait à la nef sa charpente de bois d'origine, aujourd'hui cachée dans les combles. La coupole du transept, privée de l'affreux lanternon qui la dépare, recouvrerait sa beauté. Surtout, l'ensemble de l'édifice retrouverait son poids d'ombres indispensable, aujourd'hui seulement sensible dans le sanctuaire et le pourtour du chœur.

Même en partie défiguré, Chambon, dans son visage actuel, est une page importante de l'art roman. Son énorme arc triomphal, le clocher de son chœur, posé à même les voûtes, épaulé par elles, ne sauraient manquer de surprendre.

UNE FILLE SPIRITUELLE DE SAINT MARTIAL

La légende de sainte Valérie fut très populaire en Limousin et son principal épisode maintes fois représenté jusqu'à la fin du Moyen-Age ou même au-delà. Elle procède des récits dont s'est étoffée peu à peu la biographie de saint Martial, récits qui prirent forme au Xe siècle pour étayer les prétentions de la grande abbaye à l'encontre des Evêques de Limoges et des ducs d'Aquitaine.

Fille du « duc » Leocadius, et de ce fait héritière de vastes territoires entre Loire et Garonne, Valérie, fiancée au « duc » Etienne, aurait été convertie par saint Martial ainsi que sa mère Suzanne. Résolue dès lors à la virginité et décapitée sur l'ordre d'Etienne, elle aurait pris entre ses mains sa tête coupée pour la porter à l'autel où Martial célébrait les Saints Mystères.

On sait que, selon la critique moderne, le fondateur de l'Eglise de Limoges vécut seulement au IIIe siècle. Charles de Lasteyrie puis Dom Leclercq rajeunissent davantage encore le personnage de Valérie, la considérant comme une riche chrétienne des temps mérovingiens à qui sa piété et sa bienfaisance méritèrent d'être ensevelie près de l'Apôtre. Aux termes de la légende primitive, saint Martial lui devait l'emplacement de sa sépulture et elle voulut reposer à ses côtés ; le martyre et la scène miraculeuse qui le suit ne sont relatés qu'à partir du XIe ou du XIIe siècle.

Ni Grégoire de Tours, ni les plus anciens textes qui décrivent le tombeau de saint Martial et de ses compagnons, ne parlent de celui de Valérie. Cependant, disent les chroniques, les reliques de la sainte furent en 985 transférées à Chambon parce que leur voisinage avec celles du premier Evêque nuisait à l'essor de la dévotion dont elles étaient l'objet. Il faut donc admettre qu'à cette date les restes de Valérie se trouvaient bien dans la crypte de Saint-Martial, mais depuis assez peu de temps.

Au cœur de la Combraille, près du confluent de la Voueize et de la Tardes, affluent du Cher supérieur, Chambon était déjà une dépendance de l'abbaye : sa fondation remontait à l'Abbé Abbon, en 857. Les Gallo-Romains avaient peuplé la vallée et fréquenté, tout près de là, les sources thermales d'Evaux. Mais ce pays de hautes terres couvertes de landes, également distant de Limoges, de Clermont, de Bourges et de Moulins, était destiné à demeurer fort isolé. Les établissements monastiques, les seigneuries féodales, n'y ont jamais connu grand éclat. Rattachée à l'Auvergne vers 1180, la Combraille vivait à part de son entourage ; c'était encore, à la fin de l'Ancien Régime, une contrée très démunie.

Peu avant la translation des reliques, l'Abbé de Saint-Martial, Aymeric, était parvenu à réduire les barons locaux qui molestaient les religieux. La naissance d'un pèlerinage dut évidemment régénérer la communauté, qui désormais eut plus d'importance que la simple prévôté dont elle portait le titre. Elle posséda divers petits prieurés et groupa presque constamment plusieurs dizaines de moines, affirmant son indépendance à mesure que Saint-Martial déclinait. — On reste surpris, néanmoins, par le choix d'un site aussi écarté, choix qu'expliquent peut-être la survivance d'un réseau de communications antiques et le désir de créer un foyer d'évangélisation rurale... En tous cas, les dimensions de l'église commencée vraisemblablement dans le cours du XIe siècle attestent la réputation prise par le culte de sainte Valérie, comme les ressources dont disposa le monastère. L'obscurité totale qui entoure l'histoire de la construction ne peut empêcher de marquer à Chambon une étape dans les cheminements des pèlerins médiévaux.

TABLE DES PLANCHES

132

1

4

5

23

DIMENSIONS

Longueur totale dans œuvre, (sans le porche) :
67 m 30.
Longueur du porche : 9 m 50.
Longueur de la nef : 48 m.
Longueur de la croisée : 7 m 80.
Longueur du chœur, chapelle absidale non comprise : 7 m 50.
Profondeur de la chapelle absidale : 4 m.
Largeur totale à la nef : 15 m.
Largeur de la nef aux 7 premières travées : 6 m 70.
Largeur de chaque collatéral ibid. (axe des piliers) :
4 m 15.
Largeur de la nef à la 8e travée (axe des piliers) : 9 m.
Largeur de la nef avant l'entrée de la croisée : 8 m.
Longueur totale du transept dans œuvre : 35 m 24.
Largeur du croisillon Sud : 6 m 50.
Profondeur des absidioles du croisillon Sud : 3 m 50.
Largeur du déambulatoire : 3 m 25.
Hauteur de la nef sous les voûtes d'arêtes : 15 m 25.
Hauteur de la nef sous le berceau : 14 m 75.
Hauteur de la coupole de la croisée : 18 m.
Hauteur du clocher oriental, sans la toiture :
24 m 25.

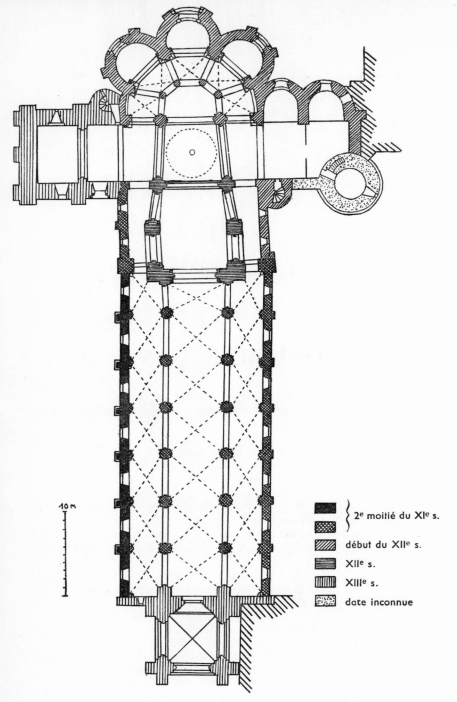

10 m

2ᵉ moitié du XIᵉ s.

début du XIIᵉ s.

XIIᵉ s.

XIIIᵉ s.

date inconnue

CHAMBON-SUR-VOUEIZE

VISITE

COMMENT VISITER L'ÉGLISE DE CHAMBON

Le plan de cette église, une des plus vastes du Limousin, est caractérisé par une nef très allongée précédée d'un clocher-porche, un transept fortement débordant qui n'a conservé qu'au croisillon Sud deux absidioles juxtaposées, un chœur réduit à l'abside semi-circulaire avec déambulatoire et trois chapelles contiguës. A partir des deux dernières travées de la nef, une brisure de l'axe infléchit vers le Nord la portion orientale de l'édifice, tandis que le vaisseau central, encadré de supports massifs, s'élargit au détriment des collatéraux et rejoint le transept par un tracé irrégulier.

Cette anomalie fait pressentir d'importantes différences de structure. Chambon n'offre pas la multitude d'aspects de Saint-Léonard, tout en réunissant deux et même trois partis constructifs, dont il est peut-être plus difficile encore d'évaluer les rapports dans le temps. Le monument doit à cet assemblage son originalité, que la situation géographique, aux lisières Nord-Est de la province, nuance d'un accent particulier. Beaulieu et Solignac obligeaient à regarder vers le Quercy ou le Périgord ; c'est plutôt à l'Auvergne, au Bourbonnais surtout et aux pays de la Loire moyenne que l'on songe ici. Sans jamais pour autant cesser de percevoir par le détail cet « air de famille » avec les autres œuvres limousines qui témoigne subtilement de la personnalité régionale.

L'INTÉRIEUR

La nef

Du porche gothique, vous pénétrez dans une longue nef de neuf travées, relativement étroite (pl. 17). Une haute arcade en plein cintre la res-

serre à l'Est de la septième travée, accentuant son élan et délimitant deux campagnes.

1 Les sept premières travées.

Voici d'abord qui change de ce que vous êtes habitué à voir en Limousin : des piles assez rapprochées, des arcades en plein cintre à rouleau unique, des bas-côtés plus spacieux que d'ordinaire, des fenêtres éclairant directement la nef au sommet de murs nus. Ce dernier trait éloigne décidément des solutions coutumières aux domaines aquitain et languedocien.

Nef et bas-côtés ont des voûtes d'arêtes sans doubleaux. Les voûtes basses ne sont sans doute pas primitives, mais on hésite à se prononcer sur leur âge. Quand on gagne les combles de la nef, on a la surprise de trouver intacte une magnifique charpente, évidemment destinée à demeurer visible, dont la mouluration indique la fin du XV⁰ siècle (pl. 23). La fausse voûte ne date que de 1852. Dès 1881, un rapport de l'Inspection des Monuments Historiques souhaitait sa démolition et la rendait responsable de désordres auxquels ne remédient que partiellement de disgracieux tirants en fer. La restauration générale opérée par la suite l'a cependant conservée. Si elle disparaissait enfin, la nef de Chambon retrouverait exactement la physionomie restituée depuis quelques années à l'église toute voisine d'Evaux-les-Bains.

Cette dernière (cf. p. 29), fut en grande partie reconstruite à la fin du Moyen-Âge puis au XVIᵉ siècle. Mais, à l'époque romane, elle devait présenter avec Chambon une véritable similitude : même affirmation de la longueur et de l'effet vertical, même forme et même minceur des piliers dont les récentes fouilles ont révélé le plan. Tout démontre que ni l'un ni l'autre édifice n'étaient prévus pour être voûtés. Les

159

collatéraux ne sauraient jouer un rôle efficace de contrebutement, les piliers sont trop sveltes, les murs trop peu épais et insuffisamment épaulés. Chambon a mieux gardé ses éléments anciens ; or, les percées y occupent une surface relativement grande et affaiblissent encore les parois supérieures, les supports sont de volume réduit, quatre demi-colonnes appuyées à un noyau carré qui forme dosseret du côté de la nef, les murs sont rythmés de pilastres peu vigoureux avec colonne engagée. Ces colonnes, aux faces latérales des piliers et aux murs goutterots, peuvent toutefois faire supposer que des arcs en pierre soutenaient les charpentes : les chapiteaux placés aujourd'hui sous la voûte centrale semblent trop bas par rapport aux fenêtres pour avoir reçu directement les entraits, et rien ne prouve qu'ils aient été abaissés postérieurement ni qu'ils soient d'une autre époque que ceux du rez-de-chaussée.

La première travée a été achevée ou remaniée lors de la construction du clocher : les pilastres saillants adossés à la tour raccourcissent ses arcades, qui sont légèrement brisées et dont un chapiteau est orné de volutes ; il n'y a pas de fenêtres hautes. Partout ailleurs la facture est homogène, empreinte d'une extrême sobriété. Les bases, presque toutes noyées dans l'actuel dallage, n'émergent que vers l'Est, en tambours cylindriques sur des disques très aplatis comme à Evaux. Les chapiteaux sont nus, faits d'un tronc de cône renversé et d'un faux-tailloir carré, sous les angles duquel de petites arêtes suggèrent l'amorce d'un tronc de pyramide. Mais, privées de l'arc qui, à Beaulieu, dessine la pénétration de la partie conique, ces corbeilles rappellent en plus fruste celles de Saint-Étienne de Nevers. Le bandeau des tailloirs coiffe un biseau, ou un cavet peu prononcé. Les fenêtres sont en plein cintre, ébrasées et sans décor ; celles du bas-côté Nord ont à leur base un long talus qui diminue de près de moitié la hauteur du vitrage.

2 Les deux travées orientales.

A la silhouette « basilicale » qui s'évoquait sans peine dans la première partie de la nef succèdent les formes denses de deux travées couvertes d'un berceau plein cintre sans fenêtres, flanquées de collatéraux voûtés en quart de cercle (pl. 16, 18, 19). En raison de la brièveté du chœur proprement dit, ces travées contiennent les stalles, boiseries du XVIIe siècle sans grande valeur.

Le berceau, dont nul cordon ne souligne la naissance, n'a de doubleaux qu'à ses extrémités : ce sont des arcs à deux rouleaux, mais le rouleau externe est nettement plus fort au doubleau occidental (pl. 18). Sous celui-ci s'avancent des pilastres, terminés par une demi-colonne entre des ressauts garnis d'une colonnette plus fine. Ils s'incorporent à de puissants massifs en équerre : sur la face Ouest est appliquée la demi-colonne de la septième travée puis, légèrement

en retrait, un angle droit compact et nu rétrécit beaucoup les collatéraux ; sous les arcades de la huitième travée, épaisses, en plein cintre et à double rouleau, la branche orientale de l'équerre s'articule à nouveau d'une demi-colonne et de redans à colonnettes. Même dispositif à l'Ouest et à l'Est des piles séparant les travées, mais les faces Nord et Sud, par suite de l'absence de doubleaux, sont plates. Moins lourds, les supports occidentaux de la croisée ont un noyau cruciforme, avec une face rectangulaire vers le collatéral, les trois autres servant de dosseret à une demi-colonne (pl. 19).

Sensiblement plus large qu'auparavant, la nef se referme quelque peu vers le transept (pl. 16). Notez qu'à la huitième travée ses murs, au-dessus des imposes, ne montent pas à l'aplomb des piles mais en faible retrait. Les arcs de la neuvième travée sont obliques et leur rouleau externe du côté de la nef s'amenuise de l'Ouest à l'Est, où le tailloir très débordant de la demi-colonne reçoit l'épaisseur totale de l'arcade. Les chapiteaux des colonnes et des colonnettes sont du type déjà décrit ; au rez-de-chaussée, leurs tailloirs biseautés ont en général une rainure à la base du bandeau. Sous le doubleau de la croisée seulement, les chapiteaux, en granit comme tous les autres, sont sculptés de lourdes palmettes que nous retrouverons vers le transept.

Les bas-côtés se réduisent à un passage en plein cintre (pl. 20, 21), entre les grosses piles de l'Ouest et un pilastre mural qui se prolonge pour recevoir, en arrière et plus haut, le doubleau plein cintre de la voûte ; au revers du passage, une ouverture carrée dans le mur qui relie les deux arcs donne sur le comble inférieur des travées occidentales. Le demi-berceau n'a ensuite ni cordon ni doubleaux ; à la rencontre du transept, une arcade en plein cintre extradossée d'un mur retombe sur des pilastres aux imposes en cavet. On retrouve naturellement la déviation des arcades de la neuvième travée : pour compenser, la paroi qui les surmonte est en retrait sur celle de la huitième et leur rouleau externe est moins profond à l'Ouest qu'à l'Est. Aucun support engagé ne sépare les travées, dont les fenêtres sont ébrasées et nues ; le voisinage d'une tourelle d'escalier reporte à l'Ouest la dernière baie méridionale.

Le transept et le chœur

Bien que totalement couverts en pierre et malgré une exécution très dépouillée, voire assez fruste parfois, le transept et le chœur opposent leur légèreté d'allure aux volumes pesants qui terminent la nef.

1 Le transept.
Le côté Est de *la croisée* est un peu moins long que les autres. Les arcs sont en plein cintre, munis d'un mince rouleau externe qui soutient des pendentifs courbes passant in-

sensiblement, sans cordon de base, à une coupole circulaire ajourée d'un mesquin lanternon moderne (pl. 19). Les extrémités des arcs ne sont pas gauchies : les retombées Ouest prolongent les dosserets des piliers et laissent subsister entre elles les angles rentrants de ceux-ci. Il n'en va pas de même à l'Est où les piles, simples noyaux carrés à quatre demi-colonnes, présentent un angle saillant auquel répond seul le rouleau externe des arcs latéraux, celui de l'arc oriental ne se dégageant qu'à une certaine hauteur au-dessus des tailloirs. Ces derniers sont à bandeau et biseau ; au pilier Nord-Ouest le bord inférieur du bandeau n'a pas de rainure. A l'Ouest, sur les deux faces des piles, les chapiteaux, sculptés de feuilles et de volutes, sont archaïques, mal proportionnés aux tailloirs ; sous le doubleau d'entrée de l'abside, ils ont des feuilles aux tiges entrelacées et un galbe plus harmonieux. Le chapiteau occidental du pilier Nord-Est est nu, c'est peut-être une réfection ; son symétrique du côté Sud montre des animaux dressés, la tête renversée en arrière, dont le type existe aussi à Saint-Junien.

La première travée de chaque croisillon est voûtée en berceau plein cintre, sans cordons. Le débouché des collatéraux de la nef est surmonté d'un mur plein. Les entrées du déambulatoire, en plein cintre à double rouleau, sont encadrées de demi-colonnes, avec chapiteaux semblables à ceux de la nef et tailloirs biseautés. La demi-colonne appuyée au mur gouttereau et celle qui monte vers le doubleau du croisillon ne vont pas jusqu'au sol : elles s'arrêtent sur un stylobate carré haut de 2 mètres environ ; leurs bases sont cylindriques, reliées au fût par un tronc de cône. Sur l'archivolte de l'arcade Sud, qui est plus large et plus élevée, et quelques assises au-dessus de l'arcade Nord, s'ouvrent des baies de tribunes, jumelées et en plein cintre. Séparées par une petite pile rectangulaire, ces baies ressemblent à celles de Châtel-Montagne (Allier). Leurs impostes chanfreinées sont au niveau des tailloirs de la voûte haute ; l'ouverture la plus méridionale est bouchée.

La présence de deux absidioles orientées au *croisillon Sud* est exceptionnelle en Limousin ; elle fait penser au « grand transept » de Cluny et à Saint-Benoît sur Loire. Malheureusement, l'extrémité du croisillon, coupée par une clôture, est devenue le vestibule de la sacristie. La chapelle correspondante, dont l'arc d'entrée est en légère saillie sur le mur, a sa fenêtre défigurée. Un pilastre à impostes chanfreinées la sépare de sa voisine, qui a une large fenêtre en plein cintre obstruée et un cul-de-four arrêté à l'aplomb de la muraille, tout contre la colonne qui porte le doubleau supérieur. Au Sud de cette colonne, pourvue du même chapiteau que dans la nef, les parties hautes du croisillon paraissent refaites, et de façon assez grossière, mais l'enduit qui les recouvre gêne l'analyse. Elles ne sont pas divisées en travées et le berceau sans cordons est lisse jusqu'au bout ; entre les

chapelles apparaît seulement une sorte de petit contrefort plat terminé par un glacis ; en face, à l'Ouest, on distingue un chaînage de pierre et un corbeau sous la voûte. Des reprises peuvent avoir été motivées par la construction de la tour ronde, ancien chartrier de l'abbaye, qui empiète sur l'église au Sud-Ouest du transept (pl. 14). Le mur méridional est percé d'une fenêtre en plein cintre ainsi que le mur Ouest, dans le coin Nord duquel est pratiqué l'accès à l'escalier des combles.

Le croisillon Nord a été complètement rebâti au XIIIᵉ siècle. La colonne proche du déambulatoire a été coupée et le doubleau reporté plus au Nord, sur des impostes à double tore et pilastres à culots en encorbellement. Une première travée, en berceau plein cintre sans cordons, possède à l'Ouest un portail en arc brisé et une fenêtre ébrasée ; à l'Est près de l'angle Sud, la porte de l'escalier des tribunes se place, comme à Beaulieu, au-dessus du stylobate ; plus haut et plus au Nord, une ouverture éclaire un passage menant de cet escalier à la grande tribune de la seconde travée. Celle-ci est en effet divisée en deux étages. Au rez-de-chaussée, une profonde chapelle en berceau brisé débute par un arc de même profil, à deux rouleaux, sur demi-colonnes à chapiteaux nus ; elle a à l'Est une étroite fenêtre cintrée, à l'Ouest une fenêtre rectangulaire. Une plateforme de même étendue la surmonte, ouverte vers l'église sous un doubleau en arc brisé avec pilastres ; la voûte est une croisée d'ogive à bandeau et tore, sans formerets ; le mur oriental, incurvé en absidiole, présente une fenêtre en plein cintre, il y a une autre baie plus large au Nord.

Deux couloirs, ménagés dans les murs très épais, conduisent à cette tribune et débouchent près de ses angles méridionaux. Celui de l'Est communique avec l'escalier des tribunes du chœur. Pour atteindre celui de l'Ouest, il faut emprunter l'escalier occidental du croisillon Sud, puis franchir un passage extérieur réservé entre la coupole de la croisée et le clocher qui domine les dernières travées de la nef. Ce dispositif compliqué a certainement été réalisé à la suite d'une période de troubles, dans le dessein de protéger des pillards les reliques de sainte Valérie.

2 *Le chœur.* Avant que de telles précautions fussent nécessaires, le culte qui entourait ces reliques comme aussi les liens étroits du monastère avec Saint-Martial avaient contribué à faire de Chambon une « église de pèlerinage ». *L'abside* appartient sans conteste à ce type, quoique son exiguïté rende l'interprétation plus modique encore qu'à Beaulieu. Les tribunes, que vous aviez déjà pressenties depuis le transept, n'ouvrent vers le sanctuaire que par quatre petites baies cintrées, isolées à la verticale des colonnes du rez-de-chaussée ; elles sont très basses, à peine utilisables en pratique, et ne peuvent fournir aucune lumière ; leur rôle unique est d'épauler par un quart de cercle la voûte centrale, qui n'a pas de fenêtres hautes (pl. 19). C'est pourtant bien toujours aux notions définies à propos de Beaulieu et de Saint-Léonard qu'il faut revenir, la structure de cette abside n'ayant rien de commun avec celle des chevets auvergnats.

A la base du cul-de-four court en demi-cercle un cordon biseauté assez irrégulier, qui s'arrête à l'Ouest un peu au-dessus des tailloirs du doubleau, mais non à la même hauteur des deux côtés. Le mur, sous les baies de la tribune, est polygonal ; les arcades du rond-point sont en plein cintre à simple rouleau, elles s'élargissent progressivement jusqu'à l'arcade axiale qui est la plus ouverte. De minces colonnes monostyles les reçoivent, coiffées, ainsi que les demi-colonnes orientales des piles de la croisée, de chapiteaux nus munis de renflements ovoïdes sous les angles du carré supérieur. Les tailloirs débordants sont à bandeau et biseau, avec de légers filets au contact de la corbeille ; les bases ont des disques très plats et des socles cylindriques. La colonne Sud de l'arcade centrale, utilise peut-être dans son tiers inférieur, sensiblement galbé, un fragment gallo-romain.

Le déambulatoire a des voûtes d'arêtes de plan trapézoïdal, tracées sans précision, sur doubleaux plein cintre (pl. 22). Plus basses que les voûtes, les arcades du rond-point sont extradossées de murets. Les trois chapelles se touchent, ce qui est peu fréquent à l'époque romane mais en rapport avec le resserrement du plan. Leur arc d'entrée, garni d'un tore à l'intrados, retombe sur des colonnes à chapiteaux nus et bases cylindriques, ou toriques avec socles carrés ; des colonnes plus fortes, à bases cylindriques et mêmes chapiteaux qu'au rond-point, répondent aux doubleaux de la voûte d'arêtes. Les unes et les autres partent d'un haut stylobate carré, comme aux entrées du déambulatoire (pl. 24). A la première travée de celui-ci, où le mur est aveugle, une colonnette à chapiteau sommaire se loge dans un redan et porte l'angle supérieur du stylobate ; du côté Nord, il ne reste que la colonnette orientale et il n'y a pas de redan à l'Ouest.

Les absidioles, arrondies et de plan faiblement outrepassé, sont voûtées en cul-de-four, sans décor mural. Chacune n'a qu'une seule fenêtre en plein cintre dont la voussure, à la chapelle d'axe, contient un tore mince, très disproportionné aux lourdes colonnettes et à leurs frustes chapiteaux anormalement longs. La « mouluration limousine » est mieux traitée dans les autres chapelles, mais les chapiteaux à tailloir sont archaïques et les colonnettes ont des bases tronconiques cannelées, l'une en spirale à l'absidiole Sud, les deux à l'absidiole Nord.

Avec les clôtures en bois de la croisée et du sanctuaire, plus intéressantes que les stalles, et la statuette de saint Michel qui surmonte la chaire, un tableau retiendra votre attention. C'est, au débouché du collatéral Sud de la nef, « *la Décollation de sainte Valérie* », peinte sur bois. Les vifs coloris des costumes jouent sur un fond d'or ; la technique des visages a pu être rapprochée de certaines figures dues à l'atelier du « Maître de Moulins ». Sans doute est-ce un fragment de triptyque, dont la facture appartient sans conteste à la seconde moitié du XVe siècle.

En vous adressant au presbytère, vous verrez le *buste-reliquaire* de sainte Valérie, belle pièce d'orfèvrerie, du XVe siècle également. La tête, à l'expression quelque peu hautaine, est en argent, les cheveux, les épaules et les parures sont dorés ; le diadème est orné de pierres fines et de motifs en relief ainsi que le collier. Celui-ci porte en outre des écussons émaillés aux armes de France, du dauphin, le futur Louis XI, du comte de la Marche... ; deux pendeloques en cristal de roche et un médaillon d'argent ciselé garni de pierres précieuses retombent sur la poitrine.

L'EXTÉRIEUR

Le trait distinctif de l'église, vue du dehors, est l'implantation d'un clocher en avant du transept, sur l'extrémité de la nef (pl. 14). Ainsi se justifie la vigueur particulière des supports et des voûtes dans la partie correspondante de l'intérieur, où rien cependant ne faisait directement soupçonner l'existence de la tour. Observez que celle-ci, de plan à peu près carré, ne s'étend pas aussi loin vers l'Est que les deux travées renforcées, en sorte que son mur oriental repose non sur les piles de la croisée, mais sur les reins du berceau. Ce parti, fort étrange en soi, fait ressortir le caractère primitif de la nef, entre les murs inférieurs de laquelle le clocher, manifestement plus récent, paraît encastré, ses contreforts émergeant soudain du toit en appentis des collatéraux.

La nef

Sur sept travées, l'ordonnance interne impose un étagement bien marqué des volumes, une silhouette inhabituelle dans la région mais analogue à celle de l'église bourbonnaise d'Ebreuil. Les longues parois du *vaisseau principal* sont cadencées d'étroits contreforts sans retraites. Un cordon continu de billettes entoure la base des glacis, se poursuit horizontalement sur les murs et contourne l'archivolte des fenêtres. Les culées et le cadre des baies non ébrasées sont en pierre de taille, le reste de la construction est en petit appareil. La première travée à l'Ouest est aveugle et sans décor. Le grand comble, sans doute moins aigu à l'époque romane, est bordé d'une corniche saillante, sur des modillons sculptés ou épannelés.

Les murs des bas-côtés montrent la même technique générale des maçonneries, mais il y a quelques différences entre les deux flancs. *Celui du Nord* se termine à l'Ouest par un contrefort qui prolonge un mur à demi-pignon, appuyé contre le clocher-porche et percé d'une étroite fenêtre cintrée. Les sept premiers contreforts n'ont qu'un cordon mouluré au pied de leurs talus ; ils sont uniformément droits, mais restaurés et peut-être épaissis. Jusqu'à la septième travée inclusivement, les fenêtres sont courtes, à claveaux serrés, sans ébrasement ni mouluration. A l'Ouest de la huitième travée, apparaît un décrochement, sensible jusque dans la corniche à bandeau et cavet, sans modillons, qui porte un toit non débordant sur toute la longueur du collatéral. Le contrefort situé en ce point est plat, mais deux fois plus large que les autres ; au bas de son glacis, dont la moitié orientale est endommagée, passe un cordon de billettes qui se continue sur le mur des deux dernières travées et le très mince contrefort intermédiaire. Ce cordon souligne l'archivolte des fenêtres, qui sont identiques aux précédentes par leur dimension mais pourraient avoir été raccourcies ; la muraille, au dessous de leurs impostes, présente en tous cas une plus grande quantité de pierres de taille qu'auparavant. Plus haut, le mur des deux travées est uniquement en moellons et garni, au dessus de l'amortissement des culées, d'un cordon de billettes horizontal.

Le flanc méridional n'est bien visible que depuis le jardin du presbytère et les enclos voisins (pl. 14). Le mur, à corniche biseautée très peu saillante, est rejointoyé mais ses contreforts, plus étroits que de l'autre côté, semblent plus authentiques. Tous cette fois sont munis du cordon de billettes, qui les relie en s'incurvant autour des baies. Franchement plus allongées qu'au Nord, celles-ci sont toutes pareilles jusqu'au transept et toujours dépourvues d'ébrasement, mais la neuvième est repoussée vers l'Ouest par la tourelle du croisillon. Il n'y a pas de second cordon aux deux dernières travées, non plus que de contrefort entre elles. Le contrefort occidental de la huitième travée est à nouveau d'une largeur double des autres, mais sa base est en outre prolongée vers l'Est, jusqu'à 2 m. 50 environ du sol, par un massif taluté qui ne paraît pas solidaire du reste de la culée.

Les faces latérales du *clocher Est* montrent un soubassement plein, renforcé à l'aplomb des piliers intérieurs. La tour proprement dite a deux étages, en léger retrait l'un sur l'autre et séparés de cordons qui coupent aussi les contreforts rectangulaires placés vers les angles et au milieu des faces. Le premier étage est orné d'arcades aveugles en plein cintre, jumelées sur une colonnette médiane à chapiteau nu. Les quatre côtés du second ont des baies géminées par une colonnette, sous des arcs de décharge en plein cintre ; les chapiteaux sont très évasés pour recevoir l'épaisseur des claveaux, au Nord seulement ils possèdent des boules d'angle comme ceux des colonnes du rond-point. La remarquable toiture en bardeaux doit remonter à la même époque que la charpente du clocher Ouest ; elle est faite de deux pyramides superposées, la plus haute coiffée d'un clocheton aigu.

Le transept et l'abside

Contournez l'église par le Sud. Vous apercevrez suffisamment *le croisillon méridional*, à l'Ouest duquel se greffent la tourelle d'escalier et la tour ronde, plus grosse, de l'ancien chartrier, au coin du pignon (pl. 14). Le mur terminal et son unique fenêtre, le mur Est aveugle et muni seulement d'un contrefort plat, sont pauvres d'aspect. Les absidioles arrondies et contiguës sont reliées par une petite trompe au-dessous de leur corniche à modillons nus, très refaite. L'absidiole extrême et sa fenêtre ont d'ailleurs perdu tout caractère. L'autre, restaurée dans le haut, a conservé, quoique bouchée, sa large fenêtre en plein cintre : les claveaux sont étroits, la voussure garnie d'une « mouluration limousine » à chapiteaux nus ; un cordon de billettes surmonte l'archivolte et fait retour aux impostes.

Les chapelles du chevet semblent contemporaines de la précédente, mais leur parement témoigne d'importantes réfections, le court bahut qui s'élève en arrière de la corniche est moderne, ainsi que la couverture en dalles de pierre (pl. 15). La liaison entre les trois demi-cylindres s'affirme pour l'œil par les trompes placées à leur rencontre, par la continuité de la corniche aux modillons sculptés pour la plupart de copeaux et parfois de têtes, par celle du cordon de billettes qui court au niveau de l'imposte des ouvertures sur les murs et les contreforts rectangulaires talutés.

La fenêtre des chapelles obliques est « limousine », avec colonnettes à bases toriques, chapiteaux nus à tailloir et saillies sous les angles. Mais, au Sud-Est, les contreforts, plus rapprochés de la baie, servent de piédroits à la voussure et le cordon d'archivolte orné de billettes ne peut se développer que dans leur intervalle. Au Nord-Est, les contreforts sont plus éloignés et distincts des piédroits, le cordon se rattache à celui du mur en dessinant un demi-cercle complet. La fenêtre de la chapelle centrale, très large, est curieusement conçue : les contreforts latéraux sont eux-mêmes élargis dans le bas pour porter deux colonnettes dotées de bases toriques et de chapiteaux allongés, celui de droite gardant des traces d'entrelacs ; l'archivolte, bordée en dessous par une moulure torsadée beaucoup plus mince que les colonnettes, en dessus par un cordon de billettes, s'aligne à peu près sur le plan extérieur des contreforts. Tout ce décor est ainsi reporté en avant du mur, lequel est simplement garni au cintre de côtes torsadées disposées dans la longueur des claveaux, ornement dont il subsiste aussi un témoin sur l'axe de l'archivolte.

Un mur arrondi, percé après coup, semble-t-il, d'ouvertures rectangulaires, ferme les tribunes du déambulatoire. Il est couvert d'un toit de tuiles que domine très faiblement la muraille du sanctuaire, de même tracé mais à toiture dallée. Les deux corniches saillantes ont de nombreux modillons semblables à ceux des chapelles, beaucoup sont mutilés ou refaits. Le pavillon quadrangulaire de la croisée et son disgracieux lanternon, les couvertures qui le raccordent aux croisillons, sont également modernes. Malgré la médiocrité de ce couronnement, et une certaine lourdeur dans la superposition presqu'immédiate de toutes ces lignes horizontales, l'abside vaut par ses formes énergiquement massées, en contraste avec la puissante extension du transept dont il faut se représenter, dans l'état initial, la double ondulation d'absidioles parallèles.

Le croisillon Nord ressemble aujourd'hui à un énorme donjon tronqué, plus élevé que le reste de l'église car les murs surhaussés laissent place, dans un but défensif, à un espace entre les voûtes et le comble (pl. 15). Sur les hautes parois abruptes, aux rares et étroites ouvertures, ressortent, à l'Est une tourelle arrondie près de l'attache du chœur et deux contreforts lisses à talus, au Nord et à l'Ouest trois contreforts de même type. Vers l'Ouest, tout contre la nef, un portail « limousin », à deux voussures en arc brisé, indique par son style le début du XIIIe siècle.

La tour occidentale, de plan barlong, appartient aussi à cette période. Le rez-de-chaussée, libre actuellement de deux côtés, s'ouvre sur chaque face par une arcade brisée à triple rouleau dont les voussures sont vides, les piédroits formés de ressauts et de fines colonnettes précédant une grosse demi-colonne, avec frises-chapiteaux. La voûte d'ogive du porche possède des formerets ; un portail à multiples voussures « limousines » donne accès dans la nef.

Entre des contreforts plantés d'équerre, qui retraitent progressivement, il n'y a dans les murs nus qu'une meurtrière au-dessus du cordon qui marque la base du premier étage. Celui-ci est une salle à voûte d'ogive, qui donnait sur l'église par une baie aujourd'hui bouchée. La partie supérieure du second étage comporte une fenêtre par face, deux arcades séparées par une colonnette sous un arc de décharge brisé (pl. 13). A l'Ouest, sous le cordon qui suit au-dehors le pied de ces baies, des corbeaux de pierre étaient peut-être destinés à porter un hourdage. Cet équipement militaire est encore plus évident au sommet des murs, en avant desquels un ouvrage vertical en bois s'appuie aux contreforts et surplombe le vide. Des consoles de charpente soutiennent la toiture très débordante, à quatre pans et faîtage horizontal Ouest-Est, travail hardi qui, comme les couvertures de la nef et du clocher oriental, doit être de la fin du XVe siècle. A l'intérieur, les murs du second étage s'achèvent par des trompes, qui semblent indiquer au moins le projet de terminer la tour en pierre.

NOTES

NOTES HISTORIQUES ET ARCHÉOLOGIQUES

Faute d'archives — elles ont disparu à la Révolution — la chronologie de Chambon reste purement conjecturale et les hypothèses proposées sont en désaccord. Résumons-les brièvement.

— Pour Lefèvre-Pontalis, la tour du chartrier était « préexistante » au croisillon Sud ; le chœur, le transept, l'Est de la nef, ne sont guère antérieurs au début du XIIe siècle ; les sept autres travées viennent ensuite.

— Pour Deshoulières et A. de Laborderie, l'abside date de la fin du XIe siècle ou peu après ; le XIIe a construit la croisée et le croisillon Sud, puis la nef ; la zone orientale de celle-ci fut reprise à la fin du siècle pour porter le clocher.

— Pour M. Jean Verrier, les travaux de l'église actuelle ont commencé par la nef, « peut-être dans le premier quart du XIIe siècle », le chœur étant alors à l'emplacement des travées de l'Est. Ces deux travées ont été remaniées quand on a monté la tour ; le sanctuaire et le transept sont contemporains de cette dernière ou peu antérieurs ; ils semblent du milieu du XIIe siècle. Les retouches à l'Ouest du croisillon Sud et la tour ronde sont beaucoup plus récentes.

Il n'y a d'unanimité que pour rapporter au XIIIe siècle la réfection du croisillon Nord, ainsi que le clocher-porche et son raccordement à la nef.

C'est l'ordre indiqué par M. Jean Verrier qui nous paraît le plus acceptable. On ne peut, à notre avis, récuser les indices d'ancienneté que fournissent la structure et l'appareil de la plus grande partie de la nef. Mais *ces indices accusent bien plutôt la seconde moitié du XIe siècle que le XIIe*. De leur côté, le chœur, les chapelles du croisillon méridional, les travées reprises et le clocher qui les surmonte, tout en appartenant à une ou plusieurs campagnes ultérieures, restent archaïques par leur décor et ne doivent pas être attribués à une période trop avancée. L'ensemble de l'œuvre romane n'offre que de trop minimes différences dans le style des bases, des chapiteaux et de la mouluration pour laisser supposer de longs intervalles entre les divers travaux.

Faut-il considérer le mur du collatéral Nord, là où les fenêtres sont nues, comme le plus ancien de tous ? — Il semble que ses contreforts seuls aient été restaurés et que l'apparition des billettes, l'inflexion du tracé, amorcent ensuite le raccord avec le croisillon, tel qu'il était au XIIe siècle, et avec l'abside. De toutes façons, le contrefort entre les huitième et neuvième travées indique que celles-ci sont antérieures au remaniement interne, lequel se traduit au-dehors plus logiquement par l'absence de contrefort symétrique au Sud. Le décalage de la neuvième fenêtre méridionale prouve que, lorsqu'on a terminé le mur de ce côté, le croisillon voisin et sa tourelle étaient déjà soit projetés, soit bâtis.

On notera que la largeur de l'abside correspond à celle de la nef non retouchée, ce qui a probablement imposé la juxtaposition directe des chapelles. Sans doute, les piles orientales de la croisée furent-elles jugées trop faibles pour supporter un clocher. De là, sans qu'il y ait lieu d'envisager une interruption prolongée du chantier, le singulier aménagement que nous avons décrit. Peut-être utilisa-t-il les fondations d'un sanctuaire primitif...

Endommagée lors du siège mené en 1440 par les troupes de Charles VII contre celles du duc de Bourbon, l'église fut pillée en 1574 par les Huguenots. Puis une garnison de la Ligue occupa l'abbaye dévastée. Quelle fut l'ampleur des réparations nécessitées par les ravages du XVIᵉ siècle, de celles effectuées après 1844, date du classement ? — Nous l'ignorons. Outre le voûtement de la nef en 1852, la restauration du chœur et du croisillon Nord en 1883, celle des contreforts et des toitures de la nef en 1895, du croisillon Sud en 1903, ont certainement contribué à brouiller les traces susceptibles de guider l'interprétation.

SAINT-JUNIEN

La table des planches illustrant ce chapitre se trouve à la page 172.

NE savez-vous pas que vous êtes un temple de Dieu et que l'Esprit de Dieu habite en vous?... Le temple de Dieu est sacré, et ce temple c'est vous ! ». Cette apostrophe véhémente de saint Paul aux Corinthiens, les hommes du Moyen-Age l'ont prise à la lettre : ils ont rendu aux reliques des saints honneur et vénération dûs au temple de Dieu.

Saint-Junien en est un exemple entre d'autres. Le précieux tombeau que recèle le sanctuaire, trouve un développement, un achèvement dans l'église entière, temple de Dieu où habite l'Esprit de Dieu. Ce culte rendu aux confesseurs de la foi, est avant tout culte rendu à Dieu qui a daigné habiter en cette chair mortelle et y a accompli des merveilles. Saint-Junien rappelle la dignité du chrétien à tout fidèle : ce vaste corps de pierres n'est que le symbole d'un autre temple de Dieu : celui créé en l'homme par le baptême.

PRÉSENTATION DE SAINT-JUNIEN

« L'ermite a dressé dans la vallée solitaire sa cabane de feuillages. Des disciples viennent se ranger sous sa direction, chacun dans sa hutte. Après la mort du saint, quelques-uns de ces ermitages se transforment en monastère ; les terres sont défrichées ; les fidèles viennent demander des grâces au tombeau du fondateur. Une agglomération se forme, un petit centre commercial qui devient une bourgade, puis une ville, où il fait meilleur vivre qu'ailleurs parce qu'on est en terre d'Eglise. »

Ces lignes de Joseph Nouaillac, historien du Limousin et de la Marche, expriment à merveille l'étroite relation qui unit le mouvement érémitique des temps mérovingiens à la géographie humaine et religieuse de notre province. Elles pourraient résumer la genèse de Saint-Léonard et s'appliquent tout autant au cas de Saint-Junien.

Dès l'an 500, un ascète étranger au pays, saint Amand, choisit un gîte parmi les escarpements rocheux couverts de végétation sauvage qui dominent la rive droite de la Vienne, non loin de son confluent avec la Glane. Ce territoire, presqu'inhabité, portait le nom de « Comodoliac ». Des pâtres ayant découvert et signalé la présence de l'ermite, l'Evêque de Limoges Rorice Ier, propriétaire du domaine, lui fit construire une humble cellule. C'est alors qu'un garçon de quinze ans nommé Junien, fils du comte de Cambrai selon sa légende, quitta famille et biens pour partir à la recherche de la vie parfaite. Traversant le Limousin, il entendit parler de saint Amand et vint solliciter la faveur de se mettre à son école. S'il faut en croire un gracieux récit, le solitaire, d'abord méfiant au point de refuser sa porte, se ravisa le lendemain quand il trouva son visiteur endormi sur le sol, épargné par la neige qui couvrait abondamment les alentours.

La renommée des deux saints ne tarda pas à leur amener en foule catéchumènes et malades. Tant que Junien, pour trouver le recueillement, prit l'habitude de se retirer vers le sommet du coteau, sous une aubépine. — Saint Amand mourut et fut enseveli

dans sa cabane même par son disciple, que favori-
sèrent ensuite des dons miraculeux. Le chroniqueur
Etienne Maleu raconte comment Junien débar-
rassa la contrée d'un hideux serpent et le contraignit
à se précipiter « dans les abîmes de la mer océane ».
Mais dans sa fuite le monstre passa par le Poitou,
qu'il infecta d'une terrible épidémie, sorte de « Mal
des Ardents » qui consumait ses victimes ! Les mal-
heureux Poitevins accoururent à Comodoliac où
Junien, après une nuit de prière, fit jaillir une source
dont ils burent et emportèrent l'eau : la calamité disparut. A quelque temps de là, le saint, qui se chauf-
fait, fut poussé dans le feu par Satan ; indemne, il
força son adversaire, non sans de rudes combats, à
s'engloutir dans la Vienne et à n'en plus bouger
« jusqu'au jour du Jugement »... Enfin, le propre
neveu de l'Evêque, Proculus, jeune homme brillant
mais trop infatué, tomba en possession diabolique
et les plus doctes magiciens ne pouvaient rien pour
lui. L'infortuné et ses parents expièrent en pénitences
et en pèlerinages leur coupable confiance envers
ces charlatans, puis vinrent supplier saint Junien.
Celui-ci fit délier le furieux, commanda qu'on le
laissât trois jours auprès de lui et le rendit aux siens,
délivré.

Changeant aussitôt d'existence, Proculus se consacra aux études théologiques. A la mort de son
oncle, il était déjà si estimé qu'il fut élu pour lui
succéder sous le nom de Rorice le Jeune. Pontife
exemplaire par sa doctrine et ses mœurs, il demeu-
rait plein de reconnaissance pour son bienfaiteur,
le visitait souvent et eût aimé partager son existence
si le sens de ses responsabilités ne l'avait retenu.
Lorsque Junien s'éteignit à son tour, en 540, ce fut
Rorice qui assura personnellement ses funérailles,
à l'endroit où le saint venait faire oraison. Et ainsi
se trouva fixé l'emplacement de la future église.

Aujourd'hui, le décor de la charmante histoire
est peuplé de maisons et d'usines. Vous l'évoquerez
pourtant sans peine en abordant Saint-Junien par
le Sud. Quand la route de Rochechouart amorce sa
descente dans la vallée, vous découvrez entre les
arbres les pentes de la rive opposée, où s'étage la
ville. Vers la gauche, un petit promontoire de
rochers, à pic au-dessus de la route d'Angoulême,
s'appelle toujours « Saint-Amand » et porte les vestiges d'une chapelle construite à la fin du XIe siècle :
c'est le lieu de l'ermitage primitif. En amont et plus

TABLE DES PLANCHES

172

4

DIMENSIONS

Longueur totale dans œuvre : 68 m 50.
Longueur de la travée sous coupole : 8 m.
Longueur des deux travées de la nef : 23 m 20.
Longueur de la croisée : 8 m 90.
Longueur du chœur : 28 m 40.
Largeur totale à la nef : 17 m.
Largeur de la nef centrale (axe des piliers) : 10 m 20.
Largeur du collatéral Nord de la nef : 3 m.
Largeur du collatéral Sud de la nef : 3 m 80.
Longueur totale du transept dans œuvre : 31 m 80.
Largeur des croisillons du transept : 7 m 70.
Profondeur de la chapelle du croisillon Nord : 6 m 10.
Profondeur de la chapelle du croisillon Sud : 5 m 60.
Longueur de la chapelle Saint-Martial : 8 m 50.
Hauteur de la nef : 16 m.
Hauteur des dernières travées du chœur : 17 m.
Hauteur de la coupole de la tour-lanterne : 23 m.
Hauteur du clocher Ouest, sans la toiture : 34 m.

TOMBEAU DE SAINT-JUNIEN :

Hauteur totale : 1 m 48.
Hauteur du soubassement : 0 m 30.
Longueur totale : 2 m 72.
Longueur de la partie sculptée : 1 m 85.
Largeur totale : 0 m 83.

haut, sur un palier de la colline qui se redresse lentement ensuite, c'est le refuge de la prière, jadis le coin de bois adopté par Junien, maintenant la collégiale qui garde son tombeau.

Etirant sa longue toiture, celle-ci s'annonce vaste, simple et rigide de tracé dans ses murs droits, sans concession aux effets superficiels. Sous leur coiffe de charpente, ses clochers incomplets ont plus de force que d'élan : l'octogone du transept, réfection fidèle mais d'aspect trop neuf encore, n'est timidement ouvert qu'à sa base ; la tour occidentale, cadencée de retraits vigoureux, s'encadre de clochetons à encorbellements, d'allure guerrière. Cet abord un peu farouche, cet intransigeant dépouillement des masses externes, distinguent la collégiale entre les autres édifices limousins et l'apparentent en quelque manière aux églises-citadelles du Midi.

Ne manquez pas, avant de monter jusqu'à elle, de vous arrêter sur le bord de la Vienne pour un salut à « Notre-Dame du Pont ». Edifiée, grâce aux libéralités de Louis XI, avec toute l'aristocratique maigreur du gothique finissant, la jolie chapelle possède une très belle Vierge royale en pierre, de type auvergnat, qui peut dater de la fin du XIIe siècle ou du commencement du XIIIe.

HISTOIRE

HISTOIRE DE LA COLLÉGIALE DE SAINT·JUNIEN

La chronique d'Etienne Maleu

Le chanoine Maleu, mort en 1322, a rédigé une chronique latine riche de renseignements sur l'histoire du Chapitre. L'auteur dit s'être soigneusement documenté mais il n'a pas, c'est évident, l'optique d'un archéologue. Son but est d'établir l'ancienneté de l'église de « Comodoliac », d'en défendre les prérogatives. Le passé du monument qu'il a sous les yeux ne l'intéresse qu'en fonction de ce double souci. De là, tantôt une abondance de détails circonstanciés, tantôt un complet silence pour des périodes dont nous souhaiterions vivement connaître l'activité.

La chronique relate que l'Evêque Rorice le Jeune bâtit en 540 sur la tombe de Junien un oratoire dédié à saint André ; le contexte localise cette fondation à l'emplacement de la chapelle du croisillon Sud, qui servait de paroisse au XIVe siècle. Dès 544, Rorice, ayant échoué dans sa tentative de transférer le corps à Saint-Augustin de Limoges, le fit déposer dans un nouveau sarcophage et enterrer profondément ; il décida par testament la construction d'une église, où il établit « un Abbé et des chanoines réguliers ». Ceux-ci furent vite enrichis par les pèlerins, cependant l'édifice n'était pas achevé en 593 quand Grégoire de Tours le visita. Maleu en donne une description fort précise, trop même car son insistance à répéter « erat et adhuc est... » montre qu'il confond ce qu'il évoque avec ce qu'il voit. Aussi bien prétend-il que cette même église, « ipsa ecclesia », fut consacrée sous le Ve Prévôt, c'est-à-dire en 1100...

Après quoi, logique dans son erreur, il ne mentionne que des compléments ou extensions au XIIIe siècle.

Ces pages indiquent du moins que l'habitation des religieux, d'abord au Sud de la nef, fut remplacée plus tard par une maison épiscopale et transportée au Nord. L'oratoire initial disparut rapidement : on en vint à oublier si la sépulture du saint était ou non dans les limites de l'église. Le relâchement sévit au Xe siècle, malgré les efforts du dernier Abbé, Ithier, qui vers 990 exhuma les reliques et les plaça sur le maître-autel.

Une lacune interrompt à cet endroit le manuscrit. Il reprend en 1014, à la mort de saint Israël, qualifié de premier Prévôt car l'autorité reprise par l'Evêque abolit le titre d'abbé. Le Chapitre réformé reçut au XIe siècle maintes donations, entre autres le terrain de l'ermitage primitif où l'on découvrit en 1083, grâce à l'Abbé Hugues de Cluny, la tombe de saint Amand : une petite église y fut consacrée en 1094.

Peu après, Ramnulphe de Brigueil, plus tard « abbé » du Dorat, fut élu Prévôt de Comodoliac. A sa demande, l'Evêque de Périgueux, Raynaud, qui remplaçait en toute occasion celui de Limoges malade, consacra la collégiale le 21 octobre 1102 ; il mit le chef de saint Junien dans une enveloppe de vermeil, les ossements dans des caisses de bois puis dans le sarcophage ancien qui fut fermé d'une pierre en dos d'âne et adapté au maître-autel. Raynaud mort, Ramnulphe dressa par-dessus le sarcophage un monument décoré de sculptures, avec inscription commémorative.

Le Chapitre vit, au XIIe siècle, passer sous sa dépendance plusieurs des paroisses rurales environnantes. Maleu dénombre ces acquisitions et, sur un ton souvent acerbe, retrace les conflits surgis entre les chanoines et l'Evêque, se référant aux bulles des Papes Eugène III et Alexandre III. Il ne parle de l'église que pour consigner l'achèvement en 1190 d'une chapelle épiscopale, la fondation en 1223 de la chapelle Saint-Martial par le Prévôt Gérald de Montcogul qui voulait y être enterré. Puis il raconte l'allongement du sanctuaire : en 1230, le chanoine Ithier Gros obtint de démolir le mur rectiligne qui passait, d'après les repères cités par le texte, deux travées en deçà de l'actuel ; comme il surveillait le montage de la rose en haut du nouveau chevet, il tomba de l'échafaudage mais saint Junien le préserva de tout mal. La chronique note encore deux chutes de la foudre, vers 1260 et en 1312, sur la tour de la croisée.

Hypothèses et certitudes

D'autres auteurs, bien plus récents il est vrai que Maleu, rapportent que le moûtier, détruit par les Normands en 866, fut restauré par l'Évêque Turpin d'Aubusson, soit au début du Xe siècle. Les mêmes sources montrent saint Israël, chanoine du Dorat où nous le retrouverons, mandaté par le Pape Sylvestre II pour relever Comodoliac de ses ruines ; il aurait à son tour rebâti une église. Mais la date de sa mort interdit de rien lui attribuer dans celle d'aujourd'hui.

Dans ces conditions, la cérémonie de 1102 n'a certainement rien à voir avec l'édifice mérovingien ! Elle est pourtant plausible en soi, si l'on ramène sa date de quatre ans en arrière. Nous voyons en effet, par la vie de saint Geoffroi du Chalard, que Raynaud consacra, le 18 octobre 1100, l'église de ce monastère qui n'est qu'à une cinquantaine de kilomètres de Saint-Junien. Le cartulaire d'Aureil, prieuré tout proche de Limoges, signale ensuite son passage aux premiers jours de 1101 ; le prélat serait mort à la fin de la même année, durant une croisade menée par Guillaume comte de Poitiers. — Ce n'est pas là l'unique erreur de Maleu pour cette période : l'étude du tombeau de saint Junien nous révélera une confusion entre l'époque de Ramnulphe et celle qui a exécuté les sculptures.

Reste à déterminer qui, dans l'église actuelle, peut être antérieur au XIIe siècle. Sans entrer dans des détails que la visite seule permettra de distinguer, disons que les ressources du Chapitre rendent parfaitement vraisemblables d'importants travaux dès la seconde moitié du XIe. Le transept, moins ses chapelles, la nef, compte tenu d'une transformation ultérieure de la première travée, la moitié occidentale du chœur même, pourraient avoir été réalisés en bonne partie avant 1100. René Fage, tout porté

qu'il fût à rajeunir la plupart des édifices limousins, s'est demandé s'il ne fallait pas voir les choses ainsi. La petite église de Saint-Amand, dans ce qui nous en est parvenu, fournit par sa voûte en berceau brisé, ses supports engagés à ressauts, de précieux points de comparaison, si elle se place bien entre 1083 et 1094. A la nef de la collégiale, les vastes arcades évoquent, quoiqu'au sein d'une autre structure, les berceaux transversaux d'Aureil ou des Salles-Lavauguyon. Or la consécration d'Aureil serait de 1093 ; l'église des Salles, donnée toute bâtie à Saint Junien en 1075 selon Maleu, fut probablement continuée dans le dernier quart du XIe siècle.

On a parfois avancé l'idée d'une réfection des premières travées du chœur vers 1150. Leur style, plus jeune effectivement que celui de la nef (peut-être parce qu'on a d'abord conservé un sanctuaire préexistant), n'est cependant pas exempt d'archaïsmes. Son originalité tient surtout à une différence d'esprit : les proportions se rapprochent davantage de celles coutumières aux régions de l'Ouest, où le parti d'épauler le vaisseau central par les collatéraux, adopté d'un bout à l'autre de notre église, est usuel. Ce qui est possible, c'est que dans le cours du XIIe siècle on ait fini de démolir une vieille abside pour élever, à l'Est de la troisième travée, un chevet plat qui serait assez anormal au XIe siècle dans un grand édifice. Diverses retouches, pose ou remplacement de chapiteaux par exemple, sont concevables à cette occasion.

La façade occidentale et sa tour, sans doute aussi la flèche qui jusqu'en 1816 surmontait la croisée, doivent être situées entre 1160 environ et le début du XIIIe siècle. Quant aux travées orientales du chœur, la date indiquée par Maleu conviendrait mieux à leur achèvement qu'à leur entreprise. Des chapelles ont été ajoutées au transept vers 1200 et la manière dont la chapelle Saint-Martial se raccorde à ce qui l'entoure conduit à l'envisager en dernier lieu.

La collégiale, désormais complète, fut de nouveau touchée par la foudre en 1405, toujours au même point, ce qui nécessita des réparations aux voûtes du chœur, — puis encore en 1718. Consacrée pour la seconde fois en 1488, elle perdit son vieux vocable de Saint-André pour recevoir celui de Saint-Junien. La prise de la ville par les Huguenots en 1569 l'épargna. La Révolution détruisit stalles et vitraux, employa à la production du salpêtre le croisillon Nord, dont les murs sont restés corrodés. En 1814 fut installé le maître-autel provenant de l'abbaye de Grandmont et acquis en 1789 : les voitures chargées de ses marbres avaient servi à barricader le pont sur la Glane lors de la « Grande Peur »...

Après un abandon prolongé se manifestaient des désordres. La flèche du transept, qu'on songeait à abattre dès 1810, s'écroula le 19 mars 1816. On refit seulement la lanterne, sous un toit de charpente. Les travées du chœur, ébranlées, ne furent restaurées ainsi que le chevet qu'en 1845, Mérimée ayant obtenu le classement de l'église qu'il avait visitée en 1838. De 1886 datent les réparations de la nef et de la façade, et même le projet de terminer le clocher Ouest ! L'ouverture d'une rue au pied d'une terrasse dégagea le flanc Sud, mais on démolit en 1899 la chapelle épiscopale sans en prendre aucun relevé. Boeswillwald souhaitait dès 1875 la suppression des bâtisses contiguës au flanc Nord, déjà très humide parce qu'encaissé dans le sol ; ce vœu n'a jamais été totalement exaucé. Vers 1906 on détruisit sans besoin l'étage de la chapelle Saint-Martial et les bahuts qui bordaient le toit de la nef.

Il eût été préférable de remédier au glissement du pilier Nord-Est de la croisée, assis sur une poche argileuse et mal consolidé à plusieurs reprises. En 1922 fut entrepris un remplacement de pierres défectueuses dans ce support ; faute d'étais suffisants, la tour-lanterne s'effondra le 15 décembre, fauchant ou disloquant deux travées du chœur. Les Services des Monuments Historiques ont mené à bien jusqu'en 1936 le rétablissement des piliers, des voûtes et de la tour telle qu'elle était avant la catastrophe, ainsi que d'heureuses restaurations complémentaires.

Les fouilles opérées alors sous le chœur ont découvert, dans un remblai épais de plus de 3 m., deux colonnes polygonales très archaïques au pied des troisièmes piliers et d'autres tronçons de fûts contre les supports précédents, ou sous une grande pierre d'autel encastrée au centre du dallage. Des murs de maçonnerie grossière, légèrement déviés au Nord par rapport à l'axe de la nef, reliaient les bases des piles le long des deux travées ; vers l'Est de la seconde subsistaient les vestiges d'une sorte de caveau rectangulaire. D'épaisses murailles partaient en direction de la chapelle du croisillon Sud, sous laquelle une profondeur de 2 m 80 avant le sol ferme parut vérifier la localisation de l'oratoire primitif. En revanche, les piles orientales de la croisée reposaient sur de gros blocs qui semblaient avoir formé les angles d'une construction et le terrain vierge remontait aussitôt dans le transept. Dernière constatation : les fragments d'un mur en hémicycle, d'exécution plus soignée que les autres, dessinaient une abside dans la troisième travée. Provenaient-ils de l'église de Rorice, ou des premiers travaux du XIe siècle ?..

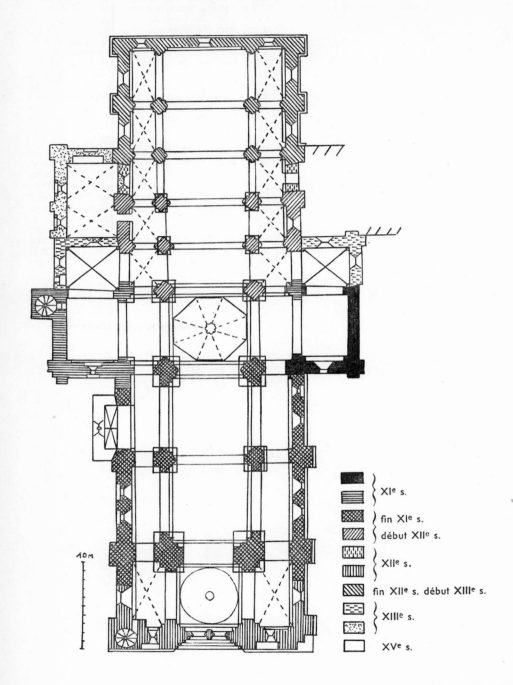

■	} XIᵉ s.
▤	
▦	} fin XIᵉ s.
▨	début XIIᵉ s.
▩	} XIIᵉ s.
▥	
▧	fin XIIᵉ s. début XIIIᵉ s.
▦	} XIIIᵉ s.
▨	
□	XVᵉ s.

10 M

SAINT-JUNIEN

VISITE

COMMENT VISITER L'ÉGLISE DE SAINT-JUNIEN

L'INTÉRIEUR

Un perron, comme à Solignac et au Dorat, permet une vision surplombante qui garde sa valeur propre, même si l'abord est ici moins saisissant (pl. 3). Nef et chœur sont voûtés en berceau brisé, le butement et l'éclairage assurés par d'étroits collatéraux ; une coupole domine la première travée, une tour-lanterne la croisée du transept. Combinant des éléments très habituels à l'architecture limousine, la personnalité de l'église est indéniable. Maintes formes que vous reconnaîtrez au Dorat demeurent à Saint-Junien en deçà du stade « classique » ; leur densité, leur rude franchise ont l'accent d'une ébauche, singulièrement ferme d'ailleurs et conservant à la pierre toute sa sévère éloquence. Nulle part celle-ci n'est plus affirmée qu'à la nef : des piles énormes, des arcades d'une étonnante portée, des parois sans décor ne sont que plans et volumes de granit. Le chevet lui-même, quoique beaucoup plus jeune, concourt à l'impression de rigueur et d'ascèse : le chœur, allongé au point que le transept coupe par le milieu la perspective, offre, non les courbes accueillantes d'une abside ni les pittoresques profondeurs d'un déambulatoire, mais la roide évidence d'un mur plat. Jusque dans le dessin plus affiné des dernières travées, dans la rose élégante et sa note de dynamisme déjà gothique, se perçoit une retenue qui est signe de fidélité.

Ce tour austère, archaïsant parfois, définit l'unité spirituelle d'un édifice moins homogène encore qu'il ne paraît à première vue. Les apports de campagnes multiples s'y répartissent de telle façon que le simple parcours topographique rend mal compte de leur succession dans le temps. N'hésitez donc pas, au prix de quelques allées et venues, à suivre pour votre visite l'ordre que nous vous proposons.

Les croisillons du transept

La travée débordante du croisillon Sud est, selon toute apparence, ce qui subsiste de plus ancien. Ses traits sont ceux d'une période peu évoluée du XIe siècle. La voûte est dépourvue de cordons à sa base, l'enduit des murs dissimule une maçonnerie irrégulière. A l'Ouest, l'arc de décharge en plein cintre et la fenêtre ébrasée sont appareillés de claveaux étroits ; l'arc oriental, transformé plus tard en entrée de chapelle, est semblable ; les piles d'angle ont des impostes biseautées peu saillantes. La rose du pignon, légèrement désaxée, n'est, comme du côté Nord, qu'une imitation amollie et probablement tardive de celle du chevet.

Sous un doubleau simple, refait, des pilastres rectangulaires sont montés solidairement avec les amorces des collatéraux. Mais leurs impostes chanfreinées se placent plus bas que les cordons du berceau dans la première travée, voûtée postérieurement. Le support engagé de l'Ouest est le premier en date : un large pilastre en retour d'équerre depuis le sol soutient l'arc d'entrée du bas-côté, brisé et à rouleau unique ; sur la face occidentale, quelques assises au-dessous de l'imposte biseautée, un fragment de moulure sans justification présente, marque peut-être la hauteur initialement prévue, mieux accordée que l'actuelle au niveau des retombées dans le croisillon. Un ressaut, dans le collatéral, n'est appareillé avec le pilastre qu'à sa partie inférieure : ici commence une nouvelle étape, que nous aborderons le moment venu. — Le support engagé de l'Est est articulé de manière à recevoir le double rouleau de l'arcade qui mène au bas-côté du chœur. Il peut avoir été conçu primitivement sur le même plan simple que l'autre, à en juger par sa base, très restaurée mais dont le tracé semble authentique.

Les murs du *croisillon Nord* sont débarrassés de leur crépi. Une porte et une fenêtre exiguë, près du coin Nord-Est, donnent sur l'escalier des combles. D'autres ouvertures plus récentes et aujourd'hui bouchées, percées à divers niveaux dans le fond et sous la fenêtre Ouest, ne paraissent pas suffire à expliquer l'appareil des murs où prédominent, sauf vers le sommet, les matériaux de petite taille. Entreprise selon la même technique qu'au Sud, la construction s'est poursuivie en conformité avec les solutions choisies pour la nef, puis pour le chœur. Les arcs latéraux de la travée terminale, celui de l'Est relié à une chapelle plus jeune, ont des pilastres à impostes chanfreinées mais un profil brisé. L'arc occidental est peu profond, la fenêtre annonce par sa voussure nue celles du flanc Nord de la nef. L'arcade d'entrée des bas-côtés est de part et d'autre à double rouleau, les supports engagés ont des ressauts qui partent d'un socle carré (pl. 2). Les deux travées du croisillon ont été voûtées ensemble : les cordons biseautés du berceau y continuent sans décrochement les impostes du doubleau intermédiaire.

Les deux travées orientales de la nef

Une portion de mur, d'appareil plus petit et moins régulier que par la suite, rattache le collatéral Nord de la nef au transept. Elle donne l'impression de prolonger celui-ci plutôt que d'être consécutive à la création d'une chapelle que ses ogives maigres et sa fenêtre datent du XVᵉ siècle. — Au point correspondant du mur méridional, le ressaut déjà signalé contribue à augmenter la largeur du bas-côté et laisse soupçonner une sorte de « repentir », car il va se perdre dans la voûte. Songeait-on, comme à Lesterps, à implanter la couverture au-dessus des grandes arcades ? Hormis ces zones de contact, *les deux travées qui forment la nef proprement dite* sont une puissante composition d'un seul tenant (pl. 3). Les grandes arcades, très hardies — on ne mesure pas moins de 11 m. d'axe en axe des piliers —, atteignent les cordons chanfreinés du berceau. Elles ont deux rouleaux vers le vaisseau central ; les piles à ressauts et impostes biseautées reposent sur des stylobates rectangulaires hauts de 1 m. environ. Des demi-colonnes reçoivent un doubleau simple entre les travées ; leurs bases sont

à bandeau et talus concave, leurs chapiteaux nus ont un gros astragale et un tailloir chanfreiné.

Les voûtes des bas-côtés, en berceau faiblement brisé sur doubleaux, sont entaillées de pénétrations derrière les grandes arcades. Les pilastres muraux partent d'une banquette, plus basse au Sud qu'au Nord ; la face externe des deux derniers piliers s'aligne, dans le collatéral Sud, un peu en retrait du support de la croisée. Les fenêtres, groupées par deux et courtes, ont leur ébrasement précédé d'une voussure sans décor, sauf trois des baies méridionales qui, directement ébrasées, ont pu être agrandies après coup. Sous la fenêtre la plus orientale de ce même côté se voit la trace de la porte qui menait à la chapelle épiscopale.

A l'Ouest de la seconde travée, les supports sont spécialement vigoureux. Un large pilastre plat s'avance vers la nef, entre des ressauts saillants sur le plan des arcades. Un encorbellement à l'Est l'élargit encore dans le haut : comme les arcs supérieurs il résulte de la campagne qui a modifié la travée d'entrée. Vous avez dans les bas-côtés la preuve que celle-ci avait été au moins commencée en continuité avec sa voisine : sur une certaine étendue des murs les séries d'assises se suivent exactement ; à l'imposte des pilastres engagés, plus basse qu'auparavant, tient un cordon biseauté qui s'arrête au droit d'une nette différence d'appareil. Seule particularité, au Sud la banquette prend l'importance qu'elle garde tout au long du flanc Nord. — L'abaissement des arcs des collatéraux, joints aux voûtes par des murets, le renforcement des supports qui ont aussi vers l'Ouest un pilastre à dosseret ne peuvent signifier qu'une chose : l'intention de traiter cette travée comme un porche à étage, avec des arcs coupant la hauteur ; remarquez, à l'Est d'un ressaut dans la nef et au Sud-Ouest du pilier méridional, des moulures d'imposte sans emploi, alignées sur celles des grandes arcades précédentes. Rien n'autorise à dire que toute cette ordonnance, dont Saint-Yrieix et Meymac offrent des exemples, ait été réalisée, mais le dessein n'en paraît pas douteux. Elle préparait justement en Limousin la formule adoptée par le XIIᵉ siècle, celle de la travée montant d'un seul coup jusqu'à la coupole sous le clocher de façade, résultat obtenu ici par la surélévation des piliers et des murs.

Revenez aux *piles occidentales de la croisée*, qui soutiennent un arc à double rouleau par une demi-colonne appuyée à un massif carré formant ressaut à l'Ouest. Une autre demi-colonne garnit la face orientale du massif, dont le coin qui regarde les collatéraux est simple au pilier Sud, articulé d'un redan au pilier Nord. Les stylobates, les bases sont les mêmes que dans le reste de la nef. Mais les colonnes ont des chapiteaux sculptés, en granit : personnages-cariatides accroupis ou fléchissant les genoux, centaures aux queues nouées et fleuronnées. Les astragales sont gros, le modelé pesant ; les tailloirs refaits dessinent un cavet tandis que les moulures anciennes sont biseautées.

Les premières travées du chœur et la Tour-lanterne

L'apparition de la sculpture solidarise le débouché de la nef sur la croisée avec *les deux premières travées du chœur*. Complètement reconstruites, sauf les murailles, ces travées méritent confiance quant à leur structure. Le détail, par contre, a été moins fidèlement restitué : les stylobates des piliers d'entrée étaient jadis aussi hauts que les suivants, les colonnes n'avaient pas de base ; les tailloirs modernes sont en cavet, enfin le tracé brisé des arcades est bien gauche !

L'axe de cette partie, plantée sur les vieilles fondations retrouvées par les fouilles, s'incline vers le Nord. Les travées sont beaucoup plus courtes qu'à la nef ; tous les supports ont un noyau carré à quatre demi-colonnes. Aux piles orientales de la croisée, plus fortes, celles-ci partent uniformément du stylobate ; ensuite le socle de plan barlong ne surhausse que les colonnes Ouest et Est, les deux autres descendent en avant de lui jusqu'au dallage.

Les voûtes d'arêtes des bas-côtés coïncident avec l'intrados des grandes arcades à rouleau unique. La retombée extérieure de leurs doubleaux s'effectue sur un pilastre aux entrées, puis sur une demi-colonne sans base, à dosseret. La première travée communique avec les chapelles ; les murs de la seconde, bordés de la même banquette que le collatéral Sud de la nef, ont une longue et étroite fenêtre ébrasée, que condamne au Nord le voisinage de la chapelle Saint-Martial. A l'Est de cette travée, les piliers ont été seulement repris en sous-œuvre et les doubleaux sont anciens : dans le bas-côté méridional notamment, le profil en plein cintre surprend par son allure plus fruste que tout ce que vous avez observé à la nef, mais les réfections environnantes rendent bien difficile de tirer une conclusion... Immédiatement après, au Sud comme au Nord, une reprise des murs est très visible dans la troisième travée, celle qui a peut-être remplacé au XIIᵉ siècle un sanctuaire à abside.

Les chapiteaux des quatre premiers piliers ont été récupérés dans les décombres, moins trois complètement brisés ; plusieurs sont restés en place au couple suivant. La plupart des motifs sont courants dans la région dès le début du XIIᵉ siècle : palmettes aux combinaisons variées, animaux dressés encadrant un arbre, griffons, personnages chevauchant des fauves dont ils relèvent la tête, figures-cariatides. Les reliefs, dans une pierre sans finesse, demeurent empâtés, les astragales épais. Le chapiteau Sud du troisième pilier méridional est plus archaïque, tant par sa forme que par ses cannelures et ornements linéaires. Au contraire, quatre corbeilles révè-

lent, malgré la difficulté inhérente au granit, un atelier plus jeune et plus indépendant, un métier plus nerveux. Elles abandonnent, sauf une exception, la frontalité rigoureuse des autres chapiteaux. Peu visibles et mutilées, elles sont malaisées à interpréter ; leurs sujets semblent du moins dramatiques : un centaure sonne du cor, un autre tient une flèche (face Ouest du pilier Nord-Est de la croisée) ; des êtres humains se contorsionnent, menaçants ou craintifs (face Sud du même pilier) ; des femmes nues entre-croisent leurs chevelures et leurs bras (face Nord du pilier Sud-Est de la croisée) ; un homme également nu, mordu par un serpent, se baisse et saisit un petit personnage (face Ouest du deuxième pilier Nord.)

La tour-lanterne, reconstituée elle aussi, couronne les quatre branches de la croix. Les rouleaux externes des arcs brisés se rejoignent en pointe sous les pendentifs plats, qui engendrent la base octogonale du tambour. Les faces principales de celui-ci sont seules percées d'une courte fenêtre à voussure « limousine », avec chapiteaux lisses. Au sommet de la coupole à pans, l'oculus est polybobé comme au Dorat.

La Travée occidentale de la nef

Dans sa forme actuelle, l'extrémité Ouest de la collégiale est très analogue à la travée d'entrée de Bénévent, de la Souterraine et du Dorat ; elle doit dater de la même époque, vers 1150 ou peu après. Son aspect plus sévère vient de ce que la coupole et les voûtes, privées de leurs enduits en 1906, montrent le blocage et du fait que les appuis sont des pilastres sans colonnes : l'adaptation des piliers orientaux à leur nouveau rôle justifie cette absence d'effets décoratifs.

La coupole hémisphérique à oculus circulaire, sur double quart-de-rond, est reçue par des pendentifs courbes que prolongent les claveaux gauchis des arcs. Les grandes arcades, simples, sont extradossées de murets, avec baies pour les combles inférieurs. Au revers de la façade se répètent les pilastres à ressauts de l'Est ; toutes les impostes sont à gros quart-de-rond unique. C'est pour mieux équilibrer la poussée du clocher qu'on a élargi en direction de la nef les retombées du grand arc brisé qui prononce un second ressaut sous la coupole. Derrière lui a été collé, à la terminaison du berceau, un doubleau porté par deux paires de volumineux culots sculptés, au Sud des têtes d'homme et de femme, au Nord un masque d'animal et une main ; la dualité des tailloirs, biseau d'un côté, quart-de-rond de l'autre, décèle la reprise et éventuellement un remploi.

Les voûtes d'arêtes latérales aboutissent à un ressaut des pilastres. A l'angle oriental des murs leur imposte, toujours en quart-de-rond, est superposée au cordon biseauté qui témoigne de la première conception ; les murets percés d'ouvertures rectangulaires qui extradossent les doubleaux contigus doivent dater de l'établissement des nouvelles voûtes car ils sont appareillés avec les sommiers de celles-ci.

A l'Ouest du raccord déjà signalé, les parois de la travée ont chacune une fenêtre ébrasée nue ; sous celle du Nord la porte bouchée donnait accès au cloître. Une souche d'escalier, saillant carré au coin septentrional de la façade, en rétrécit l'arcade voisine qui, comme au Sud, possède dans le fond une fenêtre désaxée. Les deux portes sont réunies sous un arc brisé, que surmonte une baie en plein cintre.

Les dernières travées du chœur

L'architecte des travées orientales du chœur a maintenu, et il convient de l'en féliciter, les dispositions générales de l'église. Le type d'élévation reste inchangé, les proportions ne diffèrent que par un léger accroissement de la hauteur des voûtes, un autre, plus faible encore, de la largeur au centre comme dans les bas-côtés. L'axe du vaisseau se redresse ; les arcades, la dernière surtout, sont plus ouvertes qu'à l'Ouest, les piliers plus élégants.

La saveur de l'œuvre est toute dans la qualité châtiée des profils qui ont quelque chose de cistercien, sans d'ailleurs que le moindre argument puisse être invoqué pour attester une filiation. En réalité, les ultimes productions de l'art roman limousin affectionnent ce dépouillement qui, par delà tant d'emprunts faits au-dehors, traduit la pérennité de tendances ataviques : le chœur des Salles-Lavauguyon, du XIIIᵉ siècle lui aussi, donne lieu aux mêmes remarques. Mais on pense à Obasine devant ces beaux piliers carrés à quatre demi-colonnes, ces chapiteaux lisses évasés sous des tailloirs à bandeau, filet et cavet (pl. 4). Le stylobate disparaît ; les colonnes qui ne sont pas prises dans le sol rehaussé du sanctuaire, lequel finit à l'Est de la quatrième travée, ont des bases à tores écrasés et inégaux sur des socles coupés d'un talus. Le noyau des piles accompagne les demi-colonnes qui reçoivent les doubleaux simples du berceau, avec tailloirs et cordons en quart-de-rond. Les grandes arcades à rouleau unique se distinguent cette fois des voûtes d'arêtes inférieures, dont les doubleaux retombent vers les murs sur des colonnes à dosseret identiques à celles des piliers. Les mêmes supports encadrent la portion médiane du mur de fond et des pilastres ressautent au coin des collatéraux ; l'extrémité des trois voûtes est munie d'un formeret. Les fenêtres sont longues et ébrasées ; seule la rose, entourée d'un cordon, est discrètement ornée : les meneaux de ses douze lobes en plein cintre, aux écoinçons ajourés, sont des colonnettes à petits chapiteaux lisses.

Bien entendu, les arcades de la troisième travée ont été refaites en même temps qu'on créait les suivantes, par suite de la démolition du premier chevet rectiligne. Les murs correspondants semblent pour une part antérieurs : distincts de ce qui les précède à l'Ouest, ils ne s'accordent pas davantage avec les travées orientales, ni dans leurs lignes d'assises, ni par la dimension de leur fenêtre. Au Sud, la porte de la sacristie était peut-être celle du « verger », l'ancien cimetière dont parle Maleu. La fenêtre Nord, aveuglée dans le haut, devint une porte pour l'étage de la chapelle Saint-Martial, jadis accessible par un escalier de bois que soutenaient des consoles encore existantes.

La chapelle du transept et la chapelle Saint-Martial

On passe, à l'Est de chaque croisillon, dans une chapelle quadrangulaire. Les murs de l'église ont été taillés assez grossièrement ; de très minces colonnettes logées dans les encoignures supportent de lourdes ogives carrées dont le parcours est en plein cintre. Les clefs sont faites d'une pierre cruciforme, les tailloirs moulurés de bandeaux, cavets et filets sur des chapiteaux à boules d'angle ou feuilles lisses. La voûte, fortement bombée, ressemble à une coupole irrégulière, naissant progressivement des murs et nervée sans véritable utilité constructive. Il n'y a pas en Limousin d'autre exemple de cette hésitation, de cette maladresse, dans le recours à l'ogive. Le style du décor est celui qui se répand dans le pays au cours des premières décades du XIIIᵉ siècle. Deux fenêtres allongées et ébrasées s'ouvrent dans le flanc et le fond des chapelles, or la baie orientale de celle du Nord est obturée par la chapelle Saint-Martial, que Maleu dit fondée en 1223.

La chapelle Sud est bâtie sur le même axe que les premières travées du chœur et leurs fondations de haute époque, nouvel indice favorable aux assertions de la chronique concernant l'antique oratoire. Dans son mur méridional, à côté d'une petite piscine, une niche plus grande avec trou d'écoulement servait-elle de baptistère lorsque les fonctions paroissiales se déroulaient dans ce croisillon ?

Le rez-de-chaussée de la chapelle Saint-Martial, surnommé « le Sépulcre » car une Mise au Tombeau y fut placée au XVIᵉ siècle, est une salle rectangulaire très simple, divisée en deux travées par un contrefort de l'église et voûtée d'arêtes sur culots ; deux étroites fenêtres l'éclairent au Nord. On y descend par quelques marches depuis la deuxième travée du bas-côté Nord du chœur ; c'est là que sont entreposés les fragments lapidaires trouvés pendant les fouilles.

Le tombeau de saint Junien

Dans la quatrième travée du chœur se dresse un monument rectangulaire, en calcaire fin de la Rochefoucauld, sculpté à l'Est et sur les deux-tiers de ses grands côtés. La partie Ouest, en plâtre et nue, a été ajoutée après 1819 : elle couvre l'extrémité du sarcophage qui, plus long que le mausolée, s'engageait sous le maître-autel jadis attenant.

Un glacis décoré de palmettes aux tiges entrelacées et un bandeau bordé de perles entourent la dalle plate du couvercle. Une pomme de pin surgit au milieu du glacis de la face Nord, au Sud elle a été brisée ; les coins orientaux se relèvent comme des acrotères. Le bandeau de la face Est porte l'inscription

HIC·JACET·CORP·SCTI·IUNIANI·IN·
VASE·IN·QO·PRIUS·POSITUM·FUIT.

Au-dessous, du même côté, le Christ est assis dans une mandorle godronnée à bord perlé, inscrite dans un rectangle dont les symboles des Évangélistes occupent les écoinçons (pl. 7). Jésus, les pieds nus sur un escabeau, bénit de deux doigts levés et tient un livre de sa main gauche. Le visage a été martelé, les cheveux ondulent en vagues transversales, le nimbe crucifère est orné comme la « gloire ». Un pan du manteau drape la taille et les jambes, l'autre s'enroule autour du coude droit, découvrant la poitrine et le col brodé de la robe et retombe à gauche jusque sur le genou. Deux bandes verticales encadrent le panneau : chacune, sur fond de rinceaux, montre sept médaillons circulaires avec des bustes d'Anges souriants, les mains ouvertes.

Au centre de la face Sud, sous une porte cintrée à grosses ferrures, deux Anges en posture contournée soutiennent un disque perlé et godronné où se détache l'Agneau Pascal en avant d'une croix grecque (pl. 6). Douze Vieillards de l'Apocalypse trônent sous des arceaux superposés en deux rangs de part et d'autre ; couronnés, ils portent une viole et un sceptre terminé par une boule (pl. 8). Le détail ornemental est extrêmement riche : les chapiteaux, les colonnettes, les bandes qui divisent le panneau sont guillochés de dessins divers, de petites architectures surmontent les arcs.

La face Nord répartit de la même manière douze autres Vieillards, mais au milieu quatre Anges élèvent une « gloire », ceux du haut en renversant le buste (pl.5). Dans l'ovale godronné siège la Vierge-Mère : un court sceptre fleuronné dans la main droite, elle maintient contre elle, debout sur son genou gauche, l'Enfant qui passe un bras autour de son cou (pl.9). Le drapé rappelle celui du Christ-Docteur, mais le pan droit du manteau entoure l'épaule et la tête

nimbée ceinte d'un diadème ; les pieds chaussés reposent sur un tabouret. Au bord de la mandorle court une inscription en vers léonins

AD COLLUM MATRIS PENDET SAPIENCIA PATRIS ;
ME CHRISTI MATREM PRODO GERENDO PATREM ;
MUNDI FACTOREM GENITRIX GERIT ET
GENITOREM ;
MATERNOSQUE SINUS SARCINAT HIC DOMINUS.

Le trait le plus frappant de ce somptueux ensemble est la rondeur poussée du relief : blocs saillants sur les fonds, les personnages ont du poids, des proportions un peu ramassées. La Vierge est plus svelte, son attitude comme celle du Christ ne manque ni de douceur ni de majesté. Le costume et la pose des Vieillards sont savamment diversifiés par de légères nuances. La composition du panneau septentrional fait invinciblement songer à un devant d'autel, notamment aux fameux « antependia » catalans, peints ou garnis d'applications en stuc. L'influence de l'orfèvrerie est manifeste : les barres droites ressemblent aux armatures de bois couvertes de métal, les menues parures à un travail gaufré, les perles à des cabochons ; les godrons sont un motif fréquent sur des plaques de reliures. M. P. Deschamps compare les Vieillards à ceux qui décoraient une châsse d'or de Saint-Gilles du Gard et la table d'autel en argent de Saint-Jacques de Compostelle ; nombre de rapprochements s'imposent aussi avec des reliquaires ou des émaux limousins.

Le style et l'iconographie sont une synthèse d'éléments multiples ; étrangère à la région par son matériau, l'œuvre ne l'est pas moins par sa technique. Elle évoque tour à tour ou simultanément des procédés toulousains, ceux du Poitou plus encore, voire du Bas-Languedoc, la source commune et l'organe de transmission des thèmes restant, ainsi que l'a prouvé Emile Mâle, la miniature. Ce caractère mixte, la luxuriance du décor et l'assouplissement de certaines figures empêchent de proposer une date trop précoce. Maleu se trompe quand il fait remonter le tombeau au temps de Ramnulphe, qui devint abbé du Dorat vers 1107 et mourut vers 1135. Il décrit avec exactitude l'intérieur du monument, le vieux sarcophage à toit en bâtière, les entretoises de fer supportant le lourd couvercle, l'inscription visible au revers de la face Est (« HIC JACET CORPUS SCI.JUNIANI IN IPSO VASE IN QUO SEPELIVIT EUM BEATUS RORICIUS EPS. RAINAUDUS VERO PETRAGORICENS EPS. QUI MERUIT MARTIR FIERI COLLEGIT EUM IN CRINEIS LIGNEIS INFRA VASE POSITIS »). Mais, pour lui, intérieur et extérieur ne font qu'un. Or l'inscription de Ramnulphe, qui nous paraît bizarrement placée aujourd'hui, a été rognée sur son bord droit pour adapter la pierre, sculptée de l'autre côté, au tombeau actuel. M. P. Deschamps a achevé de démontrer que celui-ci réunissait deux campagnes successives : l'inscription maintenant cachée, presque toute en capitales, peut fort bien dater des premières années du XIIᵉ siècle ; en contraste, celles du dehors présentent une majorité d'onciales, trop évoluées et variées pour être antérieures à 1160 ou même 1175. L'étude des sculptures n'infirme pas cette conclusion.

Les peintures murales

La collégiale dut recevoir, à peine terminée, une décoration picturale étendue. Quelques tailloirs ou chapiteaux du chœur présentent des traces de polychromie. On distinguait il y a vingt ans de grandes silhouettes, aujourd'hui quasi effacées, sous la voûte de la nef. La dernière restauration a mis au jour en 1930-1931 plusieurs morceaux isolés, d'âge inégal.

Le plus ancien est un grand *saint Christophe,* au bout du croisillon Nord. Il mesurait au total 4 m. 50 de haut mais la moitié inférieure est presque détruite ; le buste, lui-même endommagé, à manteau violet et tunique jaune pâle, est encore imposant. Devant un fond vert clair bordé d'ocre jaune et rouge, la tête nimbée, un peu inclinée à droite, est peinte sur un léger renflement de la paroi ; des cernés bruns, des touches olivâtres accentuent le visage long ; la barbe et les cheveux bouclés sont fournis. Une inscription derrière la tête identifie le saint, qui tient une banderole portant la phrase évangélique : « VIGILATE QUIA NESCITIS DIE(M) NEQUE HORAM ». La graphie, l'allure générale situent cette peinture autour de 1200. — Au-dessus de l'arc oriental dans le même croisillon, une amusante figurine d'homme nu rampant est sans doute contemporaine.

Les autres fresques sont plus nettement gothiques. *La chapelle du croisillon Sud* a, sous son arc d'entrée, une suite de trilobes surbaissés, avec de saints Évêques dont un seul, saint Thomas de Cantorbéry, est bien conservé ; la facture est médiocre, sans expression. Le voûtain au-dessus de cet arc illustre bien plus habilement, en trois registres, la Parabole du Mauvais Riche ; les attitudes sont bien vues, avec un certain goût de l'anecdote, nous sommes ici en plein XIIIᵉ siècle. — Une attachante peinture, hélas en piteux état, *dans la chapelle basse du « Sépulcre »,* paraît du même temps. En haut, saint Martial et ses compagnons approchent d'une ville, la résurrection de saint Austriclinien était peut-être contée plus à gauche. « L'ostension » de la partie basse alterne non sans art la cadence processionnelle des porteurs de châsse et la gesticulation des suppliants, traités avec beaucoup de verve. L'humidité a réduit les couleurs à un étrange camaïeu de tons gris-bruns. — L'étage de cette chapelle possédait aussi des fresques, il n'en a été trouvé que de minimes fragments.

Le presbytère garde une châsse émaillée du XIIIᵉ siècle ; voyez dans l'église même plusieurs pièces dignes d'intérêt. A l'entrée Ouest, deux bénitiers romans en granit, monolithes, sont polylobés au dehors, le plus grand l'est aussi intérieurement. — Sur les stylobates de la nef sont disposées des statues polychromes en pierre ou bois des XVIᵉ et XVIIᵉ siècles, œuvres populaires parfois savoureuses : notez surtout la sainte Barbe et la jolie statuette de « Notre-Dame du Moûtier ». — Au deuxième pilier de la nef, dans le collatéral Sud, est fixée la dalle funéraire en cuivre gravé du chanoine Martial Formier, mort en 1513. — Ce chanoine fut le donateur de la Mise au Tombeau qui subsiste, très mutilée, dans le « Sépulcre » et qui mériterait un meilleur sort. — Enfin le maître-autel du XVIIIᵉ siècle est orné par devant d'un très élégant relief de marbre, « les Disciples d'Emmaüs ».

L'EXTÉRIEUR

On ne peut faire au dehors le tour complet de la collégiale et, du côté Sud, le mieux dégagé, la sacristie masque les premières travées du chœur. *Le flanc Nord de la nef* est emprisonné dans une cour qui occupe l'emplacement du cloître. De celui-ci ne restent qu'un pilier d'angle, rond à quatre colonnes engagées et quelques soubassements ; les bases toriques, les chapiteaux lisses, les tailloirs à filets et cavets indiquent le XIIIᵉ siècle. Le mur du collatéral caractérise mieux que sur le flanc méridional une construction de la seconde moitié du XIᵉ. Les fenêtres, petites et non ébrasées, ont une voussure nue ; des gargouilles rectangulaires assuraient l'écoulement des eaux du toit, autrefois non débordant, à travers le bahut maintenant découronné ; au-dessous passe une corniche à tablette dont les modillons sont simplement épannelés. La baie occidentale du croisillon Nord est semblable à celles de la nef ; des contreforts peu larges épaulent sur ses deux faces l'angle du transept qui apparaît entre eux comme un ressaut.

Il n'existe en fait que deux bons points de vue pour juger des masses extérieures de l'église et y retrouver les traces des différentes campagnes. L'un et l'autre font bien apprécier ces constantes de brusquerie, de gravité, dont est empreint tout l'édifice, ce hérissement défensif plus apparent que réel qui le signalait de loin.

L'ensemble Sud-Ouest

Prenez du recul dans la pente en haut de laquelle la nef et les deux clochers se campent puissamment. Regardez d'abord *le croisillon méridional du transept.* L'appareil irrégulier, les contreforts étroits qui retraitent à leur tiers supérieur et sont de ce côté jointifs, la fenêtre du mur Ouest, accusent son ancienneté. A mi-hauteur des deux faces, des corbeaux de pierre ont porté les toits de bâtiments disparus ; le pignon est très refait mais le bahut occidental et ses gargouilles subsistent. Vous irez voir de près, au pied du contrefort Sud, une pierre assez énigmatique avec inscription tronquée et décor d'entrelacs ; elle provient peut-être d'une des nombreuses tombes rencontrées lors du déblaiement de ces parages. Notez aussi le défaut d'alignement de la chapelle greffée à l'Est : l'épaisseur de son mur, non arasée, est partiellement à nu.

Aux deux vieilles travées de la nef, vous retrouvez l'unique fenêtre à voussure vide, dominant la porte de la chapelle épiscopale dont le linteau est en bâtière : les autres baies, plus grandes, n'ont pas d'ébrasement extérieur. Les gargouilles, sans corniche, sont surmontées d'un simple cordon ; les larges contreforts à glacis marquent deux retraites. La banquette qui réunit leurs bases change de niveau, comme à l'intérieur, en bordure de *la travée d'entrée,* dont la paroi présente le décrochement d'assises significatif. Quand on eut repris le mur et monté le contrefort sans retraits proche de la façade, la corniche à modillons sculptés de celle-ci fut prolongée jusqu'au seuil de la deuxième travée.

Concentrez votre attention sur *la façade,* beau specimen du type très en faveur dans la région limousine au XIIe siècle (pl. 1). Toutefois, à la différence des « façades-clochers » de Bénévent, de la Souterraine et du Dorat, le premier étage a sa partie centrale surhaussée entre deux rampants. Cette forme, qui rappelle certains pignons charentais ou poitevins, ne serait-elle pas en même temps un ultime souvenir de Saint-Yrieix et de Meymac ? — Elle se combine ici, grâce à la plus forte largeur, avec de très curieux clochetons d'angle : leur fût polygonal élancé et nu porte une galerie circulaire sur encorbellements et une flèche conique en pierre terminée par une boule. La tourelle Sud, plus haute que l'autre, est aussi plus rapprochée du clocher : une simple dalle franchit la distance tandis qu'au Nord il y a place pour une demi-arche.

L'extrémité méridionale du rez-de-chaussée fait un redan, le coin opposé, qui contient l'escalier, est carré. Deux hautes arcades, celle du Sud plus large, précèdent les fenêtres désaxées des collatéraux et sont comme elles sans aucun décor. Le portail en arc brisé est d'un dessin très sobre mais très pur : un cordon d'archivolte en double tore, quatre voussures « limousines » à petits chapiteaux lisses. Il ressemble à celui du Dorat par ses deux portes en arc brisé sous un tympan plein et son trumeau fasciculé avec gros chapiteaux unis. Cependant, ce dernier n'a pas de colonne vers l'Est, les piédroits et le cintre des baies ne sont arrondis qu'à la voussure in-

terne. Une statue de saint Junien, plus récente, garnit le tympan.

La corniche, privée de modillons à l'aplomb du portail, limite une série de gradins bombés qui mettent fortement en retrait l'étage, percé au milieu d'une fenêtre « limousine » à deux voussures. Deux autres étages, séparés de la même manière et carrés, constituent le clocher proprement dit. Au premier, les deux baies simples de chaque face ont des colonnettes et un tore dans la voussure, sauf à l'Est. Sur les quatre côtés du second, un massif en saillie contient une seule fenêtre, « limousine » aussi et divisée par une fine colonnette ; au-dessus sont amorcés des gâbles qui devraient être aigus et accompagner la naissance d'un octogone. Celui-ci, à peine ébauché, possède contre ses pans obliques des contreforts aux angles adoucis de baguettes rondes. Ce dernier détail, comme les chapiteaux à boules sous le tympan des fenêtres supérieures, prouve que la construction se poursuivait au commencement du XIIIe siècle. Achevé, ce clocher reproduirait celui de Saint-Léonard, et dans des dimensions plus considérables encore. Mais son poids serait excessif : le déversement très sensible du bas de la façade invite à croire que la prudence, autant qu'un manque possible de ressources, a fait interrompre les travaux.

L'ensemble Nord-Est

Portez-vous en arrière et sur la droite du chevet, à quelque distance. C'est de là que l'église offre son aspect le plus original d'abrupte décision dans les contours et les élévations murales, de mouvement heurté dans la juxtaposition des apports successifs, la multiplicité des couronnements pointus.

Contre le pignon du *transept* s'avance une jolie tourelle : le socle carré, commencé en matériaux irréguliers, s'achève en assises ; des cordons convexes bordent deux étages octogonaux, le second ajouré de baies cintrées sur pilastres, et une flèche polygonale avec boule. La dernière restauration a séparé les toitures du croisillon et de la chapelle appliquée contre lui, dotant le mur de celle-ci d'un bahut. Elle a aussi, en remontant la tour-lanterne, rétabli la tourelle ronde qui n'existait plus depuis l'effondrement de 1816.

Le chœur, couvert comme la nef d'un toit unique pour les trois vaisseaux, a conservé des bahuts qui, dans leur ensemble, ne doivent dater que de l'allongement final, et des gargouilles sans corniche. Le mur de la partie la plus ancienne a été découvert par la suppression de l'étage de la chapelle Saint-Martial. De même qu'au Sud, il est en retrait des travées orientales, qui ont des contreforts droits, un peu épaissis seulement à leur base sous un léger ressaut bombé. Le chevet, pareillement renforcé à sa base, n'a pas la colossale ampleur de celui de la cathédrale de Poitiers mais il procède d'une esthétique analogue, celle qui sait s'en tenir à la beauté d'un mur. Les trois fenêtres absolument nues mettent en valeur la simple et robuste mouluration de la rose ; le pignon et les massifs carrés qui le flanquent, porteurs de clochetons polygonaux à flèche de pierre, ont été abondamment restaurés au XIXᵉ siècle.

La chapelle Saint-Martial, munie de trois culées rectangulaires dont une enveloppe l'angle libre, prend appui sur le premier contrefort des travées les plus tardives ; elle ne peut donc que leur être postérieure. L'ornementation des fenêtres donne un second argument dans le même sens : toutes trois ont une archivolte à retours, en bandeau et cavet, une voussure avec colonnettes et tore minces dégagés par une gorge, des chapiteaux à crochets. La baie orientale est bouchée, les ouvertures au Nord sont beaucoup plus étroites que l'encadrement.

LE DORAT

La table des planches illustrant ce chapitre se trouve à la page 212.

LA plus parfaite sans doute des églises limousines est Le Dorat. Son premier contact, par la porte Ouest, est d'autant plus saisissant que l'édifice est somme toute peu célèbre. C'est donc une double surprise : le choc du regard étonne d'autant plus que l'ordonnance de l'ensemble est admirable et presque inattendue.

À l'annoncer ainsi, nous risquons d'en diminuer l'ampleur. Mais a-t-on le droit de laisser dans l'ombre une église aussi importante, aussi belle ? Certes, elle est austère ; son matériau n'a rien de délicat, rien de charmeur. Mais tout ici respire la force, la majesté, l'austérité, la grandeur.

CONTRASTES DU DORAT

L'un des problèmes essentiels de l'œuvre d'art, réalisée dans l'espace et dans le temps, est celui de son intrusion dans la vie des hommes et dans les choses. Pour le musicien il s'agit des premières mesures de sa composition : la façon dont il va rompre le silence, créer le choc profond initial, irremplaçable. Pour l'architecte, surtout pour le bâtisseur d'une église, il s'agit du contact immédiat, de l'instant où, la porte franchie, se révèle brusquement au visiteur cet autre monde de main d'homme, à la mesure du cœur, de l'âme humaine.

Le Dorat, reprenant au reste une prédilection limousine particulièrement frappante et l'utilisant avec le maximum de bonheur, a su créer ce heurt, cette surprise, par des moyens très simples, mais efficaces.

La façade Ouest, solide, trapue, puissante, a un aspect de forteresse. Dès que l'on a franchi la porte, un palier donne, par un grand escalier, sur la nef qu'il domine de haut, tandis que, au-dessus de lui, la coupole de la tour ajoute encore à la solennité d'un tel accès. D'un seul coup, au regard, se déploie le vaste vaisseau, scandé par les piliers des bas-côtés, et, plus encore, le sanctuaire avec la majesté de son rond-point (pl. 16). Il y a dans cette ordonnance quelque chose d'impressionnant à quoi l'on ne saurait demeurer insensible. Cette façon de faire dominer l'église entière, d'en laisser saisir l'étendue, d'autres régions l'ont employée, en ont su tirer parti. Mais le Limousin y a ajouté l'utilisation de la tour de façade, imposant au visiteur la charge de cette énorme masse, rendue sensible et comme évoquée par la coupole qui surplombe le palier.

Dira-t-on qu'il s'agit là d'un effet théâtral, par trop physique, d'un « truc » de métier qui certes agit, mais, à la réflexion, risque de produire des résultats contraires à ceux escomptés, tant le déplaisir de se sentir grugé risque vite d'étouffer les chocs les plus forts ?

Il suffit de faire quelques pas dans l'église du Dorat pour comprendre que le « théâtre » ne saurait être ici évoqué. Rien de factice, rien même de falsifié en un tel édifice. Le granit employé révèle toute sa nue vérité. Nulle complaisance en lui, nulle délicatesse. La sculpture le montre assez qui utilise le matériau sans modifier son caractère, sans l'altérer ; quant aux formes, aux volumes, ils répondent aux stricts besoins, aux nécessaires exigences, mais jamais ne visent à l'effet gratuit. Et d'ailleurs, n'en est-il pas de même pour cette entrée si imposante, à l'effet calculé ? Que le palier domine la nef entière, le terrain n'en est-il pas responsable : lui qui assure aussi la possibilité d'une crypte, d'une crypte merveilleuse sous le chœur tout entier ? Quant à la coupole de la tour, n'était-ce pas le seul moyen de voûter une masse aussi imposante dès l'instant que l'on voulait en réduire au maximum les points d'appui ? Si, du reste, le maître d'œuvre avait souhaité accroître outre mesure le choc, l'impression reçus dès l'entrée, il aurait laissé ouvert le volume intérieur de cette tour, en supprimant la voûte, en découvrant au regard le vide imposant qu'au contraire il lui masque ? Il est vrai que l'habitude émousse les impressions les plus fortes. Le premier contact avec Le Dorat, nombre de ses fidèles l'ont perdu de vue, qui regrettent ce grand escalier, aux marches usées et difficiles, rendant pour eux la descente à l'église plus pénible...

Et, quelque grandiose que puisse être ce majestueux préambule, pourquoi ne pas avouer que nous lui préférons cette partie secrète, mais essentielle à nos yeux, de l'ouvrage lui-même : telle chapelle absidale de la crypte (pl. 17) réduite à un volume nu, dépouillé, sans rien d'autre que la stricte nécessité de sa fonction, de ses formes ? La rigueur, l'austérité limousine, n'ont sans doute jamais dépassé cet extrême. Tel quel il nous semble, mieux que toute splendeur, faciliter l'accès au Dieu qui parle au cœur. « Et prie ton Père qui est là dans le secret, et ton Père qui voit dans le secret te le rendra ».

L'Atelier du Cœur-Meurtry

PRÉSENTATION DU DORAT

Au milieu des plateaux bocagers quelque peu monotones qui passent insensiblement de la Basse-Marche au Poitou, le gros bourg du Dorat s'étale sur une pente inclinée vers le Sud et vers l'Est. Le versant occidental, encore en partie couronné des anciens remparts devenus terrasses de jardins, surplombe de façon plus brusque un vallonnement que suit la voie ferrée.

C'est lorsque vous arrivez au-dessus de celle-ci, par la route de Bellac, que la Collégiale, dans la complexe richesse de ses masses extérieures, produit le plus d'effet. Bien qu'elle n'occupe pas le point culminant du site, elle domine souverainement la confusion des toits, détache ses tourelles, ses deux clochers si totalement opposés d'allure : l'un compact et d'une sévérité quasi-militaire sous sa chape d'ardoises, l'autre fine aiguille de pierre, haut signal fort et pur d'un irrésistible attrait. La vision se dérobe tandis que vous descendez puis remontez par des rues sinueuses ; le grand portail est aligné de plain-pied, sans transition, au bout de la dernière rampe et vous devez le dépasser pour trouver du recul.

Alors, du sommet de la place en déclivité qui longe le flanc septentrional, l'église vous apparaît tout autrement. Ses murs ne montrent leur élévation véritable qu'au transept ; la nef, que borde un fossé, s'encaisse de plus en plus en direction de l'Ouest, comme si elle venait buter contre un épaulement du terrain. Il y a dans cet enracinement une sorte de mâle violence : les rudes parois de granit, coupées à franches arêtes, semblent surgies de la substance même du vieux sol où elles demeurent, par tout leur poids, ancrées. La roche-mère du terroir limousin, patinée par le soleil et les pluies, a ces tons de bronze verdi qui la revêtent près des ruisseaux, ou ces plaques de lichen mordoré qui se collent à ses affleurements dans les landes sèches de bruyère. Une énergie dédaigneuse de l'agrément facile organise la dense matière, le bloc de façade mouvementé de belles ombres, le rythme appuyé des contreforts latéraux, la frange stricte des corniches et des parapets. A peine admet-elle un décor, quelques arcatures, les colonnettes courtaudes des clochetons ajourés, et la moulure familière dans la voussure des fenêtres, au creux du portail où elle se gonfle d'une puissante houle.

Mais, par delà ces formes trapues, la tour de la croisée, plus svelte du contraste, s'enlève dans son incomparable certitude (pl. 1). Il faut la voir de ce côté, aux heures de l'après-midi, pour que ses baies et ses pans bien modelés servent de toute leur réalité plastique l'exacte proportion des étages et de la flèche. « Tout est irréprochable, écrit à juste titre Albert de Laborderie, il n'est pas une ligne, pas une pierre qu'on voudrait changer. » — Peut-être, à la vue de ce clocher, vous sentez-vous dès les premiers instants de votre halte suffisamment récompensé d'être venu au Dorat...

Dès que vous aurez franchi le seuil de la Collégiale, vous vous estimerez comblé. Mais poussez ce vantail au ras de la route (pl.3), que vous avez côtoyé, et non la porte du transept ! Vous resterez là stupéfait, plus encore qu'à Solignac, au bord d'un immense perron de douze marches qui embrasse toute la largeur des trois nefs (pl. 5). Une fois de plus, la difficulté matérielle, affrontée sans détours par un artiste de génie, se résout en surcroît de majesté. Le vaisseau s'étend à vos pieds, baigné depuis ses flancs d'une lumière diffuse que réfléchissent des piliers au dessin viril, à la coloration grise très douce. La clarté, qui s'estompe sous le long cheminement de la voûte, ruisselle soudain du haut de la croisée, tombe en nappe depuis la « lanterne », en effusion de paix au devant de l'autel.

Vous êtes dans un de ces lieux privilégiés où l'esprit d'analyse, si nécessaire qu'il puisse être à son heure, doit céder la place, sous peine d'impertinence ou de pédantisme, à une contemplation prolongée, et silencieuse. Nous avons vu des « touristes » passer cette porte, donner un coup d'œil bref, et repartir, ne manifestant que la douloureuse évidence de leur médiocrité. Nous blâmerions aussi fort quiconque ne réagirait d'emblée qu'en archéologue, en technicien. Non pour prôner une sentimentalité vague : l'église médiévale est logique et raison, elle ne s'admire pleinement qu'une fois comprise. Mais ce qui est *premier* ici, c'est une qualité d'âme, perceptible au travers d'une réussite esthétique qui absorbe les particularités ou dissemblances secondaires. De grâce, laissez la prendre possession de vous !

Ensuite allez et venez, afin que soient mouvantes et plus profondes les perspectives. Dès le bas des marches, les piles vous paraîtront plus cambrées, les arcs plus hardis. Chaque pas vous rendra mieux lisibles l'intacte grandeur du plan, l'unité du système constructif, l'aisance aérienne de la coupole (pl. 6, 12), dans une justesse des verticales et des cintres, une fermeté des volumes, une discipline et une vigueur de la sculpture décorative, qui satisfont intimement la pensée. Parcourant les nefs, le transept, le déambulatoire, vous vous demanderez bientôt pourquoi cette église n'est pas vantée à l'égal des plus célèbres de la France romane, vous vous promettrez de la faire connaître et aimer. Alors vous pourrez entreprendre avec fruit son étude.

HISTOIRE DE LA COLLÉGIALE DU DORAT

Des archives, brûlées pendant la Révolution, nous n'avons que des mentions ou des copies tardives. Pierre Robert (1589-1658), lieutenant-général de la sénéchaussée, s'y référa pour composer plusieurs mémoires, mais ses mauvais rapports avec le Chapitre l'ont privé d'accès direct au chartrier. Des actes ont été transcrits vers 1765 par un secrétaire de la communauté pour introduire une requête devant le Parlement de Paris. Tel est l'essentiel des sources utilisées par les auteurs locaux. M. Jacques de Font-Réaulx, qui les a classées et critiquées, en a tiré la synthèse de nos connaissances historiques sur le Dorat.

La tradition attribuant à Clovis la fondation de l'église ne mérite nul crédit. Les allusions au passage de Pépin le Bref lors de la guerre d'Aquitaine, aux invasions normandes ou à une mystérieuse charte de 944, ne reposent sur rien de solide. Jusqu'à la fin du X⁰ siècle, il n'y eut, semble-t-il, qu'une simple chapelle au lieu dit « Scotorium ». Cette appellation, qui sous la forme adjective « Scotoriensis », figure seule dans les plus vieilles chartes et dans Adhémar de Chabannes, peut faire supposer la venue de moines anglo-saxons : nombreux furent en Gaule mérovingienne les disciples de saint Colomban, lesquels dédiaient fréquemment leurs églises à saint Pierre. Au XI⁰ siècle, tandis que ce dernier patronage suffit généralement à désigner le Chapitre, un ex-libris de la Bibliothèque de Poitiers porte la précision « S. Petrus Deauratus ». Ce surnom, motivé peut-être par la présence d'une image d'orfèvrerie, prévaut ensuite : les actes entre 1087 et 1096, le privilège du Pape Lucius III en 1185, disent « Deauratensis » ; la forme « Doratensis » est usuelle à

partir du XIII⁰ siècle et dans la Chronique d'Étienne Maleu.

Le premier texte à retenir stipule l'établissement du Chapitre par Boson le Vieux, comte de la Marche. Daté de 987, il ne fut produit pour la première fois qu'en 1112, durant un procès soutenu par les chanoines contre la comtesse Almodis. M. de Font-Réaulx juge la coïncidence suspecte, mais son analyse serrée du document en dégage une part authentique, remaniée et complétée au XII⁰ siècle pour les besoins de la cause. Divers recoupements de chronologie indiqueraient d'ailleurs plutôt la période 975-980, obligeant ainsi à rejeter les noms de la plupart des hauts prélats donnés pour co-signataires. — Quoi qu'il en soit, la fondation est de peu d'importance : « unam capellam in honore S. Petri... Et est ipsa ecclesiola sita in pago Lemovicino... »

Boson prévoyait expressément l'installation de chanoines réguliers. Les mots de « monasterium », « coenobium », qui se lisent en d'autres pièces, n'ont pas une valeur littérale. Il en va de même du titre d'Abbé, porté aux XI⁰ et XII⁰ siècles par des supérieurs qui remplissent des fonctions peu compatibles avec la vie monacale, par exemple celles d'archidiacre. Adhémar de Chabannes parle indistinctement du monastère et des chanoines du Dorat.

Ceux-ci, jusque vers la fin du Moyen-Age, vécurent en communauté. Ils comptèrent dans leurs rangs, dès les débuts, saint Israël et saint Théobald, dont la collégiale garde aujourd'hui les reliques. Enfant d'une famille noble du pays, saint Israël fut vite réputé pour son savoir : il aurait traduit en dialecte local et mis en vers une partie des Écritures. Devenu grand-chantre et coadjuteur du premier Abbé, Pierre Drut, il fut distingué par l'Évêque Audoin qui le mit à la tête de son école épiscopale. Chargé par Sylvestre II de restaurer le monastère de Saint-Junien, puis revenu au Dorat, il forma jusqu'à sa mort en 1014 plusieurs disciples, dont saint Gautier, fondateur de l'abbaye de Lesterps, et saint Théobald. D'origine paysanne, ce dernier devint sacriste et trésorier, puis à son tour écolâtre du Chapitre, s'illustrant par sa charité autant que par sa science ; il mourut en 1070 et sa tombe, comme celle de son maître, vit bientôt s'opérer des miracles et affluer des pèlerins. — Malheureusement, les grands chroniqueurs limousins sont muets sur ces deux biographies qui, dans l'état où nous les possédons, ne sont pas antérieures au XVe siècle ; c'est au XVIIe seulement que s'amplifie la légende et que le double culte s'exprime dans des « Ostensions » septennales.

D'après une inscription relevée par P. Robert, une nouvelle église fut entreprise en 1013, à la suite d'un incendie causé par les gens de Magnac-Laval pendant une guerre entre Bernard comte de la Marche et Hugues de Lusignan. Adhémar de Chabannes relate cette affaire, que peut-être il convient de situer un peu plus tard car Hugues a pour allié l'Évêque de Limoges Gérald qui occupa son siège de 1014 à 1023.

Des textes conservés fixent en 1063 la consécration de l'édifice par les Évêques de Limoges et de Poitiers, et en 1075 celle du maître-autel par l'Évêque de Lisieux, « vacante sede Lemovicensi ». Ces indications sont valables en elles-mêmes, mais il est tout à fait impossible de les appliquer à l'église actuelle. Certes, avec René Fage, une école archéologique péchait naguère par excès de système et niait que le Limousin eût réalisé dès le XIe siècle aucune œuvre notable : révoquant en doute des sources écrites que ne contredisait pourtant pas l'examen direct des monuments, elle attribuait d'office au siècle suivant d'hypothétiques réfections. Au Dorat par contre, malgré l'indigence des textes du XIIe, c'est bien à cette période qu'appartiennent tous les caractères de la collégiale ; la majorité d'entre eux témoigne même d'une évolution nettement avancée. Tout au plus a-t-on réemployé alors des portions de murs préexistants, notamment sur le flanc Nord de la nef : les traces en étaient, paraît-il, plus visibles avant les restaurations du siècle dernier.

A nouveau donc, donations, sentences d'arbitrage, bulles pontificales, nous renseignent sur les possessions du Chapitre mais aucunement sur l'histoire d'une construction qui dut exiger beaucoup de temps et de ressources. L'église consacrée en 1063 n'a-t-elle eu qu'une existence éphémère ? — Quelques lignes transcrites par P. Robert rapportent que le comte Adalbert II, mort en 1088, « ordonna de rebâtir, ce qui fut continué par ses enfants et par d'autres comtes de la Marche ». Or, le mémorialiste et plus tard le P. Bonaventure parlent d'un incendie survenu en 1080. Il est vrai que ce récit est parfois tenu

pour le résultat d'une confusion, soit avec les événements signalés en 1013, soit avec la destruction de Lesterps...

Le violent conflit qui s'ouvre en 1107 entre le Chapitre et la comtesse Almodis a-t-il entraîné des désordres et des dommages ? — Cette même année, Pascal II écrit de Tours à Jourdain de Bellac pour lui enjoindre de ne plus troubler l'église du Dorat. D'après les débats du procès, les chanoines ont besoin, en 1112, d'une grande quantité de fer, ce qui laisse entrevoir l'activité d'un important chantier. La communauté est à ce moment gouvernée par le plus remuant de ses Abbés, Ramnulphe de Brigueil (ou de Nieul ?), que nous avons vu Prévôt de Saint-Junien lors de la consécration de cette église en 1100. Il gagne le procès contre Almodis ; soutenu par le duc d'Aquitaine, il tente de supplanter l'Évêque Eustorge à l'occasion du schisme d'Anaclet et se maintient de 1131 à 1135 dans la région de la Souterraine. On imagine assez bien cette forte personnalité prenant l'initiative d'amples travaux, mais sa vie turbulente et vagabonde a-t-elle été favorable à leur poursuite méthodique ?...

Cependant, selon la tradition liturgique, les reliques des saints furent transférées en 1130 dans la crypte. La consécration de l'église est commémorée le 2 octobre, mais sans indication d'année. Comme l'a montré M. de Font-Réaulx, ce jour, qui ne convient pas pour la cérémonie de 1063, fournit un argument en faveur de la reconstruction et implique une seconde dédicace. Celle-ci pourrait avoir accompagné la translation solennelle et affecté le chœur, vraisemblablement terminé avant le milieu du XIIe siècle et solidaire de la crypte par le plan et par l'élévation.

La nef, la façade, le clocher de la croisée, sont certainement dus à plusieurs campagnes ultérieures, sur l'enchaînement desquelles les auteurs modernes sont en désaccord. Il faut, pour se faire une opinion, examiner en détail chaque partie. En tout cas, la date de 1142, gravée en chiffres arabes sur les deux premiers piliers Nord du vaisseau, ne saurait être prise pour référence positive : le style des inscriptions trahit au plus tôt le XVIe siècle et rien ne permet de dire quel souvenir on a prétendu évoquer.

La Collégiale nous est parvenue sans altérations graves. L'Abbé Guillaume IV l'Hermite, (1420-1430), la fortifia en même temps que le bourg. Ces ouvrages souffrirent en 1567 de l'assaut et du pillage par les Réformés ; ils disparurent aux XVIIe et XIXe siècles, à l'exception de la tourelle qui surmonte la chapelle d'axe et d'un pan de mur proche du clocher occidental. L'époque contemporaine a procédé à une restauration générale, remplacé par des toits la couverture en dalles des collatéraux, rétabli les bahuts et les gargouilles au sommet des murailles, supprimé l'arcade qui dominait extérieurement la fenêtre terminale du croisillon Nord.

VISITE

COMMENT VISITER L'ÉGLISE DU DORAT

L'INTÉRIEUR

Le chœur

La crypte

Commencez par la crypte, point de départ de l'édifice actuel ; un escalier y conduit depuis chaque croisillon. Elle comprend une galerie courbe, trois chapelles arrondies et une salle centrale, demi-circulaire à l'Est. La galerie est voûtée en berceau annulaire, entaillé de pénétrations face aux culs-de-four des absidioles (pl. 15, 16). Celles-ci, de même que les travées du couloir, ont chacune une fenêtre ébrasée, très simple (pl. 17). La crypte est en effet presque complètement hors du sol par suite de la forte pente extérieure.

Cinq passages, dans un gros mur bordé d'une marche, donnent accès au sanctuaire. Sa voûte articulée d'arêtes et de pénétrations retombe sur quatre colonnes isolées et sur des pilastres engagés, reliés par une banquette et munis d'impostes biseautées (pl. 14). Trois chapiteaux des colonnes sont nus, évasés sous un faux-tailloir carré, le quatrième a de grossières volutes aux angles et au milieu des faces ; les astragales sont épais, les tailloirs profilés en bandeau et large cavet peu creusé. Dans le mur occidental, rectiligne, des « fenestellae » obstruées débouchaient parmi les degrés du chœur.

L'ensemble est franchement moins archaïque que la crypte d'Uzerche. Celles d'Ahun et de Chateauponsac ne sont pas sans analogies avec la partie centrale, mais semblent à leur tour plus anciennes. Toutefois, une certaine abondance de pierres striées et gravées, dont une en feuille de fougère, incite à placer le début de la construction avant la fin du XIe siècle.

Une travée droite, une abside en hémicycle, un déambulatoire à trois chapelles non contiguës, composent un chœur plutôt court, au plan déterminé par celui de la crypte (pl. 9). Quatre marches le surélèvent au-dessus du transept. Son exécution est homogène : un cordon chanfreiné souligne les voûtes du centre et des absidioles ; une même mouluration, bandeau et double cavet, caractérise toutes les impostes et, sauf à deux colonnes du rond-point, tous les tailloirs quel que soit leur niveau ; toutes les colonnes, isolées ou engagées, ont des bases à deux tores séparés par une gorge, celui du pied débordant ; toutes les fenêtres sont du même type. Moins recherchés qu'à Saint-Léonard, la composition comme les détails ont plus d'élégance qu'à Beaulieu.

Le sanctuaire est sans éclairage direct. En berceau brisé et cul-de-four, la voûte présente de petites baies d'aération vers le comble inférieur. A l'Ouest, un doubleau à deux rouleaux réunit les piles de la croisée : sous le rouleau interne, des demi-colonnes ont de beaux chapiteaux en granit, riches rinceaux au Nord, acrobate entre deux bêtes dressées au Sud ; le noyau des supports forme dosseret jusqu'au rouleau externe. En retrait, un pilastre rectangulaire reçoit la grande arcade à plein cintre de la travée droite.

Un doubleau simple marque la naissance de l'abside. Deux demi-colonnes, surmontées de curieux démons grimaçants ou de palmettes, s'appliquent contre de minces piliers carrés dont les angles vers le déambulatoire sont adoucis en baguettes toriques avec petits chapiteaux lisses. Les cinq arcades du chevet, nues et découpées

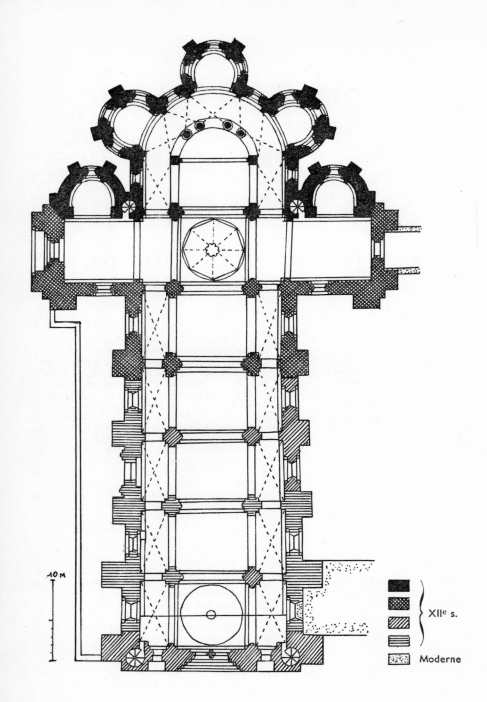

10 M

XIIᵉ s.

Moderne

LE DORAT

dans un mur enduit comme à la travée précédente, sont brisées et fortement surhaussées. Les trois plus larges font face aux absidioles, les deux intermédiaires sont plus étroites encore qu'à Bénévent. Quatre colonnes monostyles portent de magnifiques corbeilles, feuillages énergiquement découpés malgré la dureté du granit, mêlés de têtes de monstres dans un seul cas. Les deux tailloirs de l'arcade médiane se distinguent par un profil compliqué : deux baguettes convexes sur des filets, dégagées par des rainures en creux.

Le déambulatoire n'a de doubleaux qu'à ses entrées, en arc brisé sur demi-colonnes aux chapiteaux de granit, sans dosseret ; les piles de la croisée sont dépourvues de ressaut. Une voûte d'arêtes assez irrégulière se relie directement à l'intrados des arcades ouvrant vers le centre du chœur. Vers le mur, elle repose aux extrémités sur des cordons, puis sur des colonnes engagées partant d'une banquette continue qui épouse la courbe des chapelles (pl. 8). Dans la moitié Nord, les chapiteaux des colonnes sont en calcaire, de type corinthien, d'un modelé maigre et sec : faut-il y voir des remplois ?.. Le premier surtout, à gauche de l'absidiole Nord-Est, est trop petit pour son tailloir. Dans la moitié Sud au contraire, se retrouvent les robustes végétations en granit qui sont la parure de l'église. La travée droite et les travées intercalaires ont des fenêtres « limousines » d'une voussure, en plein cintre ; sous les colonnettes à petits chapiteaux calcaires sans tailloir, un appui rectangulaire forme gradin au pied de l'ébrasement ; un bahut plein réduit la hauteur du vitrage.

Les trois chapelles ont mêmes dimensions et même décor. L'arc et les piédroits de leur entrée dessinent un redan garni d'un tore, de colonnettes et de petits chapiteaux en pierre tendre, nouveaux exemples de ces œuvres d'importation charentaise ou poitevine si fréquentes en Limousin. Il y en a d'autres aux trois fenêtres, traitées comme celles du déambulatoire, que comporte chaque absidiole. Des corbeilles également en calcaire, plus importantes et munies de tailloirs, ornées de masques, de palmettes et d'entrelacs, coiffent les deux colonnes d'une arcature en plein cintre qui s'arrête près du seuil sur des pilastres. Les motifs sculptés des baies et des arcades, en mauvais état dans la chapelle absidale, se répètent symétriquement deux à deux.

Le transept

Plus haut de deux marches que les nefs, le transept est profond, très débordant. De discrets indices y révèlent un changement de campagne : les piles orientales de la croisée, les colonnes à l'intérieur des absidioles, ont des tailloirs à bandeau et double cavet comme les entrées du déambulatoire ; au-dessus de ces dernières et dans les chapelles, le cordon de base de la voûte reproduit celui du chœur ; partout ailleurs, tailloirs et cordons sont en gros quart-de-rond, ce qui les rattache à la travée de la nef la plus voisine.

Cette variante n'altère en rien la pureté des lignes, sensible avant tout dans *la croisée*. Les grands arcs tiers-point retombent sur des demi-colonnes, appuyées à l'Ouest comme à l'Est au noyau carré de piles remarquablement élancées (pl. 6). Leurs chapiteaux sont toujours faits de feuilles côtelées, festonnées, sortant parfois de gueules monstrueuses ; ils conservent malgré la distance toute leur « couleur », tant la dure matière est vigoureusement travaillée. Notez particulièrement celui qui termine la nef au Nord : des lobes charnus s'y recourbent avec souplesse, dans un agencement très libre et original. D'autres arcs, en saillie sur les premiers, gauchissent pour amener au coin des piliers la pointe de pendentifs concaves, que couronne une moulure circulaire en double quart-de-rond. Nettement en retrait, le tambour de la tour-lanterne est un octogone ajouré de huit fenêtres à deux voussures « limousines », sous une arcature dont le tore est reçu par les gros tailloirs bifurqués de colonnettes placées dans les angles ; tous les chapiteaux sont lisses. La coupole est polygonale, précédée d'un cordon simple, l'oculus du sommet échancré de huit festons (pl. 12). — Aboutissement magistral d'une conception qui s'essayait à Saint-Junien, cette tour-lanterne a sans doute inspiré celle de Bénévent qui en est et en est comme la copie amenuisée. Vous ne vous lasserez pas de suivre du regard la sûreté de son ascension dans la lumière.

Les croisillons, identiques l'un à l'autre, couverts de berceaux brisés, sont divisés en deux travées par un doubleau simple sur demi-colonnes sans dosseret, à chapiteaux de feuillages. Dans la première travée, plus courte, les arcs de la croisée n'ont pas de rouleau externe et la voûte est percée de baies d'aération. Les bas-côtés de la nef s'ouvrent comme le déambulatoire par des arcs brisés à deux rouleaux, avec, sous le rouleau interne, demi-colonnes et corbeilles en granit sculptées de palmettes ou de lions. Ces arcs sont plus étroits que ceux de l'Est, notamment dans le croisillon méridional où la travée, resserrée vers l'Ouest, affecte un plan en trapèze.

Dans la travée suivante, beaucoup plus développée, le mur oriental présente une porte d'escalier et une absidiole arrondie dont l'entrée, la banquette et l'arcature sont les mêmes qu'aux chapelles rayonnantes ; mais il n'y a qu'une fenêtre, dans l'axe, à une voussure « limousine ». Dans la chapelle Nord, les chapiteaux de l'arcature, figurant un homme accroupi entre deux lions, sont en calcaire ; de l'autre côté ils sont en granit et feuillus. Au fond de chaque croisillon, dominant au Sud l'accès de la sacristie, au Nord un portail en arc brisé, une vaste et belle fenêtre en plein cintre touche de son archivolte la voûte : sur un appui à gradins s'étagent trois paires de colonnettes répondant à trois voussures toriques, les petits chapiteaux en serpentine vert sombre sont lisses, carrés à leur partie supérieure. Ce type, qui se généralise dans la région au cours du XII⁰ siècle, reparaît à la fenêtre « limousine » d'une seule voussure percée assez haut dans les murs Ouest. Ceux-ci, bordés d'une banquette à leur pied, n'ont pas d'autre décor.

La nef

La structure de la triple nef répète, selon des proportions plus majestueuses, celle du chœur. Des bas-côtés étroits contrebutent à sa naissance la voûte principale et fournissent seuls l'éclairage (pl. 4). C'est le même parti qu'à Saint-Junien : il peut venir du Poitou mais ne suffit pas, on le sait, à la définition toujours trop rigide d'une « école ».

Le plan s'allonge en cinq travées spacieuses. Quatre sont voûtées d'un berceau brisé sur doubleaux, la dernière d'une coupole hémisphérique avec arcs gauchis et pendentifs semblables à ceux de la croisée (pl. 7). *Des traits communs engendrent une apparente unité.* Tous les doubleaux sont à deux rouleaux ; en avant de dosserets constitués par le noyau des piles, des demi-colonnes ont les mêmes bases à gorge entre deux tores inégaux, les mêmes chapiteaux de granit que nous avons déjà rencontrés plus à l'Est. Les piliers, dans leur puissante cadence, se ressemblent à première vue : par la franchise dépouillée de leurs ressauts, jaillissant immédiatement du dallage refait qui laisse deviner çà et là des socles carrés ; par une qualité murale signalée à Beaulieu et plus affirmée ici grâce aux longs pilastres plats qui, moins massifs qu'à Saint-Junien, reçoivent les grandes arcades. Le rouleau unique de celles-ci, au tracé brisé, passe cette fois en dessous des voûtes d'arêtes latérales, très étirées dans le sens Est-Ouest, qui aboutissent à des culots suspendus contre les murs. Des ressauts rectangulaires adossés aux supports et des pilastres implantés sur une banquette soutiennent les doubleaux simples des bas-côtés, en arc brisé surhaussé. Toutes les fenêtres Nord et Sud ont uniformément une voussure « limousine » à petits chapiteaux lisses et un appui taluté.

À l'extrémité orientale du collatéral Sud, remarquez une ancienne porte, pitoyablement déguisée en grotte de Lourdes, et un enfeu ; dans la troisième travée Nord, un portail. La travée de l'Ouest est entièrement occupée par le perron ; comme à Saint-Junien, Bénévent et la Souterraine, où la coupole supporte de même un clocher, des murs percés d'ouvertures vers les combles des bas-côtés extradossent les grandes arcades (pl. 7). Il y a sous ces dernières des demi-colonnes, dont l'exhaussement du palier permet de bien voir les superbes chapiteaux, lions aux queues entrelacées, rinceaux

s'échappant de mufles d'angle, palmettes déployées ou enroulées en coquilles. Au revers de la façade, dans chaque collatéral, un massif carré enferme un escalier, une arcade saillante surmonte une fenêtre ébrasée nue ; une baie pareille domine l'arc de décharge du double portail.

Un examen plus approfondi des travées, que nous compterons en partant du transept, décèle *de multiples irrégularités* qui témoignent d'arrêts dans les travaux et peuvent en partie s'expliquer par l'utilisation de fondations ou de maçonneries de l'église antérieure.

— *Irrégularités du plan.* La première travée est sensiblement la plus longue : 10 m, 20 d'axe en axe des piliers, contre 8 m, 90 pour chacune des deux suivantes, 9 m, 15 pour la quatrième et 9 m environ pour la dernière. De l'angle du croisillon au début de la deuxième travée, le mur méridional dévie vers le Nord, puis vers le Sud jusqu'au seuil de la quatrième, avant de se redresser en direction de la façade. Le mur Nord, moins accidenté, s'infléchit cependant quelque peu au Sud dans les deuxième et troisième travées, à l'Ouest desquelles il est parallèle au précédent. Vue du perron d'entrée, la nef paraît, dans sa moitié occidentale, s'orienter légèrement plus au Nord que l'axe du chœur (pl. 5).

— *Irrégularités de l'élévation.* À la première travée, les grandes arcades, plus amples, ont un profil différent des autres et d'ailleurs moins heureux ; la voûte possède de chaque côté deux baies d'aération rejetées près des doubleaux, au lieu d'une seule ouverture médiane. Dans les troisième et quatrième travées, les cordons et tailloirs du berceau se placent une assise plus haut que ceux des travées orientales : le décalage s'opère à l'Ouest du troisième doubleau. Un relèvement des voûtes d'arêtes intervient dès la seconde travée : à l'Est du mur méridional deux impostes se superposent, la plus basse alignée sur celle de la première travée, l'imposte occidentale est unique mais située plus haut encore, à un niveau qui demeure constant par la suite ; à l'Est du collatéral Nord la différence se rachète d'un seul coup par un intervalle entre deux consoles, la plus élevée concordant avec le niveau de l'imposte Ouest ; les doubleaux séparant cette travée de la suivante sont moins fortement extradossés que les autres, celui du Nord est même tangent à la voûte.

— *Irrégularités des piliers.* Ce n'est qu'aux trois derniers couples que deux angles du noyau carré, bien dégagés, correspondent aux voûtes inférieures ; seuls en fait les troisièmes et quatrièmes piliers sont entièrement symétriques, d'une belle rigueur dans leurs décrochements, car les cinquièmes ont à l'Ouest une demi-colonne. Aux piles de la croisée, le ressaut vers le collatéral est peu saillant ; un prolongement du pilastre occidental rattrape le coin des voûtes.

Les supports du deuxième couple sont beaucoup plus complexes. Plus épais dans le sens longitudinal, ils ont sous le doubleau de la nef de larges dosserets, dont la saillie retraite par des encorbellements en double quart-de-rond au niveau de l'imposte des arcades, soit une assise plus haut à l'Ouest qu'à l'Est ; de là jusqu'au sol, il ne reste dans le plan vertical de la portion supérieure que d'étroits ressauts contre la demi-colonne. Les pilastres latéraux, moins larges que le rouleau des grandes arcades, libèrent vers la nef un redan, muni d'une colonnette à chapiteau sculpté en granit ; leur face vers le collatéral est rectiligne jusqu'au pilastre qui porte le doubleau. A l'Ouest, l'angle de la pile coïncide avec le bord extérieur de la grande arcade et l'arête de la voûte finit derrière celle-ci sur un culot. A l'Est, le support dépasse l'alignement de l'arc et la voûte s'accroche au-dessus de lui ; sous l'extrémité de la moulure très débordante du doubleau méridional se loge un gros corbeau sculpté. En outre, le pilier Sud n'a pas de cordon sur le retour extérieur de son pilastre Ouest ; on ne voit pas non plus, sous son imposte orientale, le second bandeau convexe qui existe au même endroit du pilier Nord.

— *Irrégularités de la mouluration.* Le quart-de-rond simple règne aux cordons du berceau dans toute leur longueur, aux tailloirs et impostes des deux doubleaux orientaux de la nef, aux impostes des grandes arcades de la première travée (celle du Nord-Ouest n'est pas vraiment en « double quart-de-rond ») ; il se trouve aussi sur la face extérieure des trois premiers couples de piliers et du cinquième pilier Sud, les deux premiers supports engagés de chaque mur et les troisième et cinquième du mur méridional, enfin aux culots et impostes des voûtes latérales, sauf aux quatrièmes piliers. Ceux-ci sont donc les seuls à présenter dans toutes les directions et à tous les niveaux le double quart-de-rond, d'aspect plus fin, que vous voyez également en tous les points non mentionnés par l'énumération ci-dessus.

— *Irrégularités de l'appareil.* Une sorte de collage s'observe dans le dosseret des seconds piliers de la nef, à l'Ouest de leur demi-colonne, au-dessus de l'encorbellement et sur la même largeur que lui. Dans le mur du collatéral Sud, plusieurs reprises sont très visibles : sous la fenêtre de la première travée, vers l'Est de la deuxième, l'Ouest de la troisième et de la cinquième. Au Nord, on relève quelques discordances d'assises au début de la première travée, une reprise plus nette à l'Ouest du portail dans la troisième, des discordances dans la quatrième à l'Est d'un pilastre sans emploi, amorti en talus sous la fenêtre ; enfin la même reprise qu'au Sud rattache la cinquième travée à la façade.

Toutes ces constatations renseignent sur la marche des travaux. Deshoulières, les négligeant à l'excès, pense que la nef, quoiqu'avec des interruptions, a progressé d'Est en Ouest. Pour Fage, qui décrit incorrectement les déviations du mur Sud et ne prend pas suffisamment garde aux autres indices, on a élevé, après le transept,

la façade et les travées occidentales, puis raccordé les deux tronçons par des piliers de forme exceptionnelle et une travée anormalement longue. Si nous nous efforçons de mieux considérer, en elles-mêmes et dans leurs rapports, les diverses catégories de dissemblances, nous sommes plutôt amenés à voir dans la première travée, même si ses murs ne sont pas absolument contemporains des croisillons, l'amorce d'une nef à très larges arcades, comparable à celle de Saint-Junien. Ensuite, pour des motifs tenant, soit à la surface disponible, soit au désir d'employer des vestiges de l'église du XIe siècle, la conception s'est modifiée : on a commencé, semble-t-il, les troisièmes piliers et le mur Sud des travées avoisinantes, jeté les bases de la façade et terminé d'Ouest en Est le mur méridional, tandis qu'étaient montés les deux piliers correspondants. Le mur septentrional, compte tenu de l'incorporation de fragments plus anciens, paraît avoir été bâti en plusieurs fois, mais de l'Ouest de la cinquième travée à l'Est de la deuxième, avec des cinquième et quatrième piliers Nord. Il y a bien eu un raccordement, mais il s'est effectué dans la deuxième travée pour les grandes arcades et les voûtes d'arêtes, à l'Est de la suivante pour la voûte haute en conséquence de l'achèvement des quatrièmes piliers, les derniers en date. Nous croyons que, du même coup, on a voulu alléger la forme primitive, qui devait être plus simple et plus encombrante, des supports du second couple, en évidant le bas de leurs dosserets et leurs pilastres, en disposant les colonnes d'angle qui ne sont pas appareillées avec le corps des piles.

Les objets d'art

Une grande cuve baptismale en granit, arrondie d'un côté pour être encastrée dans une niche, décorée sur ses faces droites de lions aux queues fleuronnées sculptés en méplat, est certainement antérieure à l'église actuelle ; la feuillure du rebord montre qu'elle avait un couvercle et prouve sa destination (pl. 11). Il y a dans le transept un bénitier monolithe, côtelé, et, dans l'absidiole du croisillon Sud, deux petits sarcophages nus qui ont recouvert les reliques des saints Israël et Théobald.

La sacristie conserve une belle croix-reliquaire en argent, à deux traverses pattées, ornée de filigranes, de cabochons et d'intailles ; cette pièce est ordinairement datée de la première moitié du XIIIe siècle (pl. 13).

L'EXTÉRIEUR

Le chevet et le flanc Sud

Vous aurez, des masses orientales de l'église, une bonne vue d'ensemble depuis le cimetière qui s'étend à peu de distance au Sud-Est. Les clochetons du transept, les toits pointus des absidioles, la tour à mâchicoulis de la chapelle terminale, hérissent leurs silhouettes pittoresques sans amoindrir le prestigieux élan de la lanterne et de sa flèche. Pour approcher davantage, vous devrez, dans la rue où s'ouvre le grand portail, frapper à l'huis d'une importante communauté de religieuses. A une curiosité banale la discrétion conseille de s'abstenir, mais les vrais admirateurs de la Collégiale obtiendront de gagner le tranquille jardin, la cour en contre-bas, qui enveloppent le flanc méridional et l'abside.

Le chevet, sous lequel émerge presque toute la hauteur de la crypte, distribue, avec la même clarté et plus de simplicité dans le détail qu'à Beaulieu, les demi-cylindres des cinq chapelles contre la courbe du déambulatoire et l'ample revers des croisillons. L'absidiole d'axe est prolongée d'aplomb par une tour de défense du XVᵉ siècle, plate à l'Ouest et bâtie en moellons, munie d'archères, de créneaux et de trois bretèches dont les encorbellements utilisent, comme au Chalard, les modillons de l'ancienne corniche romane. Les quatre autres ont une couverture de pierre débordante, sur des corbeaux ornés de têtes aux chapelles Nord, incurvés et plus frustes au Sud. Cette coiffe est conique au croisillon Nord ainsi qu'aux chapelles obliques où elle dépasse la corniche du déambulatoire. Elle débute sur la chapelle méridionale par un empattement arrondi, puis devient polygonale et monte plus haut que le bahut qui cache le toit du croisillon.

Chaque absidiole est épaulée de deux contreforts rectangulaires, rétrécis au niveau de la base des fenêtres et entourés d'un rebord saillant au pied de leur talus. Toutes les baies sont à une seule voussure « limousine », celles du déambulatoire légèrement plus grandes ; à la différence de l'intérieur, leur appui touche, ou peu s'en faut, le bas du vitrage. La plupart ont de petits chapiteaux calcaires sans tailloir ; les sujets, en général des têtes de monstres pleines d'expressive fantaisie, sont symétriques de part et d'autre de chaque fenêtre. Quelques chapiteaux lisses, à la travée droite Sud, à l'absidiole Sud-Est dont la fenêtre orientale est plus étroite et en arc brisé, pourraient être des réfections. Sur les murs, les signes lapidaires ou « marques de chance », le plus souvent circulaires, sont nombreux.

Le toit du déambulatoire déborde une corniche à bandeau et cavet, sur modillons sculptés de têtes. Celui du sanctuaire le domine faiblement, dissimulé par un bahut assez restauré, avec, comme au transept, des corbeaux sous une tablette et des gargouilles de section rectangulaire. A la jonction du chœur et de chaque croisillon, une tourelle d'escalier, octogonale au-dessus des toitures inférieures, s'achève par un lanternon de colonnettes à chapiteaux lisses et tailloir en quart-de-rond qui portent une arcature et une pyramide en pierre ; une baguette torique souligne les arêtes de la flèche Nord, comme au grand clocher de la croisée. Les deux premiers étages de celui-ci sont desservis par une tourelle ronde accolée à l'angle Sud-Est.

L'extrémité du *croisillon Sud,* cantonnée sur ses trois faces de gros contreforts aux glacis très allongés, est partiellement masquée par la sacristie en rotonde. La fenêtre du pignon n'a vers le dehors qu'une voussure, « limousine » toujours. Le mur Ouest est couronné d'un bahut qui rejoint celui de la nef centrale ; sa courte fenêtre a même décor qu'à l'intérieur. Un cordon, convexe en dessus, ceinture les contreforts de l'angle ; il s'abaisse sur le devant de la culée occidentale et rejoint latéralement par une oblique son premier niveau, qu'il garde ensuite dans toute la longueur de la travée.

L'élévation du *collatéral,* dont quatre travées seulement sont visibles, n'est pas dans son principe différente : la toiture, distincte de celle de la nef, est bordée du même bahut à gargouilles et tablette sur modillons sculptés ; les fenêtres ont une voussure torique, petits chapiteaux lisses et vitrage au ras de l'appui ; les contreforts rectangulaires sont massifs, le cordon se poursuit. En divers endroits des murs, vers le sommet de leur moitié inférieure, subsistent des consoles : là s'appuyait le toit de charpente du cloître, qui communiquait avec l'église par la porte murée de la première travée (pl. 1).

Prêtez attention aux reprises de l'appareil, bien discernables, qui vérifient les enseignements tirés de l'étude interne. A la rencontre du croisillon et de la première travée, les assises et le cordon sont en totale continuité ; le contrefort qui vient plus à l'Ouest a sa moulure inclinée sur les flancs et décalée, comme celui du transept ; son talus est également plus long qu'aux culées suivantes. A partir de la seconde travée, le cordon passe désormais un peu plus haut qu'auparavant ; il ne baisse de niveau, tout en demeurant horizontal, que pour contourner le troisième contrefort, lequel semble très restauré.

Le flanc Nord

Les contreforts du *croisillon* montent, mais sans être coupés d'un cordon, plus haut qu'au Sud, ce qui diminue la longueur et la pente de leurs glacis ; le coin de mur saillant entre eux est épaissi jusqu'à mi-hauteur. Un porche en berceau brisé s'ouvre entre les culées de la face Nord, par une voussure « limousine » sous archivolte à retours, en avant du portail qui compte lui-même trois voussures identiques. Une tablette à modillons limite un plan incliné sous la fenêtre, qui est de ce côté à triple mouluration et que surmontait jadis, comme l'attestent de vieilles photographies, un arc aussi profond que le porche ; le pignon et l'amortissement des contreforts ne portent aucune trace de ce dispositif, ils ont donc été refaits. Mise à part l'absence de cordon, le mur Ouest, sa fenêtre et son bahut, rappellent le croisillon méridional.

Sous la même réserve, *le collatéral* est à son tour semblable, dans sa couverture, le type de ses baies et de ses contreforts. Vous retrouvez les discordances d'assises, principalement à l'Est de la deuxième travée et à l'Ouest de la cinquième ; le glacis de la première culée commence légèrement plus bas que les autres.

Le portail de la troisième travée possède, sous un arc de décharge en plein cintre et un tympan nu, un linteau en bâtière orné de baguettes, avec, entre l'Alpha et l'Oméga, une croix pattée sur les branches de laquelle se lisent les mots

```
        R
        E
  L U X E L
        A
        P
```

A la base du linteau se déroule l'inscription :

DOMUM ISTAM TU PROTEGE DOMINE ET ANGELI
TUI CUSTODIANT MUROS EJUS ET OMNES
HABITANTES IN EA. AMEN. ALLELUIA.

Des demi-colonnes à dosserets flanquent le portail ; elles devaient soutenir un porche sur le tailloir de leurs chapiteaux lisses. Plus haut, une moulure venue du flanc des contreforts voisins traverse la muraille et dessine, sous la fenêtre qu'elle raccourcit, un petit fronton.

Il y a un enfeu dans le mur de la quatrième travée. Au-dessus de la cinquième et des contreforts plus importants qui épaulent la tour de façade, remarquez un autre témoin des fortifications tardivement ajoutées à l'église : dans un mur de moellons, crépi, deux arcs plein cintre bouchés jumelés sur un culot, en haut à droite une archère avec trou de couleuvrine.

La façade

La Collégiale appartient au groupe très défini d'églises limousines qui composent un frontispice monumental avec un clocher sur la travée d'entrée.

Le rez-de-chaussée fait penser à Saint-Junien et à la Souterraine par les étroites arcades brisées à bords droits au fond desquelles sont percées les fenêtres des collatéraux. Le portail a deux baies, un tympan et un trumeau comme celui de Saint-Junien, des voussures festonnées comme celui de la Souterraine. Mais il ne reproduit exactement aucun de ces exemples : plus original que le premier, il est ordonné avec plus de grandeur et de logique que le second. Sous une archivolte à double boudin qui fait retour aux imposts, ses quatre voussures, et les tores qu'elles abritent, sont ondulées chacune de sept lobes, sans interposition d'autres ressauts (pl. 3).

Les jambages, par contre, sont rectilignes ; ils n'ont conservé qu'à droite leurs colonnettes qui, sauf la première, continuent les tores sans chapiteaux. Ainsi combinée avec le large mouvement des courbes supérieures, leur verticalité provoque une saisissante impression de force et d'équilibre. Une console privée de statue se suspend au tympan plein. Le trumeau, faisceau de colonnes qui donnent un plan en quatrefeuille, a des chapiteaux de serpentine, lisses, sous de volumineux tailloirs à quart-derond. Les deux portes en arc brisé, dont les doubles rouleaux sont arrondis ainsi que les montants, gardent à leurs vantaux d'élégantes pentures romanes. Sur les claveaux, l'inscription :

SUP. HANC PETRAM AEDIFICABO ECCLESIAM MEAM

rend hommage à saint Pierre, Patron de l'église ; la date de 507 n'est qu'une allusion à la légende sans fondement des origines.

En fort retrait sur des gradins convexes, *deux clochetons* octogonaux, reliés à la tour par des murets à rebord horizontal, terminent les escaliers logés dans les angles. Ils sont une parenté de plus avec les façades précitées, en même temps que la réplique des tourelles orientales du transept.

Le lourd *clocher* carré évoque presque trait pour trait Bénévent : le premier étage, à fenêtre centrale et trois arcs brisés, ici sur pilastres, est surmonté de nouveaux retraits bombés ; l'étage aveugle a chacune de ses faces décorée de quatre arcs, reçus alternativement par un pilastre et une demi-colonne à chapiteau lisse ; le toit n'est qu'une pyramide de charpente et paraît avoir toujours été ainsi.

Le grand clocher

Revenez, pour achever votre visite, à l'œuvre parfaite vers laquelle vous aurez déjà bien des fois levé les yeux. Pour mieux en fixer le souvenir, mais aussi parce qu'elle harmonise avec un rare bonheur au style grave et robuste de tout l'édifice les premiers signes d'un ordre de valeurs différent (pl. 1).

Le tambour de la lanterne et l'étage qui renferme la coupole se rattachent absolument aux campagnes qui ont bâti le transept et la nef. Comme à Saint-Léonard ou à Bénévent, l'octogone est planté de sorte que quatre de ses angles concordent avec les axes de l'église. Les fenêtres en plein cintre ont dans leurs trois voussures « limousines » des chapiteaux incurvés et nus (pl. 2). Pareillement sobres sont ceux des colonnes qui, plus fortes sur les coins qu'au milieu des faces, portent à chaque pan du second étage deux trilobes, note d'exotisme issue des mêmes apports lointains qu'au portail Ouest et plus comparable encore à l'arcature du clocher de Saint-Yrieix.

(*suite à la page 230*).

TABLE DES PLANCHES

DIMENSIONS

Longueur totale dans œuvre : 77 m 60.
Longueur de la nef : 46 m 90.
Longueur de la croisée : 10 m.
Longueur du chœur, chapelle absidale non com-
    prise : 15 m 90.
Profondeur de la chapelle absidale : 4 m 80.
Largeur totale à la nef, (travées Ouest) : 18 m.
Largeur de la nef, (axe des piliers) : 10 m 20.
Largeur moyenne des collatéraux de la nef : 3 m 80.
Largeur totale à la nef avant la croisée : 17 m 60.
Longueur totale du transept dans œuvre : 38 m 80.
Largeur des croisillons du transept : 8 m 30.
Profondeur des absidioles du transept : 4 m 75.
Largeur totale à l'entrée du chœur : 18 m 10.
Largeur du déambulatoire : 3 m 80.
Hauteur de la nef : 18 m 80.
Hauteur des bas-côtés de la nef : 12 m 80.
Hauteur de la tour-lanterne : 26 m 60.
Longueur totale de la crypte dans œuvre : 19 m 80.
Largeur totale de la crypte dans œuvre : 16 m 60.
Longueur de la chapelle centrale de la crypte : 8 m.
Hauteur totale de la flèche de la croisée : 60 m.
Hauteur de l'ange sur la flèche : 1 m 75.

Sans rien perdre de la concision romane, le troisième étage indique cet affinement qui partout accompagne l'éclosion gothique. Or, ce phénomène, dans notre région, ne peut guère être antérieur aux premières décades du XIIIe siècle : voyez, entre autres, les baies supérieures du clocher de Saint-Junien qui date très vraisemblablement de cette période. Le fait qu'au Dorat les ouvertures associent le plein cintre des arcs de décharge au profil brisé des lancettes géminées ne prouve — faut-il le redire ? — rien en soi. Mais les chapiteaux à boules des colonnettes sont révélateurs, de même que la mouluration amincie, la gorge qui trace un filet d'ombre au bord des arceaux et des piédroits. C'est peu de chose, assez cependant pour laisser entrevoir une transformation du goût, dans un sens qui plus tard, aux clochers de Limoges et de Tulle, tendra vers un excès d'amaigrissement.

La flèche a pu, sans chauvinisme, être comparée aux plus fières de celles que le XIIe siècle, réunissant le meilleur de ses traditions et de ses audaces, a dressées dans le ciel des pays capétiens. Si elle cède à plusieurs par la taille, elle est leur égale en décision, en sérénité. Un empattement à sa base reprend le ferme motif des bourrelets qui accentuaient les retraits de la souche ; ses plans de granit aux articulations précisées de baguettes rondes s'effilent vers le grand ange de cuivre, jadis doré, qui, sur le chef-d'œuvre des maçons limousins, met à l'honneur la mémoire de leurs compatriotes orfèvres.

MANUSCRITS

La table des planches illustrant ce chapitre se trouve à la page 248.

UNE abbaye a peine à disparaître en entier. On peut s'acharner contre elle, on peut ruiner ses bâtiments, détruire les moindres témoignages de son activité, de sa vie, il reste toujours plus ou moins quelque vestige qui en trahit l'existence et la portée.

Ainsi Saint-Martial de Limoges dont le rôle fut capital durant le Moyen-Age, en musique notamment... Quelques manuscrits suffiraient à rappeler sa présence, à redire l'influence qu'une telle abbaye exerça en son temps.

L'ENLUMINURE A LIMOGES

A la France picturale romane partagée entre
Nord et Sud il fallait un lien, à ce diptyque une
charnière : c'est Limoges. Et Limoges, c'est d'abord
Saint-Martial. Il ne nous reste plus guère de l'importante abbaye, située en bordure septentrionale
de l'Aquitaine, que ses livres, mais ceux-ci donnent
de son intense activité intellectuelle et artistique
l'image la plus exacte : lettres, histoire, musique,
peinture, Saint-Martial fut en ces domaines divers,
du Xe au XIIe siècle, l'un des lieux majeurs de la
culture occidentale. Lien entre Nord et Sud :
fonction qu'imposaient une situation privilégiée
à proximité de Tours et de Marmoutier, centres
fameux de la renaissance carolingienne, aux portes
des pays de Languedoïl, et, vers le Midi, le voisinage
d'un Languedoc où les apports de la Méditerranée
et de l'Orient allaient bientôt susciter l'éclosion
la plus brillante. Au-delà, la route de Compostelle
dont elle était l'une des étapes ouvrait à l'abbaye
les trésors d'Espagne mêlés à ceux de l'Islam,
tandis que les foules de voyageurs et de pèlerins
venus des régions les plus reculées la mettaient au
contact de ce lointain royaume de Germanie que la
dynastie des Ottons emplissait de merveilles.

Nous avons conservé, provenant du fonds de
l'abbaye, un recueil d'Évangiles écrit et peint à
Saint-Martin de Tours au temps d'Alcuin (796-804):
la présence de notations musicales aquitaines du
Xe siècle prouve qu'il était dans la région dès cette
époque, et selon toute vraisemblance à Saint-
Martial (1). Ce livre donne la clef du premier art
limousin. Car c'est bien à l'école carolingienne de
Tours, et précisément aux manuscrits peints durant
le gouvernement d'Alcuin, que les plus anciens
ouvrages limousins connus empruntent leur décor :
une Bible qui peut dater du Xe siècle (2), un Lectionnaire plus jeune mais antérieur au XIe (3). La Bible
porte en tête de chacun de ses livres une lettrine à
grosses palmettes carolingiennes, les arcs de ses

canons évangéliques reposent sur des animaux divers, comme ceux de Tours, leurs colonnes sont garnies, d'après le même modèle, de ces bêtes furieusement enlacées que l'on retrouvera plus tard dans la sculpture de Souillac et de Moissac (thème d'origine orientale que celle-ci a pu recevoir de Limoges ou d'ailleurs) (p. 12) ; certaines lettrines ont conservé les grands oiseaux mérovingiens stylisés, si élégants, dont les peintres d'Alcuin gardaient encore le souvenir. Rien ici qui ne provienne de Tours, du Nord. Le Lectionnaire use de motifs analogues, puisés à la même source. Pour illustrer les récits qu'il contient (des vies de saints) le peintre y ajoute audacieusement la figure humaine, mêlant à des inventions de son cru assez plates de beaux sujets qu'il copiait mais que, docile, il ne savait guère interpréter, fondre dans un ensemble décoratif pour en tirer une composition homogène comme y réussiront ses successeurs à Limoges et partout. Heureuse maladresse. L'art roman renaît à peine, après l'intermède carolingien qui, le regard fixé sur l'Antiquité, en avait interrompu le cours ; renaît, car on retrouve bien ici le même esprit qui animait, dans la seconde moitié du VIIIe siècle et au début du IXe, les décorateurs du Sacramentaire dit de Gellone ou du Psautier d'Amiens (4) : mais l'homme de Saint-Martial est loin de posséder les moyens de ses lointains devanciers et nous voyons ainsi fonctionner chez lui naïvement, comme à nu, le mécanisme de la formation picturale romane. Invention occidentale, l'initiale ornée n'est pas toujours simple fantaisie décorative : quand ils le peuvent, et surtout dans les débuts notons-le, les peintres d'Occident tirent du texte même qu'elle annonce les éléments dont ils la formeront ; les plus adroits combinent ceux-ci de telle sorte qu'il est parfois difficile de les isoler : l'artiste a démonté les objets dont il s'inspire pour les assembler à nouveau, les reconstituer à sa guise, il prend appui sur le concret pour s'évader dans l'imaginaire. L'affaire est plus simple ici, mais de même ordre, et elle montre chez le peintre de Saint-Martial, à défaut de grand talent, une curiosité intelligente et ingénieuse. Il s'agissait par exemple, en tête de la vie de saint Thomas (qui commence par les mots *Beatum Thomam*), de tracer un *B* qui fît allusion au héros de l'histoire : soit une haste et deux boucles (pl. 1). Parmi les objets précieux que possédait le trésor de l'abbaye, notre homme choisit l'un de ces petits bas-reliefs d'ivoire que l'Orient byzantin répandait à profusion en Occident : un saint debout, drapé à l'Antique, plaqué dans une niche en forme de stèle. Nous possédons encore beaucoup de ces ivoires, qui datent du début du Xe siècle et forment une série très homogène ; le plus connu, qui représente le couronnement par le Christ de l'empereur Romanos II et de sa femme Eudocie, est actuellement conservé à Paris, au Cabinet des médailles. Il nous est donc facile de comparer l'original, ou du moins son type général, à la copie de Saint-Martial : la fidélité de celle-ci, digne d'un relevé d'archéologue, ne permet pas d'hésiter sur le modèle, quelque saint Pierre ou saint Paul du groupe « Romanos », dont le peintre de Saint-Martial a fait un saint Thomas, haste « parlante » pour le lecteur et, pour nous, témoin sans réplique. Pour les boucles du *B* il lui suffisait de puiser dans le riche répertoire traditionnel mérovingien et carolingien déjà utilisé dans la Bible et d'y trouver des palmettes arrondies, des animaux divers habitués depuis longtemps à jouer ce rôle, ici chiens et paon courbés en volutes, poisson. D'autres figures de saints analogues, dans le Lectionnaire, proviennent d'ivoires de la même série : le peintre avait le choix. La mode de ces menus objets d'ivoire, coffrets, diptyques, plaquettes qui servaient parfois de reliures, a dû se répandre en Occident par l'Allemagne : la cour ottonienne entretenait des rapports familiaux avec celle de Byzance, les ivoires du genre sont encore nombreux au-delà du Rhin, et le fait qu'une des initiales du Lectionnaire se confond jusque dans le détail avec un dessin allemand dont le modèle est voisin suffirait à nous indiquer par quelle voie Saint-Martial les a connus (5). Ces liaisons avec les pays d'outre-Rhin vont se préciser et se multiplier par la suite, toujours à Limoges, mais cette fois, nous le verrons, à la cathédrale Saint-Étienne, un siècle plus tard, et sous un aspect tout différent. Avec le Lectionnaire se termine la première phase de l'enluminure limousine, que rien ne rappellera plus désormais à Saint-Martial ; ainsi se vérifie l'une des lois de la peinture romane française : il est vain d'y rechercher la continuité d'« écoles », monastiques ou autres. Écoles à la cour carolingienne, certes, là où, autour d'un maître tout-puissant, se groupaient des nuées de serviteurs attachés à sa personne, parmi lesquels des artistes attentifs à suivre ses directives et celles de ses

Ci-contre et page suivante : Deux initiales du Tropaire-prosier de Saint-Martial. Limoges. 1er tiers du XIe siècle. (BN lat. 1121).

ecclesiae signo cum dolet ecce prebet V oxi

PHA

AEC

pyrec

tribu

mipra

cumpr

canamus dicentes t ecceaduenit Cui mao

ART͡IALEM RᴱSECLA

cuncti potens logit no_____bir que apostolii dedit. Probaut

familiers, et où la permanence dynastique permettait les longs desseins ; écoles encore à l'époque gothique, pour des raisons différentes, lorsque la production du livre s'industrialise et s'organise en métier artisanal. Mais au temps où nous sommes ? Nous assistons alors à des floraisons brèves, qui durent autant qu'un abbé, qu'un peintre, et seuls les centres aux ressources très importantes pourront peut-être, et non avant la seconde moitié du XIIe siècle, s'offrir le luxe d'ateliers qui présentent quelque apparence de durée. A Saint-Martial, dont l'activité, commencée très tôt, se termine dès la fin du XIe siècle, rien de tel. Il existe au moins trois « écoles » limousines, les deux premières séparées par un siècle, la dernière contemporaine de la seconde ; écoles sans rapport de filiation directe entre elles, dont le cousinage tient bien plus aux conditions générales d'une vaste région artistique qu'à des affinités locales. Nous venons d'examiner la première.

Passons à la seconde. Avec elle, quittant le Nord et les Carolingiens, nous sommes en pleine Aquitaine. C'est que l'art d'Aquitaine vient de surgir, avec sa littérature. A Limoges, les souvenirs carolingiens et plus lointains sont effacés ; la France septentrionale se peuple bien d'artistes, certains éminents, mais le Midi est là, tout proche, de même langue, de même culture, ardent, expansif, qui exercera bientôt son attrait jusqu'à la Loire et au-delà. Dans le premier tiers du XIe siècle Saint-Martial se tourne vers lui, et nous retrouvons ici l'Orient méditerranéen, mais venu directement, non plus à travers la Germanie. Les modèles changent, l'esprit demeure, témoins, dans un Tropaire (6), les deux paons à aigrettes que brandit saint Martial, traditionnels au même titre que le paon de saint Thomas (p. 238) ; mais en tête d'une prose en son honneur, et signe d'une force qui convenait au patron dont on poursuivait alors énergiquement l'apostolicité, ce geste de saint Martial étranglant les oiseaux imite celui du Gilgamesh assyrien qui étouffe des lions, repris par des tissus d'Orient importés en France : là est l'origine ; nul doute que le trésor de l'abbaye, comme ceux d'autres communautés, le chapitre de Sens par exemple, ait possédé des étoffes de ce genre ; et le décorateur de Saint-Martial, avec cet œil sensible au graphisme des artistes romans, des enlumineurs en particulier habitués à tracer des initiales, a lu dans ce décor l'M onciale

Page précédente et ci-contre : Deux pages du Sacramentaire de la cathédrale Saint-Étienne de Limoges (vers 1100). (BN lat. 9438). Présentation au Temple et Saintes Femmes au tombeau.

dont il avait besoin, en même temps qu'il y trouvait l'occasion d'une allusion flatteuse à la force du grand saint. Byzance fera dans le cours de la seconde moitié du XIe siècle une irruption massive en Languedoc ; mais déjà l'entrelacs aquitain se montre ici, ce mystérieux entrelacs si caractéristique, qui paraît très tôt dans la région d'Albi, qui se propagera bientôt dans tout notre Midi et qu'il semble bien difficile de ne pas rattacher au chapiteau byzantin du VIe siècle, celui de Justinien, par l'intermédiaire islamique de l'Espagne à la rigueur. Quoi qu'il en soit de ce point, voilà Saint-Martial définitivement méridional. Il le restera. Il faut lier peut-être cette tendance vers le monde méditerranéen, vers l'Antiquité et ses successeurs byzantins, aux goûts classiques de l'entreprenant Adémar de Chabannes, à sa curiosité pour l'Orient, pour le pays des origines chrétiennes, qui le fit voyager en Terre Sainte où il devait mourir en 1034. Il a remanié le Tropaire, qui porte sa signature et contient de nombreuses corrections favorables à l'apostolicité de saint Martial. Moine de l'abbaye de Saint-Cybard d'Angoulême, il avait été élevé à Saint-Martial par ses oncles Adalbert, doyen et prévôt, et Roger, chantre de l'abbaye, et c'est à Saint-Martial qu'il léguera ses livres. Historien, poète, prédicateur, musicien peut-être, dessinateur, il a défendu, avec une opiniâtreté qui parut triompher au concile de Limoges en 1031, la thèse qui faisait du patron de Limoges un disciple du Christ. Son activité multiple nous a laissé non seulement la curieuse et précieuse *Chronique* qui porte son nom, mais une série de dessins pour une vie du Christ, pour une Psychomachie, pour un recueil de fables, pour un traité d'astronomie ; ces dessins hâtifs, griffonnés sur des bouts de mauvais parchemin au milieu de brouillons de textes, ne sont que des esquisses destinées à servir de modèles à des enlumineurs ou à des peintres de fresques ; ils portent par endroits, à l'usage de ceux qui auraient à s'en inspirer, des indications de couleurs. Mais à cet égard Adémar fait figure d'animateur plutôt que d'exécutant ; à part le Tropaire qui vient d'être mentionné il ne semble pas que cette activité ait été suivie d'effet : il serait étrange, tant nous avons conservé de manuscrits de Saint-Martial, que presque tout ait disparu de livres décorés sous son impulsion.

Il faut attendre à peine (fin du XIe siècle - début du XIIe) pour voir la peinture revivre à Limoges :

troisième phase. Cette reprise, deux chefs d'œuvre la marquent, très différents l'un de l'autre, fort éloignés de ce qui s'était fait jusqu'alors à Saint-Martial, mais signe encore de cette vocation à servir de trait d'union qui parait ainsi, jusqu'à la fin, commander l'art limousin : une Bible, dite seconde Bible de Saint-Martial (7), et le Sacramentaire déjà nommé, rédigé et peint pour la cathédrale Saint-Étienne (8).

Notons tout d'abord que la Bible a été décorée par deux artistes, de qualité d'ailleurs inégale. Le meilleur, l'un des plus grands parmi les peintres de notre Moyen-âge, s'en est réservé la meilleure part ; l'autre, de tempérament opposé, de goût plus lourd, tient de près, si ce n'est lui, au décorateur d'une *Vie de saint Martial* antérieure de peu et certainement peinte pour l'abbaye (9), ce qui donne aussi la certitude pour la Bible elle-même ; constatation satisfaisante (le cas n'est pas si fréquent), que confirment trois manuscrits provenant de Saint-Martial, décorés de petites lettrines par l'auteur principal de la Bible. Celui-ci a beaucoup vu et beaucoup retenu. Qu'il appartienne ou non au personnel de l'abbaye, sa formation est aquitaine, il a le goût des compositions au canevas géométrique clairement lisible, aérées comme le sont les compositions fougueuses de la célèbre *Apocalypse* de Saint-Sever-sur-Adour, en Gascogne (10). Il ne pouvait pas ne pas connaître celle-ci ou un manuscrit parfaitement semblable : et c'est d'elle qu'il tient ses qualités fondamentales, les tonalités plates et vives qu'il assagit sans les changer, les fonds partagés en bandes horizontales, le décor d'encadrement, en somme l'ordonnance générale. Le cadre de la plupart des images (pl. 2 et 3) reproduit les arcatures en plein cintre ou à pans coupés de l'*Apocalypse* ; les pièces architecturales en trois parties qui les surmontent, aux coupoles surbaissées reliées par de longues lignes de faîte tangentes aux extrados des arcs, semblent décalquées du manuscrit de Saint-Sever. De même pour le décor peint des colonnes. En même temps qu'à Limoges, cet apport gascon, apport de formes et de garnitures (par certains détails même islamique), passait en Poitou et en Anjou sans qu'on puisse affirmer que Saint-Martial ait servi de truchement. Les curieux soubassements en forme de personnages accroupis ou dansant proviennent, comme certains chapiteaux à lions, de modèles carolingiens ; Limoges les a prêtés à l'Italie, comme en témoigne, dès la fin XIᵉ siècle, l'ambon de Saint-Ambroise de Milan. Les plis serrés, empesés, les étoffes appliquées sur le corps et moulant les muscles rappellent en revanche Toulouse, et s'il fallait un certificat d'origine supplémentaire, le revêtement circulaire, en écailles de poisson, du sol sur lequel s'appuie le coussin de Damase, les jambes croisées de celui-ci lèveraient toute hésitation : croisement ou écailles distinguent entre toutes les fameuses Dames des Augustins de Toulouse, le non moins fameux abbé Durand de Moissac. Mais cet Aquitain tout imbu de l'art de son pays est avant tout, chose essentielle, un grand artiste ; ce dessinateur exact et soigneux, à la graphie précise comme une épure, sait, par des contrepoids subtils, assouplir des petits tableaux que durcirait un équilibre rigoureux encore accusé par la vivacité légère et uniforme, un peu sèche, des coloris. Le pape Damase (pl. 2), bien qu'assis, domine de sa haute taille le prêtre Jérôme, comme il se doit, mais celui-ci qui, seul à gauche, flotterait, tient à la main la lettre à Damase démesurément grossie, laquelle, réservée sur le fond, ce qui l'agrandit encore, occupe à elle seule une bonne part de cette moitié gauche ; le début de la préface de Jérôme qui s'y lit en gros caractères et relie ainsi image et texte se trouve déporté vers la gauche : asymétrie voulue, car il est facile de se convaincre que ce n'est pas là effet du hasard en analysant de la même façon notre planche 3. Le Seigneur s'adresse à Moïse ; il est plus grand, conformément au canon roman des valeurs déjà signalé, et la correction que cette disproportion obligée rend nécessaire, comme pour l'autre tableau, s'obtient par des moyens analogues : le bras du Seigneur s'étend exactement jusqu'à l'extrémité droite du linteau, à la retombée centrale des arcs, marquant ainsi, pour l'œil, le milieu de la scène (donc élargissant d'autant la moitié gauche qui contient le personnage le plus grand), tandis que le long bâton que tient verticalement Moïse réduit la place qu'occupe celui-ci. Et ce déplacement de la ligne médiane imaginaire est à demi rattrapé dans le bas par les deux lettres *VO* (*cavit Moysen*), légèrement chassées elles-mêmes vers la droite (et non placées au milieu, ce qui accuserait le déséquilibre), mais suffisamment larges pour paraître centrées. A vrai dire, notre peintre n'est pas le seul à manier l'artifice avec cette dextérité : on en trouve de nombreux exemples dans l'art roman, mais en général plus tard : en cette fin du XIe siècle il est l'un des premiers à notre connaissance, le premier peut-être. Que l'on compare l'*Apocalypse*, qui date des environs de 1050 et à laquelle il doit tant, et l'on y notera une adresse bien moindre à répartir les pleins et les vides, des « trous » que notre Limousin sait éviter ; la Bible de Saint-Martial annonce l'apogée romane française, elle révèle, avec une clarté singulière, ce souci d'information, de choix, que montrait déjà le peintre du Lectionnaire, joint ici à une maîtrise que le XIIe siècle affirmera graduellement et qui s'épanouira enfin au siècle gothique.

A peine postérieur à cette seconde Bible de Saint-Martial, le Sacramentaire de Saint-Étienne nous transporte dans un monde véhément, pathétique, bien loin de sa majestueuse et froide sérénité. Dix peintures à pleine page (l'une d'elles manque) y décorent en frontispice, outre celles du Canon, les principales messes de l'année, de l'Avent à la Pentecôte. Nous reproduisons celles de la Purification et de Pâques (p. 239 et 240), qui donnent une bonne idée de l'ensemble mais ne permettent pas, à elles seules, de montrer avec quelque détail l'étroite parenté de son iconographie avec celle d'Outre-Rhin ; notons cependant l'importance donnée, dans les étoffes, aux « claves », décor de rectangles dorés qui vient à n'en pas douter, car il est alors inconnu en France, aussi bien au Nord qu'au Midi, de l'enluminure ottonienne. Le peintre était pourtant aquitain, comme l'indiquent les pages du Canon, aux palmettes d'un type plus spécial à la région de Narbonne, inspiré des décors contemporains du Mont-Cassin semble-t-il, les entrelacs plaqués en nœuds serrés sur les hastes, les bêtes enlacées à la façon des reliefs de Souillac ; ses tonalités, une accumulation un peu lourde, le goût des motifs dorés rappellent le peintre de la *Vie de saint Martial* et le maître secondaire de la seconde Bible, ce qui permet de l'affirmer plus précisément limousin : un Limousin qui a reçu d'ailleurs, pour les traiter à sa manière, des thèmes d'inspiration que rien ne lui offrait sur place, qui a su recréer, pour en faire une œuvre de notre Midi, les motifs qu'il empruntait de quelque manuscrit d'origine germanique, les marquer d'un caractère dramatique, sévère, dur même, en accord avec certaines tendances générales de la région. Mais ce remarquable artiste, si personnel, nous intéresse et nous intrigue encore par ce qui le rattache à l'art limousin par excellence, l'émail, et qui est patent. Ses peintures semblent la transposition d'émaux sur le parchemin. De l'émailleur, ce peintre tient un dessin véritablement cloisonné, aux longs filets appuyés, comme métalliques, enveloppant les formes et les couleurs de cernes implacables, un modelé heurté, jusque dans les visages, fait de segments juxtaposés, indépendants. Le Christ de majesté du Canon est entouré d'étoiles, allusion habituelle au Paradis, mais ces étoiles copient manifestement les clous de cuivre qui fixaient, sur les châsses par exemple, les plaques émaillées. Nous connaissons un autre Christ semblable, et c'est justement un émail, celui de la plaque de reliure dont un exemplaire provient de la collection Spitzer, au Musée de Cluny. Enfin les tonalités elles-mêmes, chaudes, en majorité rouges sur fonds d'un bleu profond, l'or distribué à profusion témoignent également d'un goût formé au contact des artistes qui manient les matières vitrifiables et le métal, des artistes du feu. Ces rapports très étroits sont plus faciles à constater qu'à expliquer, car ils se heurtent à des difficultés d'ordre chronologique ; ils sont là pourtant, n'en déplaise à la chronologie, et le Sacramentaire, cet Ottonien naturalisé, nous ouvre peut-être, sur les origines lointaines de l'émail limousin, des aperçus pour le moment invérifiables, simples hypothèses, mais qui ne doivent pas, pour autant, être négligés. En ce XIIe siècle où elle cessera de peindre, Limoges inaugurerait ainsi, par un retour vers le Nord, la technique qui allait lui assurer une célébrité européenne.

JEAN PORCHER

NOTES

1. *Bibliothèque nationale, Lat. 260.*
2. *Bibliothèque nationale, Lat. 5. Un fort bon juge, le prof. B. Bischoff, est d'avis que le manuscrit date du IXe siècle. Le décor paraît un peu plus tardif, et peut-être s'agit-il ici d'un cas de mimétisme analogue à celui de la Bible d'Angers (voir* Anjou Roman, p. 182).
3. *Bibliothèque nationale, Lat. 5301.*
4. *Voir à ce sujet la* Revue des arts, *1957, pp. 51 et ss.*
5. *Lectionnaire, fol. 197; et au Vatican, Palat. Lat. 824, une Trinité du IX-Xe siècle reproduite par A. Goldschmidt,* Deutsche Buchmalerei, *I, pl. 61.*
6. *Bibliothèque nationale, Lat. 1121.*
7. *Bibliothèque nationale, Lat. 8.*
8. *Bibliothèque nationale, Lat. 9438.*
9. *Bibliothèque nationale, Lat. 5296 A.*
10. *Bibliothèque nationale, Lat. 8878.*

Les pages qui précèdent développent et complètent un texte donné au catalogue de l'exposition L'art roman à Saint-Martial *organisée à Limoges en 1950 par M. et Mme Serge Gauthier, exposition qui réunissait, outre l'ensemble des manuscrits provenant de Saint-Martial, des témoins lapidaires de la célèbre abbaye disparue. Les manuscrits y étaient représentés par de nombreuses planches et d'excellents graphiques de Mme S. Gauthier. Sur le rôle de Saint-Martial dans l'évolution de l'enluminure romane, Mme Micheli a écrit des pages importantes dans son livre* L'enluminure du haut Moyen âge et les influences irlandaises, Bruxelles 1939.

TABLE DES PLANCHES

sio. sci
me apli.
si. xii. k. ian.

EA
FC
V

THOM

CUO

R

L

Q

VI

DIS

cipulis ad officium apostolatus ele

ctum ipsumq; ado didimu quod dic

pre atai r geminus uocitatii. fi

des euangelica narrat; Qui post

DESIDERATASACCE

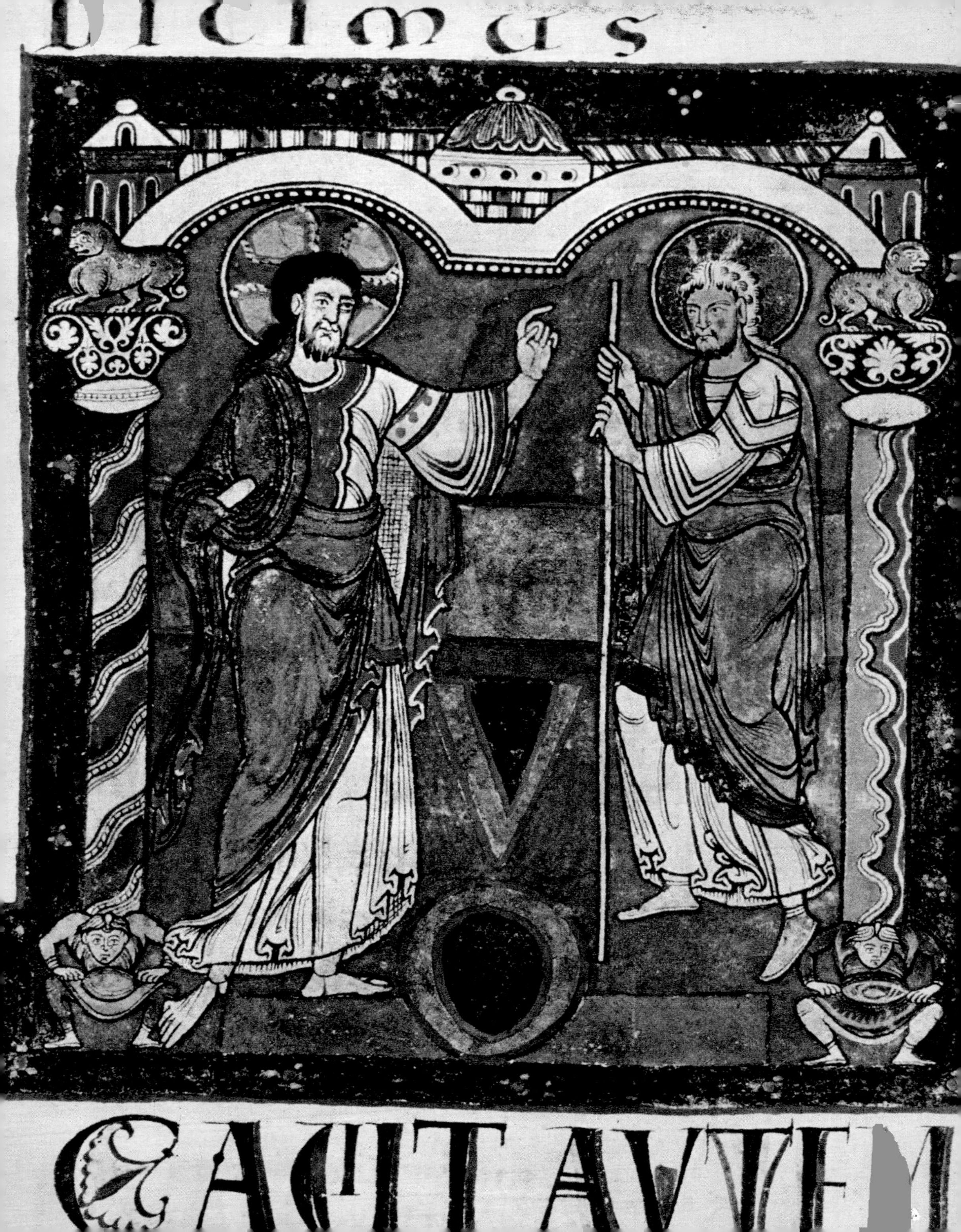

14

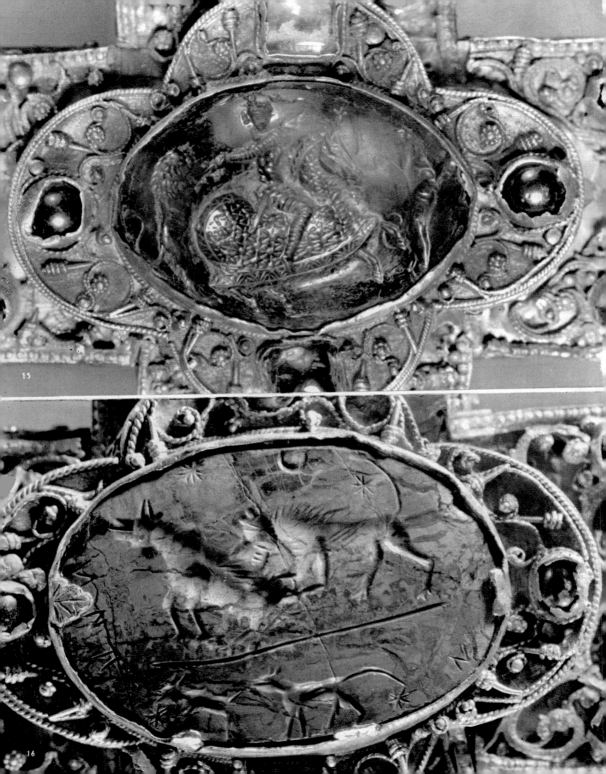

15

16

LA CHASSE DE BELLAC
PAGE PRÉCÉDENTE : LE CHRIST
PAGE SUIVANTE : UN ANGE

LA CHASSE DE GIMEL : TROIS
ANGES ET QUATRE APOTRES .

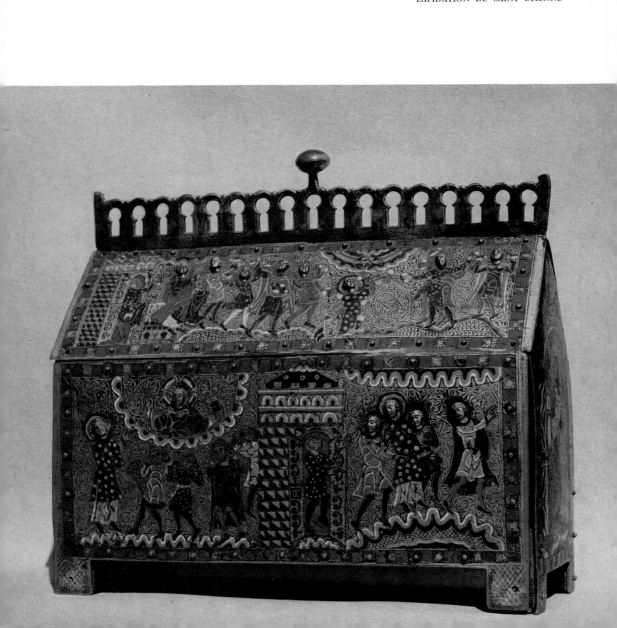

LA CHASSE DE MALVAL AU MUSÉE
DE GUÉRET : FACE DE LA LAPIDATION
ET DE LA GLORIFICATION DE SAINT ÉTIENNE

MÊME CHASSE. *PAGE SUIVANTE :*
LA CROIX RELIQUAIRE DE GORRE

ORFÈVRERIES

La table des planches illustrant ce chapitre se trouve à la page 248.

SI le Limousin Roman ne saurait être limité à l'orfèvrerie, celle-ci du moins en compose une part essentielle... Elle a porté à travers la chrétienté d'alors, à travers le monde d'aujourd'hui, le juste renom de Limoges.

Un tel chapitre pourrait donc être énorme. En limitant sa portée aux seules pièces capitales de l'orfèvrerie romane encore visibles en Limousin, nous avons pensé lui donner ses limites les plus raisonnables comme les plus justes, sachant bien qu'en maints autres ouvrages de la collection, il nous sera donné de faire saisir à nouveau les bienfaits de cette richesse limousine.

ÉMAUX ET ORFÈVRERIES

L'émaillerie sur cuivre est une industrie d'art pratiquée encore de nos jours à Limoges. Les deux grands moments de son histoire se situent aux XIIᵉ et XIIIᵉ siècles, puis à la fin du XVᵉ et au XVIᵉ siècle. L'époque romane a vu éclore cette forme particulière des arts du feu, en divers points de l'Europe, en particulier dans la région rhéno-mosane et l'Allemagne du Nord-Ouest, d'autre part en Aquitaine, probablement dans le Nord-Ouest de l'Espagne et sans doute sporadiquement en Sicile normande. Les œuvres même nous apprennent que quelques artistes héritiers d'une part des traditions de l'orfèvrerie occidentale, avertis aussi des ressources du vitrail, et riches d'autre part d'une expérience artistique acquise au contact des œuvres d'art somptuaire de l'Orient chrétien et musulman, nielles, émaux, soieries, mosaïques, miniatures, ont renouvelé procédés et style au goût de leur temps et de leur milieu.

La distribution géographique des plus anciens émaux champlevés méridionaux entre le versant Nord-Ouest du Massif central et la Castille et l'ignorance où nous sommes des faits historiques nous engagent à formuler une hypothèse de prudence sur l'origine « limousine » de cet art : le ou les artistes novateurs, qui auraient mis au point avant le milieu du XIIᵉ siècle le nouveau procédé, connurent assez de succès pour être appelés à travailler dans divers centres où ils recrutèrent et formèrent éventuellement des collaborateurs. Nous ne savons où et comment ils ont fait leur apprentissage ; mais nous voyons subsister des œuvres étroitement apparentées à Conques en Rouergue, à Roda de Isabena en Aragon, à Bellac en Limousin, enfin à Limoges même (pl. 13). Mais dès 1167, un inventaire de la cathédrale de Rochester cite une reliure de « l'Œuvre de Limoges » disparue aujourd'hui, marquant ainsi que dès cette époque était reconnu le caractère spécifique d'une orfèvrerie, sinon d'une émaillerie en provenance de Limoges.

D'autre part des textes plus anciens nous assurent que de véritables ateliers avaient été installés auprès de monastères riches et que, sous l'impulsion d'un ecclésiastique qui fixait au moins la destination et l'imagerie des vases précieux, l'or, l'argent, les gemmes, les perles orientales, les camées antiques étaient travaillés par des moines ou des convers, mais aussi souvent par des laïcs, entrant parfois dans les ordres à la fin de leur vie. Ainsi au Xe et au XIe siècle, Saint-Martial de Limoges, Sainte-Foy de Conques, Silos, Oviedo, virent leur trésor s'enrichir d'objets exécutés dans l'abbaye même. Mais au XIIe siècle, nous ne savons plus avec certitude si des moines se livraient encore à cette activité artisanale ou s'ils se contentaient de surveiller des orfèvres laïcs locaux ou étrangers travaillant sur place, ou si déjà ils achetaient, comme le prévôt de Saint-Martial le fera dès 1208, des émaux à des officines de la ville.

Dès le dernier tiers du XIIe siècle, d'abondantes séries de pièces caractérisées par un décor particulier (p. 270 et 271, 274 et 275) et consacrées à des saints spécialement vénérés en Limousin, saint Martial, sainte Valérie, saint Etienne, nous assurent mieux que des artistes sédentaires sont établis à Limoges expédiant déjà au loin dans la chrétienté une production caractéristique et appréciée.

L'émaillerie est un art du feu qui consiste à parer le métal d'ornements polychromes par un procédé d'insertion physico-chimique qui fixe, à chaud, des gemmes artificielles, les émaux : ceux-ci ont subi un broyage préalable qui les transforme en une poudre apte à épouser toutes les formes, puis, lors de leur fusion en place, un changement d'état physique tel qu'en masse cohérente, ils adhèrent au métal. L'émail est lui-même un genre de verre proche du cristal, incolore et transparent c'est le « fondant » ; il est opacifié par l'oxyde d'étain blanc et coloré en bleu par l'oxyde de cobalt, en vert, rouge ou turquoise par l'oxyde de cuivre, en jaune par l'antimoine, en noir et violet par l'oxyde de manganèse, en pourpre translucide par des sels d'or (p. 268 et 273).

Pour recevoir l'adjonction hétérogène de l'émail, la surface métallique doit offrir des alvéoles : ceux-ci peuvent être, soit constitués par des cloisons métalliques, sortes de rubans soudés au fond par la tranche, c'est l'émail cloisonné, soit ménagés par le creusement de cavités taillées dans l'épaisseur même de la plaque, c'est le champlevé ; les émaux limousins sont champlevés sur cuivre, avec rarement des détails cloisonnés. Les effets colorés sont propres à Limoges.

Au XIIᵉ siècle, les tons sont employés unis (pl. 10, 13) ; vers la fin de l'époque romane, deux à quatre tons, juxtaposés dans le même alvéole, nuancent le décor selon des gammes chromatiques d'abord hardies et joyeuses (p. 272), puis petit à petit systématisées en séries d'une sobriété plus raffinée, mais désormais figées pour près d'un siècle : rouge (ou noir)---bleu clair---blanc ; rouge (ou noir)---vert---jaune (pl. 8) ; rarement le turquoise s'insère à la zone médiane ; ces nuances ne visent jamais à exprimer les lumières et les ombres d'un relief ; le chromatisme est d'une abstraction décorative telle que le creux des plis est volontairement traduit par une ligne très claire, blanche ou jaune et leur relief par une surface sombre, vert-émeraude ou bleu-lapis (p. 11 et 269).

En se fondant sur les rapports entre les surfaces émaillées et les surfaces dorées, on peut définir deux partis opposés, successivement suivis à Limoges, mais sans doute simultanés pendant plusieurs décades autour de 1200. Le premier, et le plus difficile, consiste à ménager le fond et, par de minces réserves, le tracé des figures qui apparaitront émaillées sur le fond ensuite doré ; le second d'une pratique bien plus aisée, laisse en réserve le champ entier des silhouettes que l'on cisèle ensuite de détails et que l'on dore, sur un fond émaillé ; on y ménage quelquefois en réserve le tracé d'un décor stellaire, disques et rosettes, ou végétal, rinceaux et palmettes ; en gros, ce dernier décor connaît une éclipse au bénéfice du premier pendant la première moitié du XIIIᵉ siècle, pour triompher à l'époque gothique.

D'autre part, le souvenir de l'orfèvrerie traditionnelle engage certains ateliers à distribuer plus parcimonieusement les éléments colorés par l'émail : des encadrements rectilignes, des décors architectoniques, des chatons sont appliqués sur de grandes surfaces métalliques, dorées, ornées selon les procédés propres aux arts des métaux précieux, filigrane, gravure, ciselure, estampage, repoussé, telle la châsse d'Ambazac (pl. 5, 6, 7).

Caractéristiques de l'émaillerie de Limoges sont les têtes en relief, rapportées sur les figures réservées ; sur ces sortes de rivets, la tête est modelée par un matriçage en manière de visage humain en fort relief, la tige pénètre à travers la plaque de cuivre pour être écrasée au marteau à l'envers ; les traits modelés dans la masse sont un exemple des réminiscences classiques de l'art roman. Fabriquées en série, elles apparaissent identiques par centaines sur les pièces du début du XIIIᵉ siècle (pl. 8). Ces têtes font soupçonner qu'existait une division du travail accentuée dans les ateliers : les artisans devaient travailler en équipe avec l'aide d'un certain nombre d'ouvriers et d'apprentis, car la multiplicité des travaux qu'exigeait le façonnage complet d'une pièce (menuiserie des ais, préparation des émaux, forgeage des plaques, entretien des feux et de l'outillage, travail de burin et de pointe, cuisson, polissage, dorure, sertissure des cabochons, rivetage des bâtes, estampage, montage des plaques en objets usuels) impliquait une main d'œuvre entraînée et spécialisée.

Le mobilier ecclésiastique a mieux résisté aux siècles que le mobilier civil ; mentionnons d'abord les revêtements d'autel, les grands « frontals » ou retables ; si les objets essentiels de la liturgie chrétienne, calices et patènes sont rares, c'est parce que l'or et l'argent répondaient mieux que le cuivre doré aux exigences du culte. Par contre le cuivre convenait parfaitement au mobilier d'autel, croix, chandeliers, encensoirs, navettes à encens, burettes, gémellions. La liturgie du Saint-Sacrement instituée au XIIIᵉ siècle entraînait la fabrication de réserves eucharistiques plus grandes que les antiques pyxides, les tabernacles, coffrets, ciboires à couvercles, colombes dont les ateliers de Limoges se firent une spécialité lucrative. Au XIIIᵉ siècle également, le luxe avec lequel on offrait aux restes vénérés des saints des réceptacles précieux se démocratise en quelque sorte ; la société occidentale s'enrichit, les communautés modestes ont l'ambition d'offrir à leur trésor de reliques locales des vases dignes d'elles ; or les ateliers de Limoges fabriquent précisément des châsses relativement peu coûteuses ; leur habileté rend concrète aux yeux la lumière d'or et l'azur constellé du Paradis où évoluent les images des saints proposés à un renouveau de dévotion ; les châsses reliquaires ou « fiertes » sont en effet en forme de petits édifices étincelants (p. 268, 270).

L'installation ancienne de centaines de ces pièces à travers toute l'Europe chrétienne, et au-delà, de la Galice à la province de Kiev, de l'Arménie à l'Islande, est attestée par la présence des objets dans les églises de ces régions, soit encore de nos jours, soit à une date récente du XIXᵉ siècle où ils ont été ras-

semblés dans les collections privées ou les musées ;
d'autre part les inventaires médiévaux signalent
aussi la présence d'objets « de Limoges » un peu
partout à travers la chrétienté.

MARIE-MADELEINE S. GAUTHIER

NOTES SUR QUELQUE

CHASSE RELIQUAIRE, Bellac, église Notre-
Dame - h. 195 mm, l. 270 mm, pr. 120 mm.

A Bellac, à la sacristie de l'église Notre-Dame,
jadis chapelle du château des comtes de la Marche, une châsse conservée là depuis des temps
indéterminés, n'enferme plus de nos jours les
reliques qu'on y voyait encore en 1851, mais
dont les inscriptions étaient déjà effacées par
l'humidité.

Bâtie comme une minuscule maison rectangulaire, protégée par un toit à deux rampants
reposant sur des pignons, elle était effectivement
destinée à servir de demeure à des restes vénérés (p. 266). Parce que sainte, cette poussière
humaine nous porte le témoignage de la vie
éternelle, comme l'expriment les images scellées
dans les médaillons émaillés, sur les flancs du
précieux réceptacle. Au centre, sur la face principale, deux images du Christ se superposent :
en bas, dans la réalité de l'Incarnation, Jésus
armé d'une croix-enseigne de sa victoire, écarte
le mal de la main droite, étendue paume en
avant (p. 265) ; au-dessus, il apparaît sous la
forme de l'Agneau, symbole du sacrifice, nimbé,
il porte la croix triomphante et, entre ses pattes
de devant, le livre dont les sceaux seront brisés
le jour du Jugement ; les animaux, figures apo-
calyptiques des évangélistes, confirment le sens
de cette représentation de la fin des temps : en
bas l'aigle de saint Jean et le veau de saint Luc,
en haut le lion de saint Marc et l'homme ailé de

saint Matthieu (p. 267). La seconde face de la châsse a été, au cours des temps, dépouillée des trois médaillons sertis dans le coffre ; seules subsistent au toit trois images paradisiaques : celles des deux lions, gardiens des portes, encadrent l'un des plus antiques symboles orientaux qu'adopta le christianisme : celui de l'Arbre de vie nourrissant les âmes figurées par deux oiseaux antithétiques. Un médaillon de grande taille timbre chaque pignon ; sur l'un, la Vierge, une palme à la main gauche, rappelle l'Annonciation, instant initial de l'Incarnation (pl. 4) dont le sens est accentué par une deuxième figure de l'Agneau, répété sur l'autre pignon, mais assez étrangement coloré en bleu lapis. Un des médaillons disparus représentait-il en gloire le saint destinataire de la châsse ?

Quinze pierres fines subsistent parmi les gemmes, émeraudes et améthystes, et les cabochons de cristal. Un camée et quelques intailles antiques prises dans l'agathe ou la cornaline, avec quelques lapis entaillés de façon plus barbare, portent le témoignage de l'admiration naïve vouée par le haut moyen-âge à ces restes de l'antiquité. Les sujets tout païens, lutte d'un satyre contre un bouc, Thémis, gladiateur, oiseau en cage... etc, pourraient sembler étranges ; mais leur nouvel emploi les a exorcisés du rôle thérapeutique, voire magique qu'ils jouaient dans l'esprit du temps.

On peut penser que le programme fixé par quelque prélat instruit a été transposé avec une

fidélité approximative par l'émailleur, coupable de curieuses bévues : analphabète, il a étourdiment retourné son calque, puisqu'il a ciselé à l'envers le mot XPISTVS, écrit partie en lettres grecques (XP- pour CHR-), partie en lettres latines (- ISTVS) (p. 265).

Mais avec quelle ferme simplicité il a donné aux médaillons des diamètres différents, selon la hiérarchie des symboles qu'ils proposent, avec quelle puissance magistrale les a-t-il corsetés dans le réseau serré des gemmes carrément ordonnées en lignes perpendiculaires ! L'instinct de l'artiste autant que des traditions d'atelier lui ont fait alterner avec bonheur les intailles ou les cabochons ovales et rectangulaires. Si l'idée de sertir dans l'or des médaillons émaillés à fond doré, en rangées régulières, est byzantine, l'interprétation qu'en donne l'artiste limousin est tout occidentale : ainsi, la forte saillie des montures, toutes identiques, simplement échancrées dans la plaque de cuivre constitutive des parois, puis redressées et rabattues au marteau. Peut-être notre émailleur suit-il l'exemple des émailleurs byzantins qui fidèles aux modèles antiques inscrivaient « en bouclier » *(imagines clipeatae)* le buste des figures au ciel ; mais utilisant quelque patron où le Christ, la Vierge, l'Homme ailé apparaissaient en pied, il se contente de couper à mi-jambe les silhouettes humaines mal adaptées à leur cadre rond. Il manie au contraire avec aisance le répertoire animalier ; les décors circulaires de soieries orientales

285

lui proposaient des motifs si exactement adaptés à ses besoins qu'il n'hésite pas à transformer l'aigle de saint Jean en un griffon, quadrupède surprenant dans ce rôle mais mieux harmonisé au cercle qui l'enferme.

Ce style, nourri d'éléments et même de formules grecques ou musulmanes, éclate d'une énergie toute romane : le visage du Christ est schématisé en un calligramme évocateur pourtant de grandeur monumentale (p. 265). Les minces tracés d'or cernent les surfaces d'émail de droites et de courbes si fermes qu'elles suggèrent la plénitude de volumes pensés par un sculpteur. Les bêtes violemment tournées, le cou tendu, le poitrail gonflé, la queue enroulée en panache, expriment les mouvements passionnés de l'âme ; mais un sûr équilibre décoratif distribue sur les membres ou les palmes quatre tons seulement d'émail : bleu, vert, turquoise et blanc, vibrant sur l'or des fonds. *Ars auro gemmisque prior :* l'art prime l'or et les pierres précieuses ; l'émail, gemme obéissante au dessin et au feu, mieux que les gemmes naturelles, illustre les symboles de l'éternité.

Le sens plastique, la puissance d'exécution, la sobriété de la palette semblent affirmer l'œuvre d'un artiste original, sans doute aux débuts d'une expérience créatrice, comme les incertitudes de détails et l'influence sensible des arts somptuaires orientaux le révéleraient ; la grande parenté avec les médaillons de coffrets de Conques, remontant au temps de l'Abbé Boniface mort en 1118, nous invitent à dater, sous toute réserve, la châsse de Bellac de la première moitié, sinon du premier quart du XIIᵉ siècle.

BAGUES de dignitaires ecclésiastiques et DOUILLE (de CROSSE ?) — h. 85 mm, diam. 25 mm. Limoges, Musée municipal.

En 1940, lors des travaux exécutés sur l'emplacement de l'ancien monastère des Bénédictins, une sépulture médiévale fut découverte fortuitement ; parmi des débris de tissu d'or, on découvrit trois bagues d'or, dont l'une niellée, aux chatons d'améthyste et de topaze. A côté, gisait une douille de crosse ou de bâton de chantre, en cuivre émaillé de vert, de turquoise, de bleu et de blanc (pl. 13). Deux oiseaux sont inscrits chacun dans deux cercles sécants ; ils se détachent sur un fond gravé de hachures croisées : les rapports heureusement équilibrés entre les surfaces dorées et les champs émaillés, les tons de la palette, l'exécution robuste, situaient cet objet dans le même milieu que la châsse de Bellac et à une époque à peine plus tardive, au cours du second quart du XIIᵉ siècle.

Décor vermiculé

Les deux châsses de saint Étienne, conservées, l'une à Gimel en Corrèze, l'autre à l'église de Malval en Creuse (cette dernière déposée aujourd'hui au musée de Guéret) appartiennent à la série des émaux de Limoges à fonds dits « vermiculés » en vogue à partir de 1170. Cette végétation abstraite compte des tiges, des palmettes, des bourgeons et des vrilles, mais le fruit et la fleur en sont absents ; les rinceaux en sont caractérisés par le tracé filiforme qui a suggéré l'épithète de « vermiculé » et qui est défini soit par deux traits parallèles continus, soit par un trait et des hachures diagonales qui suggèrent l'autre profil. La surface rythmée par le délinéament clair et la gravure sombre, ne reste indifférente en aucun point. Le fond entier de composition est ainsi animé de ce motif végétal abstrait, de lointaine origine musulmane et adopté par les arts somptuaires byzantins où on le désigne d'ailleurs comme « arabesque ». Traité sur les émaux de Limoges en ciselure dans le métal doré des fonds, il évoque des feuillages pénétrés de lumière paradisiaque.

CHASSE de saint Étienne, Gimel (Corrèze). h. 215 mm, l. 285 mm, prof. 130 mm.

La châsse de Gimel est consacrée à saint Étienne, le premier martyr. Conformément à l'antique symbolisme qui fait illustrer côte à côte deux niveaux de la réalité religieuse, elle présente d'une part le témoin du Christ dans les actes de sa vie terrestre annonciateurs de la vérité surnaturelle (p. 271) et, d'autre part, la vie céleste à laquelle il participe désormais (p. 270) : nous reconnaissons ainsi sur la face principale la prédication de saint Étienne, devant les Juifs hostiles qui se bouchent les oreilles, son arrestation brutale (p. 272), sa lapidation (p. 273) exécutée par les bourreaux sur l'ordre de Saul de Tarse, le futur saint Paul, qui assiste au supplice ; cette confession de foi allant jusqu'au martyre est une « théophanie », une intervention visible de Dieu ; pour nous la rendre manifeste, l'émailleur a représenté le Sauveur en buste, parmi des nuées. Sur les autres faces de la châsse, se développent en contraste les arcades de la demeure céleste. Sous des cintres couronnés d'une tourelle et d'une coupole à toit évasé, saint André, le plus ancien des apôtres et saint Pierre, leur prince, ornent les pignons ; au dos, une arcature abrite quatre autres apôtres ; au toit, autour des gloires circulaires d'anges en buste, se développent les palmettes-fleurs les plus exubérantes, les plus richement colorées et les plus élégantes à la fois, qu'ait jamais imaginé émailleur, pour en fleurir les jardins du paradis.

Les effets de la composition renforcent les oppositions iconographiques : celle du revers, calme, au rythme régulier des architectures célestes, s'oppose à celle des scènes dramatiques qui se déroulent sur la terre, à la face principale. Ces dernières se distribuent sans symétrie, bornées par une sorte de décor scénique que constituent les masses verticales des portes fortifiées de Jérusalem ; mais la rigueur des cadres rectangulaires n'en régit pas pour autant la distribution des personnages ; des zones en arc de cercle, vivement colorées, signalent tantôt les nuées, tantôt un mamelon du sol ; les acteurs du drame se placent, par rapport à elles, à des niveaux différents et suggèrent ainsi l'existence d'un espace où ils se meuvent et gesticulent.

Le dessin simplifié, réduit aux lignes essentielles des réserves, intensifie l'ardeur des mimiques ; les têtes en relief rapportées, d'un modelé rude, sont animés par l'éclat d'yeux d'émail incrustés (p. 11). L'artiste a renoncé à la sobriété des émaux appliqués en tons unis et se risque avec virtuosité à des difficultés nouvelles : dans chaque alvéole, quatre à six tons d'émail se juxtaposent ; le noir exclu, quatre bleus, le vert émeraude, le rouge, le turquoise, le jaune, le pourpre d'or, le blanc vibrent avec gaieté ; des gammes de quatre à six tons y jouent, comme rouge-jaune-turquoise-bleu, lapis-bleu clair-blanc ; les tissus sont constellés de motifs circulaires, évoquant les soieries mozarabes ou palermitaines à la mode.

Nous verrions volontiers dans l'émailleur de la châsse de Gimel un des initiateurs du décor inauguré à Limoges vers 1170 ; nous l'imaginerions volontiers bien informé du répertoire décoratif à la mode sur la route du pèlerinage de Compostelle, et aussi en Sicile normande, foyer rayonnant pendant le deuxième tiers du XIIᵉ siècle sur toute l'Europe occidentale.

CHASSE de saint Étienne, église de Malval (Musée de Guéret - Creuse.) h. 125 mm, l. 150 mm, prof. 70 mm.

La châsse de Malval, postérieure de quelque vingt ans à celle de Gimel, offre une version simplifiée du même programme iconographique : le martyre sur terre, la montée de l'âme au ciel. Les thèmes primordiaux de l'art chrétien obéissent ici à de très anciens schémas de composition. En bas saint Étienne agenouillé est environné de bourreaux qui forment cercle autour de lui ; la torsion des bustes sur les hanches, les bras tendus brandissant des pierres s'ordonnent selon les lignes concentriques qui sous-tendent, par une tradition séculaire, la représentation du supplice du premier martyr ; au toit, une figure nue, asexuée, est l'âme emportée au ciel dans la gloire en bouclier que tendent, calqués sur les génies antiques, deux anges psychopompes ; des tracés concentriques encore organisent figures et mouvements. Tous les personnages sont émaillés sur le fond en réserve, doré et vermiculé (p. 274).

De saints apôtres gardent les pignons. Au dos, les plaques sont régulièrement divisées en caissons quadrangulaires où s'inscrivent en diagonale, des quatrefeuilles (p. 275). Cette diaprure est un motif que l'on trouve sur les monuments funéraires de la basse Antiquité en Aquitaine : un sarcophage de marbre pyrénéen à Martres-Tolosane en est entièrement revêtu ;

ce sont de tels sarcophages, observés directement ou leur image, transmise par quelque figuration peinte ou sculptée, qui sont parvenus à travers les générations, à la vue des émailleurs romans ; leurs châsses, sarcophages en miniature de restes saints, assurent aussi la pérennité des formes et des symboles.

COFFRET EUCHARISTIQUE, Musée municipal de Limoges, h. 131 mm, l. 203 mm.

En 1837, des travaux exécutés sur l'emplacement de l'ancienne abbaye de Saint-Martial mirent à jour un coffret rectangulaire, fermé d'un couvercle à quatre pans, de cuivre doré et émaillé, dans un état exceptionnel de conservation. Un anneau de suspension fixé au couvercle, indique en outre que le coffret pouvait être attaché par des chaînettes au-dessus de l'autel, à l'abri d'une housse de tissu précieux. La décoration semble mieux adaptée d'ailleurs à cette destination qu'à celle d'un reliquaire avec lequel il pourrait se confondre.

Des proportions rigoureusement établies ont déterminé les tracés des trois, ou des deux, gloires en amandes qui s'insèrent exactement dans les parois rectangulaires de la caisse. Le report traditionnel du petit côté du rectangle sur le grand côté a déterminé les divisions harmoniques du champ, selon des tracés directeurs dont la clef nous est livrée par des indices discrets et subtils : on remarque en effet de petits cercles, réservés sur la bande horizontale turquoise, de chaque côté des personnages ; leur centre, marqué encore par la pointe du compas, coïncide avec celui des segments de cercles sécants, générateurs des gloires en amande (pl. 8).

Les surfaces sont ainsi rythmées par une mesure qui soutient et entraîne le regard d'une figure à l'autre : au centre, le Pantocrator, Dieu dans sa toute puissance, bénit et tend le livre, les deux bras largement ouverts ; il trône sur l'arc-de-cercle des nuées célestes. A sa droite et à sa gauche, la Vierge, un sceptre fleurdelisé à la main et saint Pierre avec les clefs, tournent vers lui leur visage. La Vierge seule est assise sur un trône aux montants moulurés. Tout autour du coffret, sept autres figures d'apôtres animés de gestes calmes mais variés, reposent dans les mandorles. Des angelots aux ailes éployées apparaissent en buste hors des nuées dans chaque écoinçon. Au toit, inscrits dans des gloires circulaires, des anges flanquent les quatre pans ; une figure jeune à mi-corps désigne des deux mains ouvertes le Pantocrator situé au-dessous d'elle ; deux angelots le glorifient d'un geste de louange ; c'est peut-être une image de l'Ange du grand conseil. Partout des disques de toutes tailles, émaillés ou dorés, piquettent, tel des astres, l'azur du ciel. Au toit, ils sont associés aux rinceaux, fleuris de palmettes-fleurs, qui symbolisent les jardins paradisiaques.

Des marguerites aux pétales ciselés en creux, au cœur perlé, lient entre elles ces mandorles ; c'est un motif de prédilection de Limoges, au début du XIII⁰ siècle, emprunté probablement aux émailleurs rhéno-mosans ; mais d'autres modèles leur en étaient offerts, monumentaux par les coupolettes de stuc hispano-mauresques ou, précieux, par des ivoires byzantins des XI-XII⁰ siècles. Avec la bande horizontale turquoise et le parti nouveau de réserver les figures en métal doré sur fond d'émail, ce décor caractérise une série de pièces de haute qualité. La maîtrise de l'orfèvre s'y manifeste par la taille en bas-relief des figures réservées ; il résout par les raccourcis de la perspective classique certains problèmes posés par la figure humaine établie dans les profondeurs de l'espace. Les groupes de plis en éventail ou en tourbillon obéissent encore à des schémas tout romans ; ils alternent avec des surfaces lisses selon le rythme abstrait qui, au XII⁰ siècle, scandait de ses lois les surfaces décoratives. Mais, conformément à l'esprit du premier art gothique, ils enveloppent désormais des volumes réels dont l'épaisseur est suggérée par les tailles expressives du burin ; leurs biseaux offrent à la lumière des angles d'incidence si subtilement ménagés que le plan doré du métal, à peine entamé par l'outil, semble se creuser et se creuser pour enfermer un espace abstrait, mais fortement senti et organisé selon trois dimensions.

Les petites têtes rapportées ont, elles, un relief plus concret en demi-bosse ; elles appartiennent à deux séries de tailles différentes, les traits en sont identiques mais l'aspect en est varié par l'attitude, de trois quart à gauche ou à droite, et l'arrangement des boucles de la chevelure ou de la barbe ; il est probable que des modèles byzantins ont inspiré l'ovale allongé du visage, les joues pleines, les fronts peu élevés ; les angelots ont retrouvé, sous leur casque de bouclettes, la grâce de modèles hellénistiques.

Tous ces traits permettent de dater le coffret eucharistique de la première ou deuxième décade du XIII⁰ siècle.

L'ancien trésor de Grandmont

Nous rassemblons ci-dessous quatre des plus beaux objets provenant de l'ancien trésor de l'abbaye de Grandmont dont la richesse, attestée par plusieurs inventaires dressés du XV⁰ au XVIII⁰ siècle, est à peine imaginable aujourd'hui. Grandmont, fondation originale de saint Étienne de Muret, régie par l'esprit de réforme le plus sévère du XI⁰ siècle finissant, et bientôt chef-d'ordre, connut, à la fin du XII⁰ siècle, une telle gloire que les dons des plus grands princes chrétiens affluèrent vers son trésor. Après des siècles de décadence, l'ordre fut dissous à la veille de la Révolution par l'évêque de Limoges qui dispersa le trésor à travers les églises du diocèse ; peut-être celui-ci échappa-t-il mieux ainsi aux réquisitions et aux fontes ordonnées par la Convention. Cependant aussi précieuses qu'elles nous paraissent, ce ne sont que des épaves, somptueuses certes, que nous admirons aujourd'hui.

Malgré les affirmations un peu tendancieuses de l'érudition limousine, il est peu probable qu'un « atelier monastique » ait fonctionné à l'abbaye de Grandmont dans la mesure où ce terme implique un établissement stable, dont les ouvriers seraient des clercs ou des convers, placés sous l'autorité d'un religieux et dont l'outillage et l'installation matérielle seraient un bien de la communauté ; la règle et la coutume, bien connues aujourd'hui grâce aux travaux du P. J. Becquet, o.s.b. le laissent difficilement admettre. Par contre, il est bien possible que les orfèvres établis à Limoges, et les émailleurs qui y sont sédentaires, avant 1200, aient été appelés par ce gros « client monastique » dont la rigueur spirituelle est menacée à cette date par une excessive prospérité matérielle ; la commande peut même avoir été exécutée sur place, pour plus de sécurité dans l'emploi des pierres précieuses et de l'or offerts par les pèlerins et les bienfaiteurs. Plus d'un reliquaire enfin a été le présent particulier d'un donateur dont le nom gravé fait foi.

ANGE, STATUETTE-RELIQUAIRE, Saint-Sulpice-les-Feuilles (Haute-Vienne), h. 236 mm pied, larg. 72 mm.

Cette statuette provient du trésor de Grandmont ; l'inventaire du XV⁰ siècle indique qu'elle avait appartenu auparavant à la chapelle de Balesis ; un arrangement pour le moins étrange, sinon disgracieux, l'a, avant 1666, transformée en reliquaire par l'adjonction d'un réceptacle de cristal, fixé sur la tête ; on a rivé la base rectangulaire sur un socle à quatre pieds ; ces deux éléments datent de la seconde moitié du XIII⁰ siècle. Seule, la figurine est romane, elle est même le plus ancien échantillon qui subsiste à ce jour des tentatives faites dans les ateliers d'émaillerie méridionaux, pour modeler en bosse une représentation humaine. Ce n'est pas une véritable statuette, mais plutôt une applique qui n'aurait toutefois pu être adaptée à une surface plane, comme le montre la direction des ailes ; mais elle fut peut-être destinée à flanquer l'angle d'un objet important, tabernacle ou retable ; elle demeure isolée (pl. 10).

Une forte symétrie, liée à l'axe vertical de la figure allongée, la tend dans l'immobilité ; seuls varient les gestes des mains, étroitement enclos dans les contours de la silhouette (pl. 11). Le modelé souligne et rompt à la fois la verticalité des volumes cylindriques ; sur les hautes surfaces lisses des jambes, une mince gravure profile les courbes de plis décoratifs ; sur les côtés, des stries profondément ciselées accentuent les chutes verticales des drapés ; mais les ourlets, vigoureusement rehaussés d'orfrois, incurvent leurs tracés transversaux. Les mouvements obliques des ailes et des draperies, vues de profil, viennent s'amortir dans le calme de cette frontalité. Le visage présente la même forte structure ou les traits s'équilibrent en arêtes perpendiculaires (pl. 12).

Les émaux bleu lapis, turquoise, rouge, vert, ornent les ailes dont la surface est champlevée, avec certains motifs plus délicats cloisonnés, tels les disques de la bande stylisée qui sépare les plumes imbriquées des longues pennes ; le revers des ailes est simplement gravé des mêmes motifs. Ciselure en torsade, en rang de perles ou de pétales, gravures en hachures croisées, émaillage en tons unis, tous ces détails techniques situent la figurine parmi les meilleures pièces du dernier quart du XIIᵉ siècle ; le maître à qui elle est due est peut-être venu l'exécuter à Grandmont mais il travaillait dans une tradition étroitement voisine de celle dont se réclamait à la même époque l'émailleur de la plaque de reliure du Christ en majesté, au Musée de Cluny, ou celui du frontal de l'abbaye de Silos, aujourd'hui au Musée de Burgos.

CHASSE de Saint-Étienne de Muret, Ambazac (Haute-Vienne). l. 735 mm, h. 630 mm, prof. 260 mm.

L'église d'Ambazac conserve avec vigilance une des plus éblouissantes pièces de l'émaillerie limousine : c'est l'une des sept châsses qui étaient rangées au XVIIIᵉ siècle sur l'autel majeur de l'abbaye de Grandmont. Elle était placée du côté de l'Épître, tout à côté de la châsse du fondateur saint Étienne et contenait les reliques de saint Macaire et de quelques autres soldats de la région thébéenne, martyrisés au IVᵉ siècle en Valais ; lors de la distribution des reliques en 1790, on y enferma un ossement de saint Étienne de Muret.

Comme l'a si bien exprimé l'abbé Texier dans son *Dictionnaire d'orfèvrerie,* c'est un « reliquaire édifié à l'image d'une Jérusalem céleste où l'âme du saint habite dans les cieux ». La construction en est plus complexe que celle de toute autre « fierte » limousine parvenue jusqu'à nous. L'allure du petit monument nous laisse restituer une structure architectonique interne, inexistante en réalité, mais qui a certainement servi de support imaginaire à l'orfèvre désireux de mettre en évidence le symbolisme de l'édifice (p. 268).

La caisse forme un rez-de-chaussée sans saillie ; un étage s'élève, en légère retraite sur le premier ; il s'y raccorde par deux rangs de tuiles figurant la pente du toit d'un bas-côté qui, au rez-de-chaussée seulement, flanquerait la nef sur ses quatre faces. A l'étage, le vaisseau central est régulièrement coupé par trois transepts qui saillent légèrement sur la façade ; ils pénètrent la nef au niveau des combles et élèvent leur faîte aussi haut qu'elle ; les toits de la nef

et des transepts extrêmes sont à deux rampants ; le toit du transept central se cintre comme la voûte en berceau qu'il est supposé protéger : les murs-pignons de la nef s'amortissent simplement en triangles (pl. 5) ; ceux des transepts s'ingénient à multiplier les effets de leur architecture illusoire. Au centre, le mur-pignon est encadré d'un ressaut saillant où s'inscrit une croix gemmée ; celle-ci à son tour sert de montant à des émaux qui la cantonnent, tels de précieux vitraux ; un tympan gemmé clôt le berceau.

Aux transepts extrêmes, des baies plein cintre, géminées et émaillées, percent le mur-pignon au niveau des fenêtres hautes, sous des demi-gables antithétiques, curieuse interprétation des massifs d'angle triangulaires, comme on les voit sur le clocher limousin d'Uzerche. A la hauteur des combles, ils s'ouvrent en façon de lucarnes par une baie plein cintre émaillée, sommée d'un fronton gemmé (pl. 7). Une crête ajourée se termine par les boules traditionnelles ; au centre la colombe se perche, peut-être annonciatrice de paix sur cette arche symbolique.

Une composition simple et ferme superpose ainsi des masses dont les profils s'échancrent et s'allègent en montant jusqu'à la mince crête découpée. Les bandes émaillées, en forme de rectangles allongés, divisent les surfaces en panneaux rectangulaires, assurant l'impression de calme fermeté suggérée par de nombreux angles droits. Dans ces panneaux, des motifs de structure rayonnante tournent autour d'un cabochon central et créent de petits systèmes concentriques enclos chacun dans des rectangles peu allongés. Les proportions de ces rectangles varient légèrement et leurs rapports divers avec le carré créent une tension qui vient se résoudre dans la disposition subtile des gemmes, des chatons et des perles ; les cabochons, hémisphériques ou ovoïdes, répondent par leur contour même aux proportions des compartiments où ils s'enchâssent.

Une loi comparable associe droites et courbes dans le décor émaillé : les motifs mélodiques des cercles ou des rinceaux sont toujours soutenus par une trame de lignes droites, parallèles et sécantes, que la fantaisie de l'ornemaniste rend plus ou moins évidente : ce sont de simples imbrications d'arcs de cercles ; ce sont des rangées de disques ou des palmettes inscrites dans des losanges, des cercles inscrivant des quatrefeuilles ou des losanges concaves ; ce sont, le long d'axes de symétrie rigoureux, des rinceaux en cœur ou en S enroulés autour d'un fleuronpalmette ou d'une feuille polylobée. Mais toujours quelque nervure, quelque pointillé, quelque touche d'émail sombre révèlent le canevas des figures angulaires sous-jacentes qui répètent avec discrétion les proportions exemplaires des panneaux décorés. Aucune monotonie, aucune redite dans les relations des formes entre elles. Cependant un rythme bien marqué oppose les deux thèmes décoratifs : la courbe ouverte du rinceau, d'une part et la courbe fermée des disques ou des losanges de l'autre, alternent régulièrement. Si les bandes émaillées sont rectangulaires, ce sont de rayonnantes marguerites ciselées qui les divisent en segments égaux : si l'un des segments est orné de rinceaux, ses deux voisins se diaprent de disques ou de losanges et inversement sur l'encadrement opposé. Cette règle d'alternance peut être contrôlée sur l'une des quelque soixante plaquettes émaillées de la châsse et ses deux voisines.

Une simple énumération des procédés dont nous relevons la trace sur cette châsse suffira à montrer et l'éblouissante habileté du maître orfèvre et la richesse de son répertoire. Sur la face principale, le filigrane, simple et fort ruban de cuivre, est appliqué comme le seraient des cloisons destinées à recevoir de l'émail ; un grain de soudure fixe le cœur des volutes ; à l'extrême fin de l'époque romane, ces ornements gardent comme un reflet de la robuste inspiration de l'orfèvrerie carolingienne. Ce souvenir est encore accentué par les fortes saillies des montures autour des gemmes et des cristaux ; les bâtes sont presque toutes à deux degrés : sur un socle rectangulaire ou losangique, où saillent des chatons et des perles au repoussé, un autre cadre circulaire, ovale ou rectangulaire, repoussé aussi de pétales ou d'oves, sertit la pierre ; d'étroites baguettes repoussées d'un rang de pseudo-granulé enserrent le pied des montures et un filigrane cordé de deux tores en dissimule les arêtes.

Tous ces motifs exécutés en cuivre sont fidèles aux principes de l'orfèvrerie précieuse, mais ils sont mieux sentis et rendus à une plus grande échelle. Tantôt simples grains ou bourrelets concentriques, tantôt asters, tantôt cœurs, tantôt éléments architectoniques tels que tuiles imbriquées, appareil hexagonal, tantôt enfin rinceaux à palmettes-fleurs, grappes et corolles, ils témoignent tous de la virtuosité d'un orfèvre exercé ; charnus et luxuriants, les rinceaux éclatent d'une vitalité imaginaire.

Le champlevage au burin, la ciselure en creux et la gravure en guillochis, au trait ou au pointillé, sont des procédés plus spéciaux de l'émailleur ; ils égalent en qualité le repoussé ; les asters qui scandent les encadrements, les fleurons-palmettes d'émail qui illuminent les rinceaux dorés, les « vitraux » des baies, les deux anges enfin, seules figures de tout cet ensemble abstrait, permettent d'apprécier la variété de l'inspiration. Les émaux appliqués en gammes de dégradés classiques sont rehaussés par la présence d'un pourpre d'or et d'un violet translucides de tonalités somptueuses.

L'étude du décor, dont nous ne pouvons esquisser ici la longue analyse, nous engage à imaginer que des modèles d'orfèvrerie byzantine ou géorgienne du XIᵉ-XIIᵉ siècle ont inspiré l'ornementation du dos de la châsse ; mais ils ont été traduits en quelque sorte, agrandis et chargés d'une puissance nouvelle ; nous songeons à des reliures ou à des icônes qui ont pu aboutir à Limoges ou à Grandmont surtout après le sac de Constantinople en 1204. La face principale au contraire, nous semble fidèle aux constructions de l'art pratiqué en Occident depuis l'époque carolingienne, qu'elles en soient les sources. Quant aux pignons, ils révèlent avec leurs fonds estampés, diaprés de têtes de clous, des techniques artisanales modestes, jamais oubliées en Limousin.

Les deux plaquettes en losange, aux bustes d'anges émaillés pourvus d'une tête en relief de style classique, nous permettraient enfin de situer au cours des deux premières décades du XIIIᵉ siècle, ce chef-d'œuvre de Limoges.

CROIX RELIQUAIRE, Gorre (Haute-Vienne)
hauteur 400 mm, envergure 180 mm.

La petite église de Gorre a reçu en 1790 la plus belle des croix à double traverse, reliquaire de la Vraie Croix, provenant du trésor de Grandmont. Son âme de bois est entièrement revêtue d'une feuille d'argent sur laquelle se détache le réseau serré d'une orfèvrerie d'argent doré qui sertit des gemmes et insère le réceptable du fragment du Saint-Bois (p. 276). Deux intailles en rehaussent la splendeur : l'une, jaspe moucheté, brun-vert et rouge, figure le combat de deux fauves, des signes astraux, deux autres animaux et une inscription (pl. 16) ; le style et le sujet en situent l'exécution dans la région de la Méditerranée orientale au XIᵉ siècle, comme le montrent les recherches du Prof. Wentzel. L'autre, plus grande encore, est une améthyste ovoïde gravée en creux : « la finesse de l'exécution et la beauté du dessin » écrivait l'abbé Texier « placent cette intaille parmi les plus belles qui soient au monde ». La rareté du sujet, démontrée récemment par M. A. Grabar, en fait un témoignage unique sur la glyptique de la Perse de l'époque pré-sassanide, aux premiers siècles de notre ère ; la gravure illustre le thème de la glorification du souvenir iranien, occupé à une châsse héroïque : vêtu d'un costume militaire à cuirasse grecque, coiffé du casque iranien à panache, il brandit encore son arc ; il vient de blesser une lionne ; le lion attaque la monture, le cavalier chasseur fait voler son court manteau, se retournant pour plonger son épée dans le poitrail du fauve (pl. 15).

Des proportions raffinées équilibrent la hauteur et l'envergure de la croix ; l'arbre et les deux traverses sont d'égale largeur et les angles droits de leurs intersections sont laissés vifs. A leur rigueur s'opposent les courbes des fleurons trilobés qui s'épanouissent au bout de bras. La décoration répète et accentue cette alternance des motifs rectangulaires et des motifs lobés. Sur la face, un losange inscrit la petite croix à relique, sur la croisée principale, tandis que la croisée supérieure est chargée d'une intaille ovale enfermée dans un quadrilobe, monture qui réapparaît à l'extrémité de chaque branche.

Au revers au contraire, c'est la croisée principale qui porte l'intaille ovale sertie dans un quadrilobe, répété deux autres fois sur l'arbre tandis que des rectangles forment le support des gemmes placées sur les fleurons des bras. Le regard, sollicité sans cesse par ce dialogue des formes, se repose cependant grâce au rythme créé par l'agencement uniforme des segments rectangulaires du fond : une gemme au centre, encadrée de quatre plus petites, saillie sur la végétation de filigranes.

Ceux-ci révèlent la main d'un maître orfèvre. De plusieurs modules, ils sont faits d'un fil de deux tores applatis au marteau et se développent en une treille de rinceaux fleuris. Leurs volutes s'enroulent en sens alternés et se distribuent symétriquement par rapport à l'axe longitudinal jalonné de gemmes ; à la naissance de chaque volute, trois fils se pressent pour se détacher progressivement les uns des autres, s'élevant au-dessus du fond ; un grain de métal termine les plus courts ; au bout du plus long, une fleurette perlée en granulé s'épanouit ; enroulé sur lui-même, le fil forme encore des vrilles qui jaillissent à l'aisselle des volutes, et de petites feuilles cruciformes enfin, perlées aussi, qui dissimulent le point de départ des volutes. Un fil moulure droit cerne toutes les arêtes et contient cette végétation dense et légère à la fois.

Une autre croix identique conservée à Grandmont a été perdue ; quatre autres revêtues des mêmes ornements avec une maîtrise parfois moindre, subsistent en Limousin et à Époisses, monastère grandmontain de Bourgogne. Des descriptions ou des dessins grossissent encore cette série homogène et groupée géographiquement ; cela laisse peu de doute sur l'existence d'ateliers d'orfèvrerie précieuse établis à Limoges à l'époque même où l'émaillerie sur cuivre était la plus florissante.

RELIQUAIRE MONSTRANCE, église Saint-Michel des Lions à Limoges. h. 350 mm, diam. du pied : 90 mm.

Un reliquaire grandmontain qui contenait en 1666 des cheveux de la Vierge, des reliques de sainte Marie-Madeleine et sainte Catherine, fut remis en 1790 à l'église de Montjovis de Limoges, bientôt détruite en 1791 ; le reliquaire fut alors déposé à l'église Saint-Michel-des-Lions qui le conserve (pl. 14).

Il est constitué essentiellement par une sphère creuse de cristal de roche, ciselée en biseau d'un motif végétal : un rinceau enroulé deux fois sur lui-même se termine par des groupés de trois feuilles lancéolées. Une monture d'orfèvrerie en filigrane, constituée par deux anneaux horizontaux, réunis entre eux par des charnières à trois segments cintrés verticaux, ceinture le cristal : le filigrane ajouré forme tantôt des rinceaux, tantôt une rangée de petits cercles, tantôt une arcature selon les motifs communs à toute l'orfèvrerie romane, mais dans le même esprit que la croix de Gorre. Cette sphère repose à son tour sur un support repoussé et doré dont le calice et le pied s'évasent en forme de corolles de lis à huit pétales, de part et d'autre d'un nœud sphérique, chargé de six asters. Curieusement des coquilles Saint-Jacques chargent les pétales de la petite corolle. Une statuette enfin, la Vierge à l'Enfant trônant, somme le cristal ; repoussée en creux, elle fournit au autre réceptacle aux reliques. Le Prof. H. Hahnloser nous signale dans deux lointaines capitales européennes deux autres pommes de cristal de roche identiquement entaillées et qu'il estime vénitiennes ; la monture du cristal rappelle dans son agencement pratique celle des coupes byzantines de pierres dures du Trésor de Saint-Marc à Venise. Toutefois d'autres objets du Trésor de Grandmont offrent montures et supports nodulés semblables à ceux-ci. La statuette de la Vierge à l'Enfant n'a pas la silhouette familière des Vierges reliquaires émaillées limousines ; mais le style du visage et des plis n'autorise pas une comparaison plus ferme avec l'orfèvrerie mosane, germanique ou languedocienne de l'époque. Nous sommes probablement en face d'un objet composite en ses éléments, mais dont l'unité réside dans la destination que lui a conférée le donataire dont nous lisons entre la statuette et le cristal, la dédicace dans l'écriture du XIIIe siècle ; *P. de Quinsac a offert ce vase à Dieu et à Bienheureuse Marie (a ou de ?) Grandmont :*

HOC VAS DEDIT : DEO : ET B'E : MARIE :
GRANDMX + P. DE QVINSAC

A-t-il apporté de loin l'objet tel qu'il est aujourd'hui ? Ou, plutôt, la boule de cristal importée à Limoges, peut-être par les marchands vénitiens qui y tenaient comptoir, a-t-elle été montée à sa commande ? Ou bien le support seul serait-il limousin ? La statuette de la Vierge encore romane n'a-t-elle pas été habilement rapportée peut-être très tardivement comme certaines incertitudes des inventaires de Grandmont le suggéreraient ? Autant de questions que les plus patientes recherches ne suffiront probablement pas à résoudre encore.

The Benedictine abbey of Saint Pierre de Beaulieu was founded about 840 on the banks of the Dordogne, by Archbishop Raoul of Bourges, son of a Comte de Quercy. Endowed with numerous relics, among them those of Saint Felicite, martyr of Agen, the abbey flourished until the end of the Xth century before falling into the hands of lay clerics. It was reformed by the Clunisians in 1076 or 1095.

Being situated on the route of such pilgrimage centres as Limoges, Cahors, Moissac and Toulouse, the size of the church of Beaulieu reflects that influence. We do not know the date of its construction. The style of the choir, transept and beginning of the nave indicates the first third of the XIIth century. The lateral walls of the south doorway must be earlier than 1150; the two west bays and facade date from the beginning of the XIIIth century and the bell-tower from the XIVth.

The damage caused by the Wars of Religion was repaired after 1586 (ogival vaults of the transept and the north side-aisle). Traces remain of the distemper applied by the Benedictines of Saint-Maur, who were established there in 1663. In 1808 the vault of the nave partially collapsed and a general restoration was carried out after 1881.

THE INTERIOR. The plan is simple; four bays with side-aisles, transept with absidioles, a fairly short choir with an ambulatory and three chapels. The high vaults are cradle or slightly broken; the low ones are groined. An octagonal cupola crowns the crossing. There is no direct light in the central part except in the apse. Below the lower arcades shallow twin bays open into dark galleries. The pillars, reinforced at the transept, have four engaged columns; great columns support the rond-point. Each column springs from a rather high square base. In its general appearance Beaulieu is related to the Limousine family, but although several characte-

ristics, like the use of sandstone, can be explained by the geographical situation, the presence of galleries shows the influence of the Pilgrimage Churches. Quarter-circle vaults around the choir, such galleries were also intended for the nave. However here the architect has increased the height of the side-aisles and the opening of their arcades, thereby generally reducing both the importance of the galleries and their role in the overall scheme of things. At the present day the galleries of the nave are not vaulted and one cannot tell if they ever were in the past. The fourth bay illustrates the expedients used to adapt two very different conceptions to each other.

The decoration of the oldest parts recalls the cathedral of Cahors; bare geometrical capitals and bases with sculpted bands. The choir, transept and eastern portion of the nave boasts of a few capitals ornamented with figures and foliage in a heavy style. Two of the door lintels are decorated with lions. The most recent bays in the nave have flattened bases and the capitals mark the transition to Gothic forms. The moulding of the windows, two colonnettes and the torus is typically Limousine; it becomes increasingly delicate from east to west.

THE EXTERIOR. The fine proportion of the abbatial church logically reflects the interior arrangement. The chapels and the ambulatory have Limousine windows, often crowned by a row of billets, and the buttress columns in the north have been replaced by flat pilasters. The walls display numerous stone symbols and carved modillions support the cornices. A later, octagonal bell-tower crowns the crossing, connected to the square base by tiers as at Obasine and Saint Leonard. Only the south transept has retained its primitive character. On the south flank of the nave, the fourth bay is distinguished from the following ones

292

by its larger and darker masonry and its more archaic window; a buttress column limits it to the west. The second bay is hidden by the porch which frames a magnificent portal whose composition is earlier than Moissac. On the tympanum is Christ between the apostles and angels bearing the instruments of His Passion. On the double lintel, monsters and decorative rosettes; against the partitions of the porch, the story of Daniel and the Temptation of Jesus. (For a detailed study of this portal see the volume "Quercy Roman"). The north flank, where the fourth bay shows the same characteristics as that on the other side, has high buttress columns set obliquely. The windows are made smaller by the roof of the cloister passing beneath them.

The mutilated, west portal is surmounted by three windows in the earliest Limousine Gothic style, but the bays of the second storey are a mediocre, XVIIIth century imitation. The bell-tower is grafted on to the south west angle of the facade and does not seem to have been initially planned. It is an irregular, later construction which was probably meant as a defence.

To the north of the transept, the ancient chapter hall has elegant twin bay windows dating from the end of the XIIth century. Ask to see the treasure which includes several reliquaries, among them an enamelled XIIIth century one, and, above all, a beautiful royal Virgin of the later Romanesque period, in chased silver with gold filigree work and antique carved stones.

Solignac

Most of the archives of Solignac are preserved in the XVIIth century chronicle of Dom Dumas. Although poor in information concerning the church, they help to evoke the glorious history of the abbey which was founded in 631 by Saint Eloi. The earliest monks came from Luxeuil, under the rule of Saint Remacle, who later became Abbot of Stavelot in Belgium. Solignac, well situated in the valley of the Briance, soon became a thriving centre of art and religious fervour. It was here that Saint Hadelin and Saint Theau were trained, Harried by the forays of the Saracens, but saved by the protection of the Carolingians, Solignac was ruined by the Normans. For some time it had sheltered the relics of Saint Martial.

By the IXth century the monastery had definitely adopted the Benedictine rule and with the Romanesque period it attained a new lease of life. "Fraternities" of prayer linked it with such famous contemporary monasteries as Fleury-sur-Loire and Saint-Denis. The "Roll of the Dead" in the XIIIth century illustrates the scope of its spiritual ties. The rebuilding of the church was made possible by an increase in patrimony and by the gifts of pilgrims. In 1157 it was given an arm of Saint Eloi by the Bishop of Noyon and possessed a rich treasury of relics.

The church was sacked by the English in 1388 and by the Protestants in 1568. Monastic life declined until the arrival of the Maurists in 1619. The summit of the west bell-tower collapsed in 1783. The abbatial church has been restored in our day and the convent has become a seminary for the Oblates of Mary.

THE INTERIOR. It is advisable to enter by the west porch. Outside, the porch has ogival vaulting; inside, a high flight of steps gives a fine, plunging view of the nave. Covered by a row of cupolas on pendentives, the single nave resembles those of the cathedrals of Cahors and Angoulême, Souillac and Saint Etienne of Perigord. The links between Solignac and the neighbouring dioceses explain this importation of foreign forms into Limousine art.

The granite construction and harmony of the proportions give the church exceptional quality.

The nave has two bays on great square piers. The windows are not "Limousine" and the passage beneath them is carried by an arcature with bases and pilasters whose carved, archaic motifs are symmetrical. A cupola, similar to those in the nave, covers the crossing. Whereas the north transept has an oval cupola, the south transept is shorter and covered by longitudinal, cradle vaulting. In each arm of the transept is an absidiole beneath a form of gallery connected with the walls by staircases built in the corner pillars.

The vault of the choir is flattened towards the west. Beneath arcades, three rounded chapels alternate with five small windows. The capitals on the columns are in carved sandstone and are similar to those forming an arcature in the oblique chapels. The axial chapel, a little deeper, is bare but has a central Limousine window. The choir contains stalls and stained glass of the XVth century. A large Saint Christopher of the same date is painted on a pillar at the entrance of the south transept.

THE EXTERIOR. Only two storeys remain of the west bell-tower beneath a heavy modern gable. The arching of the wide portal has lost its moulding. The sides of the nave are rhythmic; they consist of wide, flat buttresses between the bays, columns between the windows, arcatures on pilasters and carded bases on the lower half of the walls. The paired bay windows are framed by blind arches, trefoiled to the north in Mozarabic style. An arch with two vigorous, granite capitals may well be a survival of the Romanesque cloister.

The north transept has a portal to the west surmounted by a carved panel, doubtless a fragment of an altar front. The upper portion of the walls seems to have been rebuilt following the demolition, at an unknown date, of a bell-tower mentioned in several texts.

The majestic volume of the apse is enhanced by the chapels, of which, only the axial one is polygonal. The buttress-columns have carved limestone capitals and the cornices of the modillions are sculpted. A small crypt which used to contain the tomb of Saint Theau lies beneath the central chapel and the most decorated median window. The walls of the sanctuary and the eastern walls of the transept are ornamented by an arcature at the top.

PROBLEMS OF CHRONOLOGY. From comparison with other cupolaed churches of Aquitaine, we can confirm that the nave was consecrated in 1143, although the date is from a rather uncertain source. A second fire in 1178 necessitated a second dedi-

cation either in 1195 or in 1211; the latter seems more likely. It is, however, difficult to believe that the choir was entirely rebuilt at the end of the XIIth century as its style is not sufficiently developed. We believe that after the completion of the nave, two cupolas were planned for the transept but that this project was abandoned in order to build the absidioles of the present transept and choir. Only the beginning of the pendentive in the north west corner of the south transept is at present visible. Perhaps it was only after the fire that the north transept was enlarged and given a bell-tower which was too heavy for the pillars to support and had therefore to be pulled down. The upper parts of the apse were rebuilt at the same period. The bell-tower to the west dates from the beginning of the XIIth century and was built on a foundation probably even older than the nave. In addition, reparations were certainly carried out during the XVIIth century. They are not easy to define because the Maurists often imitated the medieval style of the buildings which they restored. The present state of the west wall of the south transept could certainly be the result of their work

Table of Illustrations

294

Many small Limousine towns owe their origins to cults developed around the tomb of some hermit saint. At the beginning of the VIth century a young nobleman, named Leonard, fled the life of the court and retired to a forest on the right bank of the Vienne. Having cured the wife of the King of Austrasia, Theodebert, Leonard was granted the property of Noblat and there created an agricultural colony for the redemption of prisoners. He died in 559 and soon devotion to the protector of captives became widespread. By the time of the Crusades this devotion had spread throughout Europe as the numerous sanctuaries dedicated to the saint in France, Belgium, Italy and the German States so vividly testify.

A church, founded by Louis the Pious, must have been rebuilt for the first time between 1045 and 1070. But the present church is very different and must be the product of various building campaigns. The lack of documentation regarding these campaigns has given rise to many contradictory hypotheses.

THE INTERIOR. The nave comprises five bays. The three first ones lack side-aisles and are bordered by transverse arches independent of the walls. While one has groined vaults, the other two have cradle vaults. At the last two bays, the nave is in broken cradle vaulting, with narrow side-aisles crossed by small supporting arches. Pillars alternate with simple columns. The walls are furnished with relieving arches. Much dissymmetry and reworking can be seen; in the third and longest bay, the north lateral arch, resting to the west on a thick pier, serves to diminish the entrance to the side-aisle on the east.

The transept is particularly complex. The crossing, roofed by a lantern tower on pendentives, is connected, to the west of the nave, whose side-aisles are extended by cradle vaults and by juxtaposed arches belonging to different periods. The piers at the entry to the choir are similarly complicated and parts of them are difficult to explain. Two colonnettes mark the opening to the primitive apse. Rectangular pillars were later erected to support the cupolas on pendentives of the transepts. The earlier existence of an absidiole to the east of the north transept can be surmised. At the end of the south transept lies the ancient sarcophagus of Saint Leonard.

The very high choir is an ambitious imitation of those of Pilgrimage Churches. A gallery, vaulted

in segments of a circle, exists in the first south bay, and another one with small bay windows skirts the apse; the effect is similar to Saint Martial of Limoges. After its collapse in 1603, the vault was reinforced by several ungainly, massive piers and the summit of the choir shabbily rebuilt. The Romanesque work is extremely elegant. It consists of very slender columns, a wide ambulatory, and seven chapels ornamented by arcatures and lit by numerous Limousine windows.

THE EXTERIOR. Although the west facade is Gothic, the walls of the nave, built of small stones, and the north windows indicate an earlier period. The north end of the transept has been rebuilt, but the south end is primitive and connected to the Chapter buildings. The octagonal lantern tower is unfinished. The chapels form a rich diadem around the apse, as at Solignac, their buttresses, being formed by two colonnettes unequal in size and one above the other. The capitals of the Limousine windows and the modillions of the cornices are carved. The central window of the axial chapel is larger and more ornate. Flying buttresses at the summit of the choir were added in the XVIIth century. Combining monumentality and a springing silhouette, the lateral bell-tower is the finest example of Limousine Romanesque. This style is characterised by gables whose purpose is to ensure the transition between square and octagon. The upper storeys were rebuilt in 1880 to 1884. Forming a porch with a central pillar, the ground floor has granite capitals carved in an archaic style with palmettes, birds and figures. The wrought iron hinges which adorned the doors of the nave are now in the Museum of the Cloisters in New York.

A domed rotunda lies between the bell-tower and the north transept. It rests on powerful columns and has four absidioles. It was probably intended to evoke the memory of the Holy Sepulchre and is now the Baptistry.

ARCHEOLOGICAL PROBLEMS. The most probable chronology is as follows;

The walls of the nave and transept are those of the XIth century church which cannot have been vaulted. The plan of the choir shows three parallel apses. Documents speak of a crypt, later walled up, which it would be interesting to excavate. It seems that the principal entrance was always to the north.

The rotunda of the "sepulchre" was constructed later than the church but certainly before the end of the XIth century. The building was vaulted during the first half of the XIIth in accordance with various methods in use at the time.

The cupolas over the transept appear to be contemporary with the earliest at Solignac. The use of side-aisles in the transept and eastern bays of the nave resulted in the narrowing of the body of the church. The construction of the bell-tower at about the same period necessitated the extension of the third bay. The great choir can be dated from between 1150 and 1180, but its style does not support its attribution to the generosity of Richard Cœur de Lion, following his release in 1197.

The groined vault to the west of the nave is a restoration and was carried out at the time of the rebuilding of the top of the apse. The problems of chronology set by this church have been still further complicated by the many modern restorations. It is certainly the most puzzling but, by the same token, the most appealing church in the region.

Chambon-sur-Voueize

The monastery of Chambon in Combraille on the borders of Auvergne and Bourbon used to be a dependance of Saint-Martial of Limoges. The relics of Saint Valerie, a virgin martyr and disciple of the Apostle of Limousin, were transferred there in 985. Although the region has always remained comparatively isolated, pilgrims must have been sufficiently numerous to warrant the construction of an important church towards the end of the XIth century, a church visibly influenced by the art of the adjacent provinces.

THE INTERIOR. The long, high nave consists of two distinct portions. The first seven bays have pillars which are finer and closer together. Each of the pillars has four columns and the side-aisles are wider than those in the majority of Limousin churches. The central body of the church is lit directly by windows. A heavy roof accords badly with such a construction. Actually, the groined vaults are modern (1852). They conceal a fine XVth century framework. The Romanesque nave must also have once been covered in wood; a very similar example has recently been restored in the neighbouring church of Evaux-les-Bains. The decoration of the Chambon nave is very sober with bare capitals recalling those of Saint Etienne-de-Nevers.

Two windowless bays follow, with broken cradle vaulting and furnished with side-aisles vaulted in quarter circles. Thick arcades, placed obliquely to the last bay, because the nave, noticeably widened in the preceding bay, narrows towards the transept, are supported by strong pillars adorned with columns and colonettes. The relatively slender piers of the crossing carry pendentives which follow the circular plan of a cupola whose lantern tower is modern. The arms are elongated and very projecting. The south one preserves two rounded absidioles. The upper parts have been altered by restorations and a round tower, which encloses the Charter Room of the convent, juts out at the south west angle. The north arm was almost entirely rebuilt during the Gothic period. Its extremity, divided into two stories, forms a square chapel on the ground floor and a ogival vaulted gallery above. Its purpose was to shelter the relics in case of war. The gallery is accessible either by a narrow staircase close to the entrance of the ambulatory, or, indirectly, by a second staircase leading from the west of the south transept.

296

The choir is very short and its plan derives from those of pilgrimage churches. It is surrounded by a dark gallery with quarter circle vaults. The gallery is lit by small bays in the apse and by larger bay windows to the east of the transept. The upsurging columns of the rond-point are topped by capitals which are summarily decorated with balls at the angles. The ambulatory is groin vaulted and three adjoining, rounded chapels open off it. Their entrance is decorated by a torus and columns rising from high, square bases. The ensemble is rather different from the usual Limousin style, and, in the absidioles the moulding of the windows is archaic.

An interesting panel depicting the martyrdom of Saint Valerie, painted in the XVth century, is to be seen in the church, and in the presbytery, a fine, silver reliquary-bust of the same period. The bust is hung with a rich, gold-worked necklace.

THE EXTERIOR. The bays, provided with direct light, have storied roofs and remind one of the Bourbon church of Ebreuil. The buttresses are flat and the walls in small masonry. A row of billets outline the windows of the south side-aisle and those of the nave on both sides. A square two-storied bell-tower with a pyramidical shingle roof, surmounts not the crossing of the transept but the two last bays of the nave. Thus, in part, it rests on the interior vault which extends further than it does to the east. In the corresponding parts of the side-aisles the walls show indications of retouching. The north windows are bordered with billets, with a second, horizontal row above.

The north transept has a military aspect from outside with few windows and a portal opening to the west. Except for an intact absidiole, the south transept is partially disfigured. The chapels of the chevet are joined at the top by small squinches beneath a cornice of modillions. Each has one "limousine" window, that of the axial chapel being curiously decorated with torsades. The semi-circular walls of the ambulatory and sanctuary have been much restored.

Dating only from the XIIIth century, the western bell-tower, at the end of the Middle Ages, was crowned by an important defence work.

PROBLEMS OF CHRONOLOGY. The archives of Chambon were burned during the Revolution which makes the dates of construction of the church debatable. Lefevre-Pontalis and Deshoulieres consider the choir to be older than the nave. M. Jean Verrier, with more reason, believes it to be later. The two vaulted bays would have to have had been altered to support the bell-tower, which must have been more or less contemporary with the apse. The course of the work could have stretched over the last third of the XIth to the middle of the XIIth century. The apse is as narrow as the first part of the nave which explains the abnormal juxtaposition of the chapels. The strange position of the east tower results either from the inadequacy of the piers in the crossing or from a wish to make use of the foundations of a more ancient sanctuary. The church was damaged in 1440, and in 1574, and has been restored several times since. This makes it difficult to specify precisely the respective work of the different building campaigns.

Table of Illustrations

The site of Saint-Junien, like that of Saint-Leonard, was originally a hermitage. In about 500, Junien, son of a Comte de Cambrai, came to share the life of Saint Amand among the rocks of the "Comodoliac" near the Vienne. Junien was renowned for his miracles. At his death in 540, the Bishop of Limoges, Rorice II, whom he had cured, built an oratory over his tomb and later, in 544, founded a larger church.

A XVth century chronicle recounts the origins, but its author, the Canon Etienne Malen, confuses the Romanesque church with the primitive one, placing the date of its consecration in 1102 when it must rather have been in 1100. Malen includes in his account such additional work as the building of the chapel of Saint Martial in 1223 and the extension of the choir in 1230. According to other sources, the first church was destroyed in 866 by the Normans. The Chapter became decadent and was reformed at the end of the Xth century by Saint Israel who came from Dorat. From the façade and the choir it seems probable that the canons were able to undertake the building of a new collegiate church prior to 1100. The transept chapels date from the beginning of the XIIIth century and the additions mentioned by Malen to the same period.

The spire of the crossing collapsed in 1816. Between 1845 and 1906 the church was restored, but in 1922 the lantern tower itself crumbled. The tower and several pillars in the choir have since been reerected.

THE INTERIOR. As at Dorat, a cupola and lateral groined vaults can be seen in the first bay of the nave. Two earlier bays, built in a severe and powerful style, adjoin it. They have three parallel cradle caults, enormous piers on square bases, large open arcades, undecorated windows and capitals. To the north of the last bay is grafted a XVth century chapel.

The transept bays with their broken cradle vaults, seem even more archaic. The walls are of irregular masonry with a relieving arch to the west and very late rose windows at either extremity. The eastern chapels were built later and have large square ogives; that of the south occupies the site of the early oratory. The granite capitals of the nave are comparatively heavy. The octagonal lantern tower on flat pendentives has only four windows beneath its cupola.

The choir, also, has broken cradle vaults and no direct lighting. The side-aisles have groined vaults. The pillars in the first two bays are scrupulously modelled. Closer together than those in the nave, they show a more evolved style with four columns. Pilasters are also replaced by columns against the walls. Most of the capitals are sculpted. They portray various motifs in a rather rough technique.

According to Malen, the choir ended in a straight wall to the east of the third bay, prior to 1230. One wonders if the original lay-out had not already been modified. The XIIIth century bays do not differ from the others as to structure. The clearcut linear quality of the last period of Limousine Romanesque is to be seen in the wider arcades, the more elegant mouldings and supports, the bare, supple capitals. The chevet which is also rectilinear, is adorned with a beautiful rose window with twelve mullions.

The tomb of Saint Junien, in fine sandstone, now lies behind the high altar. Its carvings recall reliquaries. To the south are shown twelve Elders of the Apocalypse under carved arcatures and the Pascal Lamb between two angels. On the east is Christ in Majesty, the symbols of the Evangelists and busts of angels, and, to the north, the Virgin Mother in Glory with the remaining twelve Elders. M. Paul Deschamps has dated this important work from its inscriptions. One, on the inner side of the east face, is a little later than the translation of relics of 1100 which it commemorates, but the stone has been reversed later in order to be carved and the inscriptions above Christ and around the Virgin indicate the end of the XIIth century.

Vestiges of frescoes were discovered in the church several years ago; at the end of the north transept, a large Saint Christopher contemporary with the tomb. On the vault of the chapel in the south transept, XIIIth century sainted bishops and the parable of the evil rich man. In the chapel of Saint Martial, to the north of the choir is a procession of relics of the same period, full of spirit but much damaged. Some curious stone or wooden statues of the XVIth-XVIIth centuries are also to be seen in the nave, and in the south aisle a funeral tile in graven steel of the XVth century.

THE EXTERIOR. The external volumes display the sobriety of the southern churches; high straight walls and a single roof covering the three naves. The abrupt chevet with a triangular gable between two bell turrets recalls the cathedral of Poitiers. At the side of the choir where the joining of the two last bays is very apparent, only the windows of the chapel of Saint Martial are decorated. An octagonal topped turret, small windows and a stone spire surmount the angle of the north transept. The south transept, as in the interior, appears earlier than the nave.

The principal part of the facade is sculpted at the base, like those of Dorat and Souterraine. Two compressed arcades enclose the portal with "Limousine" archings and a central pier. A storey, bordered by rampants, is framed by two polygonal turrets whose circular corbellings and conical spires lend it a military air. The unfinished bell-tower was intended to be in "Limousine" style as at Saint Leonard. The windows of the second storey show the beginnings of very steeply sloping gables. The octagon is only sketched but easily discernable. The tower, whose silhouette must have been very fine, was not erected before the start of the XIIIth century.

Le Dorat

The archives of Dorat were destroyed during the Revolution and are only available to us in later and incomplete copies. Its foundation by Clovis is purely legendary; the primitive name of "Scotorium" presupposes the arrival of Anglo-Saxon monks. Not in general use until the XIIth century, the name "Le Dorat" was due perhaps to the presence of a gold worked statue.

Towards 980, Boson, Comte de la Marche, established there a chapter of regular canons whose renown was largely due to the XIth century Saints Israel and Theobald. The saints' relics are preserved. The archives mention a fire in 1013, the consecration of a new church in 1063, and in 1075, a new high altar. These dates cannot apply to the present day building because its charateristics indicate the XIIth century. No records exists of the different stages of construction except for the mention, in 1130, of the transference of the relics to the crypt. The monument has not undergone any notable alterations and there are still some traces of fortifications added in about 1425.

THE INTERIOR. A very high flight of steps dominates the nave, affording a first view of surprising majesty. When visiting, it is logical to begin with the crypt, the most ancient part of the church. Stretching beneath the choir, the crypt consists of a sanctuary, vaulted over colonettes, and having a cradle-vaulted ambulatory with three chapels. Its simplicity leads one to believe in a date before 1100.

The choir is in a homogeneous style, short, with broken cradle vaults and a rounded apse. The columns of the rond-point are unequally spaced and have magnificient granite capitals. The ambulatory, with groined vaults, is lit by "limousine" windows, as are the three absidioles, whose walls are decorated by an arcature.

The transept marks a change of plan. With the exception of the absidioles to the east of the crossing, the moulding of the transept links it to the first bay of the nave. A lantern tower with eight "limousine" windows and covered by a cupola and pendentives is supported by engaged columns with superb granite capitals. Everywhere the line is exceedingly delicate. A fine window with triple arching exists on each end wall of the transept. The nave has broken cradle vaulting and no direct lighting; the side-aisles are narrow and with groined vaults. Most of the pillars have only one column on the nave side, with pilasters on the other faces. A cupola beneath a bell-tower dominates the entrance bay as at Souterraine, Saint-Junien and Nenevent. The columns in the lateral arcades have fine capitals. The numerous irregularities in detail indicate the progress of the work; the first bay on the east is longer than the others. Its western pillars are more complex, perhaps with later modifications. The south wall displays several variations. In the second bay of the side-aisles, the base of the vaults is of a different height from the third bay of the nave. The moulding is more delicate towards the west and the walls show retouching. It is probable that after building the bay nearest the transept, alterations were made in the distribution of the piers. The facade bay was then built and changes effected from west to east throughout the church. The north wall apparently includes pieces of earlier masonry.

The large, granite baptismal font seems also to date from the XIth century. It is decorated with lions. A reliquary cross in silver, decorated with cabochon stones is kept in the sacristy.

THE EXTERIOR. The apse, with its chapels covered by pointed stone roofs and the turret above the central absidiole is very picturesque. It is framed by windowed bell-turrets. The buttresses of the chapels are very simple and all the windows "limousine" in style. Unfortunately the chevet and the south flank of the nave are only really visible from the garden of the adjoining convent. The side-aisles also have windows with torus mouldings and powerful rectangular buttresses. The different types of masonry lead to the same conclusions as in the interior. In addition, at the third bay of the north side there is a portal with a curious lintel, ornamented with inscriptions.

The ground rises steeply to the west, progressively burying the nave. The base of the walls is kept clear by means of a ditch. On the north wall of the transept is another portal decorated with a torus and colonnettes. The window of the gable used to be preceded by an arcade as deep as the lower porch. The bell-tower of the crossing rises with a fine spring above the lantern and a band of tre-foiled, blind arcatures. The top storey and the spire appear to date from the XIIIth century. They recall, in fact, the bell-towers built in the Ile-de-France during the period of transition from Romanesque to Gothic. A once gilded copper angel crowns the spire.

The west facade resembles those of Souterraine and Saint-Junien by the narrow arcades flanking the portal. This portal is divided into two bays by a pier and its archings have a very original scalloped outline, more monumental than that of Souterraine because it is more simple. The solid mass of the ground floor is crowned by a large, squat bell-tower decorated by arcades between two bell-turrets similar to those of the apse.

The collegiate church of Dorat, whose disparities of detail melt into a grandiose harmony, is, uncontestably, the most imposing of the Limousin churches. Its central bell-tower is a genuine masterpiece and the interior effect of the highest quality. In spite of the hardness of the stone, its decorative sculpture reveals the utmost vigour. The monument deserves to be much more widely known.

Table of Illustrations

Scarcely anything remains of the important abbey of Saint Martial except its books, but these give us a clear picture of it by the intensity of their artistic and intellectual vitality. In the realm of letters, history, music and painting, Saint Martial was one of the most important centres of western culture in central France.

The earliest known Limousine works are a Xth century bible and a book of Office, also of the Xth century, but later. Their decorative style is borrowed from the Carolingian school of Tours, and more precisely from manuscripts painted under the direction of Alcuin (804). The head of each book of the bible is illustrated by a letter, decorated by large Carolingian palmettes, whilst the arches of the canons of the evangelists (p. 12) rest on various animal figures, and the columns are ornamented by vigorously, interlaced beasts, such as are to be seen at Moissac and Souillac (cf. our QUERCY ROMAN). The book of office uses similar motifs inspired by the same source. Note, however, that the ornamental initial is not always a purely decorative fantasy; when possible and especially at the beginning, the western artists drew their designs from the relevant text as is illustrated by the reproduction shown here. (pl. 1). It deals with the life of Saint Thomas, and therefore the saint is depicted in the letter "B" of "Beatum Thomas".

The first phase of Limousine illumination ended with this book of office. This is due to the lack of continuity in either monastic or other *schools;* it is one of the laws of Romanesque painting. At least three *schools* operated at Saint Martial, of which the first two were separated by a century and the third was contemporary with the second.

The second school reveals the influence of Aquitaine and the western Mediterranean. It is illustrated by a book of Office dating from the first third of the XIth century. We reproduce the famous Saint Martial strangling peacocks, which was probably inspired by some Byzantine brocade, (p. 238) and an ornamented letter "B" (p. 237). Two very different masterpieces mark the third school; a bible, called the second bible of Saint Martial and a missal copied and painted for the cathedral of Saint Etienne.

The first thing to notice is that the bible has been illustrated by two artists of a very different calibre. The first had an Aquitaine training and shows a taste for geometrical designs resembling those of the *Apocalypse* of Saint Sever in Gascogny, from which its essential qualities are derived.

Flat, vivid tints which tone down the backgrounds divided by horizontal bands, the frames and the general lay-out. (look again at pl. 2 and 3). This son of Aquitaine is imbued with the art tradition of his native region and is certainly a great artist. A precise and careful designer, he knows how to soften a picture by the use of subtle counterbalance which would be rigid if it had too strict a symmetry underlined by uniformity of colour. Pope Damase (pl. 2) dominates the priest Jerome by his greater size, although seated—which is as it should be— but the latter figure holds in his hand the letter of Damase which is deliberately disproportionately enlarged to achieve this balance. The same applies to the illustration of Our Lord and Moses. (pl. 3).

The missal of Saint Etienne is not much later than this second bible, but it transports us to a violent, moving world. Ten full page paintings (one is missing) illustrate the frontispiece, canon of the mass and principal feast days from Advent to Pentecost. We reproduce two, one depicting the Presentation in the Temple (p. 239) and the other the Holy Women at the Tomb (p. 240). These give a good idea of them all but do not show the close relationship between their iconography and that of the region beyond the Rhine. But notice the use of golden rectangles in the brocades for this must have been inspired by German craftsmen for this particular process was unknown in France at the time.

All the illuminated manuscripts here shown are in the National Library in Paris.

Table of Illustrations

Enamels and Goldsmiths' Work

The art of enamelling on copper is still practised at Limoges up to the present day. The two great moments of its history were during the XIIth and XIIIth centuries, and at the end of the XVth and XVIth centuries. The Romanesque period saw the flowering of this particular form of art in various parts of Europe, especially in the Rhine-Moselle region and northwest Germany and in Aquitaine and northwest Spain, and doubtless, also in Sicily. The works themselves indicate that some artists, partly heirs to the gold and stained glass masters of the West, and partly inspired by the sumptary works of the Christian and Moslem Orient (enamels, silks, minatures and mosaics), adapted the styles and methods to their milieu and the taste of the day.

Craftsmen were established at Limoges during the last third of the XIIth century, whose wares were sent far and wide among Christian lands where they were much appreciated. All these works were characterised by a special decoration (p. ex. reliquaries of Gimel and Malval p. 270 and 274) and usually consecrated to the saints held in particular veneration in Limousin, like Saint Martial, Saint Valerie and Saint Stephen.

Enamelling is an art which consists in fusing a hard, vitreous compound upon metal surfaces. This compound is a kind of glass resembling crystal, colourless and transparent. It is rendered opaque and coloured by various oxides; white by tin-oxide, blue by cobalt oxide, green, red or turquoise by steel oxide, yellow by antimony, black and violet by manganese oxide, and translucent purple by salts of gold. (cf. reliquaries of Ambazac and Gimel. p. 268 and 270).

Of two processes of enamelling in use at Limoges, one was "cloisonne" in which thin metal strips are bent to the outline of the pattern and then fixed by silver solder or the enamel itself, and secondly, the "champleve" method which is done by cutting troughs or cells in the plate itself leaving a metal line raised between them which forms the outline of the design. Most of the Limousin enamels are in "champleve" with, rarely, details in "cloisonne". One characteristic of Limoges enamels is the method of treating the heads of flat figures in relief. These heads must have been turned our in series because identical ones appear on hundreds of examples dating from the beginning of the XIIIth century. (cf. p. 11).

A certain number of ecclesiastical furnishings still exist such as altar facings and large altar pieces, candlesticks, censers, incense vessels and altar cruets. By contrast, chalices and patens are rare for the reason that gold is more suitable for them than copper and enamel. The liturgy of the Holy Sacrement instituted during the XIIth century inspired the fabrication of larger eucharistic reserves than the early pyx, such as tabernacles, caskets, covered ciboria etc. in which the workshops of Limoges specialised. In addition, a great abundance of precious reliquaries worthy of holy relics were ordered during the XIIth century, another speciality in which the Limousin artists excelled. These church furnishings were sent throughout Europe from Gaul to Kiev and Ireland to Armenia as is abundantly evident by the quantities preserved in museums and private collections.

PRECIOUS WORKS ILLUSTRATED IN THIS VOLUME. *Reliquary of Bellac:* tiny rectangular house covered by a double sloping roof, with two figures of Christ and the four symbols of the evangelists. It includes fifteen precious stones set among the gems; emeralds, amethysts and cabochon crystals. (p. 266).
The socket of a cross: in copper enamelled in green, turquoise, blue and white, with two birds engraved with intersecting circles. (pl. 13).

The two reliquaries of Saint Stephen: (one at *Gimel* in Correze, and the other at *Malval* in Creuse) with a background of stylised foliage. (p. 270 and 274).

An Eucharistic casket: (Limoges museum) rectangular, lidded by a four panelled cover. It is in gilded and enamelled copper and in an exceptionally good state of preservation. A ring fixed to the lid shows that it could also be hung by chains above the altar beneath a canopy of precious material. (pl. 8).

Reliquary-angel: (from the treasure of Grandmont). This statuette has been turned into a reliquary by the addition of a crystal repository to the head and a base beneath the feet. Only the angel itself is Romanesque. It is one of the earliest surviving examples of the attempts on the part of the enamel workers to model a human figure in the round. (pl. 10).

Reliquary of Ambazac: this is one of the most dazzling works of Limousin enamel belonging to the treasure of Grandmont. The decoration (pl. 7) suggests Byzantine inspiration but is treated more boldly.

Reliquary-cross of Gorre: a cross with a double crosspiece serving as a reliquary for the True Cross. From its style and subject (war between wild beasts and stars) it can be assumed that it was executed during the XIth century in the western Mediterranean region. (p. 276).

Monstrance-Reliquary: formed by a sphere carved in rock crystal carved with a foliage motif. It is supposed, in ancient times, to have contained hair of the Virgin. (pl. 14).

Table of Illustrations

Die Benediktinerabtei Saint Pierre zu Beaulieu wurde gegen 840 an den Ufern der Dordogne durch den Erzbischof Raoul von Bourges, Sohn eines Grafen von Quercy, gegründet. Mit zahlreichen Reliquien bereichert, unter denen sich auch diejenigen der heiligen Felicitas, Märtyrin von Agen, befanden, blühte die Abtei bis zum Ende des 10. Jahrhunderts. Dann fiel sie in die Hände von Laienäbten, wurde aber dann 1076 oder 1095 durch die Cluniacenser reformiert.

Inspiriert durch die Wallfahrtszentren — Limoges, Aurillac, die Klöster vom Lande Cahors, von Moissac und Toulouse — unter denen Beaulieu eine Etappe darstellte, begann man damals mit dem Bau einer grossen Kirche. Die Daten ihrer Konstruktion sind uns nicht bekannt. Der Stil weist für das Chor, für das Querschiff und den Anfang des Schiffes auf das erste Drittel des 12. Jahrhunderts hin. Die Seitenmauern und das Südportal müssen vor 1150 errichtet worden sein; die beiden Westjoche und die Fassade stammen aus dem Anfang des 13. Jahrhunderts, der Glokkenturm aus dem 14. Jahrhundert.

Die durch die Religionskriege verursachten Schäden wurden nach 1586 wieder ausgebessert (Spitzbogengewölbe im nördlichen Quer- und Seitenschiff). Es bleiben noch Spuren vom Mobiliar und des Anstriches, den die Mauriner ausführen liessen, nachdem sie 1663 hier installiert worden waren. Das Gewölbe des Schiffes stürzte anno 1808 zum Teil zusammen. Von 1881 an wurde eine Gesamtrestauration unternommen.

DAS INNERE. Der Plan ist einfach : vier Joche mit Seitenschiffen, Querschiff mit geosteten Absiden, Chor ziemlich kurz mit Chorumgang und drei Kapellen. Die hohen Gewölbe sind Tonnengewölbe oder schwach gebrochen, die niederen sind Gratgewölbe. Eine achteckige Kuppel überragt die Vierung. Das Mittelschiff besitzt keine direkte Belichtung, ausser in der Abside; über den unteren Arkaden öffnen sich kurze, zweiteilige Oeffnungen auf dunkle Tribünen. Die Pfeiler, die an der Vierung verstärkt sind, weisen vier eingelassene Säulen auf; dicke Säulen stützen das Rondel. Alle diese Stützen nehmen ihren Ausgang von einem ziemlich hohen, viereckigen Sockel.

Die Gesamtansicht verbindet Beaulieu mit der Familie des Limousin. Während aber einige besondere Züge, wie die Verwendung von Sandstein, sich durch die geographische Lage erklären lassen, so das Vorhandensein von Tribünen durch den Einfluss der Pilgerkirchen. Diese Galerien gehen mit einem Viertelsbogen um das Chor herum und waren auch für das Schiff vorgesehen. Doch hat ihr Architekt die Seitenschiffe erhöht und die Oeffnung ihrer Arkaden grösser gemacht. Dadurch wurde die Wichtigkeit der Tribünen für die Komposition und ohne Zweifel auch ihre Wirksamkeit für das Gleichgewicht zurückgedrängt. Heutzutage sind die Tribünen des Schiffes nicht gewölbt und man kann nicht sagen, ob sie es jemals waren. Das vierte Joch zeigt die Mittel, die angewendet wurden, um zwei ganz verschiedene Auffassungen mit einander zu verbinden.

Der Schmuck der ältesten Teile erinnert an die Kathedrale von Cahors : Basen mit gehauenem Band, umgeben von Wülsten; Schmucklose und geometrische Kapitelle. Das Chor, das Querschiff und der östliche Teil des Schiffes haben nur wenige Kapitelle mit Blätterwerk oder Figuren in einem schweren Stil. Zwei Türstürze sind mit Löwen geschmückt. Bei den jüngsten Jochen des Schiffes liefern die abgeplatteten Basen und die Kapitelle einen Uebergang zu den gotischen Formen. Die Fenstereinfassung mit zwei Säulchen und einem Wulst ist typisch für das Limousin. Sie entwickelt sich auch zu einer grösseren Feinheit von Ost nach West.

304

DAS AEUSSERE. Die Chorhaube der Abteikirche ist von einem schönen Aufbau, der die innere Anordnung logisch widerspiegelt. Die Kapellen und der Chorumgang weisen limousinische Fenster auf, oft gekrönt von einem Kugelsims. Die Stützsäulen sind im Norden durch flache Pilaster ersetzt. Die Mauern zeigen zahlreiche Steinhauerzeichen; gehauene Sparrenköpfe tragen die Kranzgesimse; ein achteckiger, neuerer Glockenturm überragt die Vierung. Er geht mittels Stufen in seine quadratische Basis über wie in Obasine und Saint Léonard.

Einzig der Südarm des Querschiffes hat seinen ursprünglichen Aspekt bewahrt. Auf der Südseite des Schiffes unterscheidet sich das vierte Joch durch seinen grösseren und dunkleren Mauerverband und durch seine altertümlicheren Fenster. Eine Widerlagersäule begrenzt sie im Westen. Ins zweite Joch mündet die Pforte, die das wundervolle Portal aufweist, dessen Komposition sich von demjenigen von Moissac herleitet : Im Tympanon die Erscheinung Christi zwischen Aposteln und Engeln, die die Leidenswerkzeuge tragen. Auf dem doppelten Türsturz sehen wir Ungeheuer und dekorative Rosen, gegen die Wände der Eingangshalle die Geschichte des Daniel und die Versuchungen Jesu. (Für das Studium dieser Pforte siehe den Band Quercy Roman).

Die Nordseite, wo das vierte Joch die gleichen Charakteristiken aufweist, wie auf der anderen Seite, hat höhere und schrägangelegte Strebesäulen; die Fenster sind verkürzt, denn das Dach des Kreuzganges ging unten durch.

Das verstümmelte Westportal ist von drei Fenster im Stil der ersten limousinischen Gotik überragt. Die Oeffnungen des zweiten Stockes sind eine mittelmässige Nachbildung des 18. Jahrhunderts. Der Turm an der Südwestecke der Fassade scheint ursprünglich nicht geplant gewesen zu sein. Es ist ein unregelmässige Konstruktion, der wahrscheinlich ein Defensivgedanke zu Grunde liegt.

Der alte Kapitelsaal im Norden des Querschiffes hat elegante Doppelöffnungen aus dem Ende des 12. Jahrhunderts. Verlangen Sie den Kirchenschatz zu sehen, der mehrere Reliquiare, darunter einen emaillierten Schrein aus dem 13. Jahrhundert enthält und vor allem eine schöne thronende Madonna aus der letzten romanischen Periode aus getriebenem Silber mit Goldfiligranen und antiken, gravierten Steinen.

Tafel der Abbildungen

Solignac

Die Archive von Solignac, im 17. Jahrhundert von Dom Dumas für seine Chronik benützt, sind zum grössten Teil erhalten. Arm an Daten über die Kirche, hilft sie vor allem die glorreiche Geschichte der 631 von Sankt Eligius gestifteten Abtei wachzurufen. Die ersten Mönche kamen von Luxeuil unter der Leitung des heiligen Remaclus, späteren Abtes von Stablo in Belgien. Solignac, schön gelegen im Tale der Briance, wurde rasch zu einem Herd der Kunst und des religiösen Eifers, wo sich auch die Heiligen Hadelin und Theatus formten. Heimgesucht durch die Einfälle der Sarazenen, wiederaufgebaut unter dem Schutze der Karolinger, wurde die Abtei später durch die Normannen zerstört, nachdem sie eine Zeitlang die Reliquien des heiligen Martialis beherbergt hatte.

Im 9. Jahrhundert hatte die Abtei die Benediktinerregel endgültig angenommen. Die romanische Renaissance bedeutete für das Kloster einen neuen Aufstieg: Gebetsverbrüderungen verbanden Solignac mit den berühmtesten Abteien der damaligen Zeit, so z.B. mit Fleury sur Loire oder Saint Denis. Noch im 13. Jahrhundert zeugt sein Totenrodel von der Weite seiner geistlichen Beziehungen. Die Gaben der Pilger und die Vermehrung des zeitlichen Gutes erlauben die Kirche neu zu bauen, die 1157 vom Bischof von Noyon einen Arm des heiligen Eligius erhält und auch sonst einen reichen Reliquienschatz ihr eigen nennt.

Die Kirche wurde 1388 durch die Engländer, 1568 durch die Protestanten verwüstet. Das monastische Leben sank bis zur Ankunft der Mauriner im Jahre 1619. Die Spitze des westlichen Turmes stürzte 1783 zusammen. Die in unseren Tagen restaurierte Abteikirche und das Kloster, das gegenwärtig den Oblaten Mariens als Seminar dient. empfehlen sich heute durch ihr gediegenes Aussehen.

DAS INNERE. Man tritt am besten durch die Westpforte, die ein Spitzbogengewölbe aufweist, in die Kirche ein. Ein hohes Perron im Innern gewährt einen herrlichen Blick ins Schiff hinunter. Das einzige Schiff ist mit einer Reihe Kuppeln auf Zwickeln versehen und gleicht den Kathedralen von Cahors und Angoulême, sowie denjenigen von Souillac und Saint Etienne von Perigueux. Die Bande, die Solignac mit der benachbarten Diözese verbinden, erklären diese Einführung fremder Formen in die limousinische Praxis. Der in Granit aufgeführte Bau und die Harmonie seiner Proportionen, verleihen dem Werk eine aussergewöhnliche Qualität.

Das Schiff hat zwei Joche auf dicken, quadratischen Pfeilern. Vor den Fenstern, die nicht nach dem landesüblichen Schema gemacht sind, führt ein Gang vorüber, der von Arkadenbögen getragen wird. Die Pilaster und Säulen der letzteren tragen altertümliche Motive und sind symmetrisch mit der gegenüberliegenden Seite. Eine Kuppel, ähnlich wie diejenigen im Schiff, deckt die Vierung. Das nördliche Querschiff besitzt eine ovale Kuppel. Das südliche Querschiff ist kürzer und mit einem Längstonnengewölbe überdeckt. In jedem Arm des Querschiffes befindet sich eine geostete Abside, unter einer Art von Tribüne, die durch im Eckpfeiler emporführende Treppen zugänglich sind. — Das Gewölbe des Chores ist eine Halbkugel, die im Westen abgeflacht ist. Unter fünf kleinen Oeffnungen wechseln drei abgerundete Kapellen mit Fenstern unter Arkaden ab. Die Säulen tragen gehauene Kalksteinkapitelle, ebenso jene, die in den schräggestellten Kapellen eine Arkade bilden. Die Mittelkapelle ist etwas länger und leer, aber ihr Mittelfenster ist im Stil der Provinz. Im Chor befinden sich noch das Chorgestühl und die Scheibenfenster des 15. Jahrhunderts. Ein grosser Christophorus ist auf eine Säule des Einganges, gegen das südliche Querschiff, gemalt.

DAS AEUSSERE. Vom Westturm bleiben nur zwei Stockwerke unter einem schweren, modernen Giebel. Die Bogen des breiten Portals haben ihre Wülste verloren. Die Flanken des Schiffes sind von einem sehr schönen Rythmus : breite, flache Widerlager zwischen den Jochen, Säulen zwischen den Fenstern und Arkaden auf Pilastern. Doppelöffnungen sind von blinden Arkaden eingerahmt, im Norden sind es Dreipässe nach der mozarabischen Manier. Ein Bogen mit zwei kräftigen Granitkapitellen auf der Südseite ist vielleicht ein Ueberbleibsel des romanischen Kreuzganges.

Das nördliche Querschiff wird im Westen von einem Portal durchbrochen, das von einem gehauenen Feld überragt wird, ohne Zweifel die Ueberreste eines Antipendiums. Der obere Teil der Mauern scheint wieder hergestellt worden zu sein, als ein — in verschiedenen Urkunden genannter — Turm in einem unbekannten Zeitpunkt abgebrochen wurde.

Die majestätische Grösse der Apsis ist durch die Kapellen bewegt, von denen einzig jene in der Mitte polygonal ist. Die Stützsäulen haben historisierende Kapitele aus Kalkstein. Auch die Sparrenköpfe sind gehauen. Unter der Zentralkapelle, deren Mittelfenster mehr geschmückt ist als die andern, enthielt eine kleine Krypta das Grab des hl. Théau. Die Mauerflächen des Altarraumes sowie diejenigen im Osten des Querschiffes sind zuoberst mit einer Arkadenreihe geschmückt.

CHRONOLOGISCHE PROBLEME. Der Vergleich von Solignac mit anderen Kuppelkirchen von Aquitanien erlaubt die Annahme, dass das Schiff 1143 konsekriert worden ist, obwohl dieses Datum von einer wenig sicheren Quelle geliefert wird. Ein Brand 1178 hätte eine zweite Einweihung nötig gemacht, die einmal für 1195, ein anderes Mal für 1211 erwähnt wird. Das letztgenannte Datum ist wahrscheinlicher. Aber es ist schwer zu glauben, dass das Chor am Ende des 12. Jahrhunderts vollständig neu aufgebaut worden sei, da sein Stil für diese Zeit zu wenig entwickelt ist. Wir vermuten, dass man nach Beendigung des Schiffes zwei Querschiffe mit Kuppeln plante (die Andeutung eines Zwickels findet sich im Nord-Westen des südlichen Querschiffes), dass man aber dann diesen Plan fallen liess, um die Absiden des Querschiffes und das Chor zu bauen. Vielleicht erst nach dem Brand vergrösserte man das nördliche Querschiff und gab ihm einen Glockenturm, der zu schwer war für die Pfeiler und später wieder abgetragen werden musste. Zu gleicher Zeit restaurierte man die oberen Teile der Apsis. Der Eingangsturm im Westen datiert aus dem Anfang des 13. Jahrhunderts. Er steht wahrscheinlich auf einem Fundament, das älter ist als das Schiff selber. Ohne Zweifel wurden auch im 17. Jahrhundert Restaurationen vorgenommen; aber sie sind schwer zu bestimmen, da die Mauriner oft den mittelalterlichen Stil des Gebäudes nachahmten, das sie erneuerten. Die Westmauer des südlichen Querschiffarmes kann in seinem jetzigen Zustand den Maurinern zu verdanken sein.

Tafel der Abbildungen

Saint-Léonard

Mehrere kleine Städte des Limousin verdanken ihre Entstehung dem Kult am Grabe eines heiligen Eremiten. Leonhard, ein junger adeliger Franke, floh das Hofleben und zog sich zu Anfang des 6. Jahrhunderts in einen Wald auf dem rechten Ufer der Vienne zurück. Als er die Frau des Königs Theodebert von Austrasien geheilt hatte, erhielt er von diesem das Gut »Noblat«, wo er eine landwirtschaftliche Kolonie gründete für den Loskauf der Gefangenen. Er starb 559. Bald wurde die Verehrung zum Beschützer der Gefangenen grösser. Zur Zeit der Kreuzzüge verbreitete sie sich über ganz Europa, was durch zahlreiche Heiligtümer, die dem Heiligen geweiht sind, bezeugt wird und zwar in Frankreich und in Belgien, in England, wie in Italien und in den deutschen Ländern.

Eine Kirche, gegründet durch Ludwig den Frommen, soll ein erstes Mal zwischen 1045 und 1070 wiederaufgebaut worden sein. Aber das jetzige, sehr unterschiedliche Bauwerk, ist das Produkt verschiedener Bauperioden, die wegen des Fehlens von Dokumenten, Anlass zu vielen sich widersprechenden Mutmassungen gaben.

DAS INNERE. Das Schiff zählt fünf Joche. Die drei ersten sind ohne Seitenschiffe, begleitet von transversalen Bögen, die unabhängig sind von den Mauern. Ein Bogen besitzt Grat-, die anderen Tonnengewölbe. Bei den zwei letzten Jochen weist das Mittelschiff ein gebrochenes Tonnengewölbe auf, mit engen Seitenschiffen, die von kleinen Stützbogen durchquert werden. Die Pfeiler wechseln mit einfachen Säulen ab. Die Mauern zeigen Entlastungsbögen. Man bemerkt zahlreiche Ungleichheiten und Flickarbeiten. Im dritten und längsten Joch stützt sich der Bogen auf der Nordseite im Westen auf eine dicke Säule und verkleinert im Osten den Eingang des Seitenschiffes.

Das Querschiff ist ganz besonders ungleichartig. Die Vierung, bedeckt mit einem Laternenturm auf Zwickeln, verbindet sich mit der Ostseite des Schiffes, dessen Abseiten sich durch Tonnengewölbe und nebeneinandergestellte Bögen, die verschiedenen Epochen angehören, verlängern. Auch die Pfeiler am Eingang des Chores sind nicht homogen. Sie tragen Spuren schwer erklärbarer Aenderungen. Zwei kleine Säulen geben die Oeffnung der ursprünglichen Apsis an. Erst später wurden rechteckige Pfeiler aufgeführt, die die Kuppeln auf Zwickeln der Querschiffe tragen sollten. Die Ansatzstelle einer verschwundenen Absidialkapelle lässt sich im Osten des nördlichen Querschiffes erraten. Im Hintergrund des südlichen Querschiffes ist der alte Sarkophag des hl. Leonhard erhalten.

Das sehr hohe Chor ist eine ehrgeizige Nachahmung der Wallfahrtskirchen. Eine Tribüne, mit einem Gewölbe aus Kreissegmenten existiert noch im ersten südlichen Joch. Eine Gallerie mit kleinen Oeffnungen umgab die Apsis wie in Saint Martial zu Limoges. Nach einem Zusammenbruch des Gewölbes hat man im Jahre 1603 mehrere Träger durch unschöne Massive verstärkt und den obersten Teil des Chor notdürftig wiederaufgebaut. Das romanische Werk ist von einer äussersten Eleganz : sehr schlanke Säulen, breiter Chorumgang, sieben mit Arkaden geschmückte und durch zahlreiche limousinische Fenster erhellte Kapellen.

DAS AEUSSERE. Die Westfassade ist gotisch. Die Mauern des Schiffes, in kleinem Mauerverband, und die Nordfenster deuten auf eine zurückliegende Epoche hin. Der äusserste Teil des nördlichen Querschiffes ist neu gemacht, jener des südlichen Querschiffes ist ursprünglich und verband sich mit den Kapitelsgebäuden. Der achteckige Laternenturm ist unvollendet. Die Kapellen bilden eine reiche Krone um die Apsis. Ihre Widerlager werden, wie in Solignac, durch zwei ungleiche, übereinander gestellte Säulchen gebildet. Die Kapitelle der »limousinischen« Fenster, sowie die Sparrenköpfe am Karnies sind gehauen. Das Zentralfenster der Mittelkapelle ist grösser und ausgiebiger verziert. Das Chorgewölbe wird durch Strebebogen gestützt, die im 17. Jahrhundert aufgeführt wurden.

Der Seitenturm ist das schönste Exemplar des limousinischen Typs mit dreieckigen Giebeln, die den Uebergang zwischen dem Viereck und dem Achteck vermitteln. Er vereinigt den Schwung der Silhouette mit monumentaler Kraft. Seine oberen Stockwerke wurden 1880-1885 neu aufgebaut. Das Erdgeschoss mit Mittelpfeiler bildet die Eingangshalle. Die Kapitelle aus Granit zeigen Palmenblätter, Vögel und Personen und machen oft einen altertümlichen Eindruck. Die schmiedeisernen Beschläge der Türen, die ins Schiff führen, sind heute im Museum der Kreuzgänge in New York.

Zwischen dem Glockenturm und dem nördlichen Querschiff steht ein Rundbau dessen Kuppel auf dicken Säulen ruht. Er weist vier Absidialkapellen auf und sollte wohl das Andenken an das heilige Grab wachrufen. Heute dient es als Taufkapelle.

ARCHEOLOGISCHE PROBLEME. Nach dem Untersuch des Baues kann die wahrscheinlichste Chronologie folgendermassen zusammengefasst werden :
— Die Mauern des Haupt- und des Querschiffes sind jene der Kirche des 11. Jahrhunderts. Diese war nicht eingewölbt. Das Chor beschrieb drei Parallel-Absiden. Die Urkunden reden von einer Krypta, die später zugemauert wurde. Es wäre interessant, sie auszugraben. Der Haupteingang war, so scheint es, schon damals im Norden.
— Der Rundbau des »heiligen Grabes« wurde nach dieser Kirche aufgeführt, aber sicher noch vor dem Ende des gleichen Jahrhunderts.
— In der ersten Hälfte des 12. Jahrhunderts wurde die Kirche nach den verschiedenen romanischen Methoden eingewölbt. Die Kuppeln des Querschiffes scheinen aus der gleichen Zeit zu stammen wie die ältesten von Solignac. Für die Vierung und die östlichen Joche des Schiffes hat der Gebrauch von Seitenschiffen erlaubt, das Schiff zu verengen. Der Bau des Glockenturmes, ungefähr zur gleichen Zeit, verlangte die Verbreiterung des dritten Joches, dann die Rückkehr zu einem einzigen Schiff, ausgeglichen durch querliegende Tonnengewölbe. Das grosse Chor kann zwischen 1150 und 1180 angesetzt werden. Aber sein Stil erlaubt es nicht ihn mit der Freigebigkeit Richards Löwenherz nach dessen Befreiung im Jahre 1197, in Verbindung zu bringen.
— Das Gratgewölbe im Westen des Schiffes ist eine Nachschaffung aus der Zeit, die auch den oberen Teil der Apsis wiederhergestellt hat. Zahlreiche neuere Restaurationen haben die Probleme noch verwickelter gemacht, die diese Kirche stellt. Sie ist ohne Zweifel die eigenartigste, aber gerade dadurch auch die anziehenste der Provinz.

Tafel der Abbildungen

Chambon-sur-Voueize

Das Kloster Chambon in der Combraille, an der Grenze zwischen der Auvergne und dem Bourbonnais, befand sich in Abhängigkeit von Saint-Martial in Limoges. Die Reliquien der heiligen Valeria wurden im Jahre 985 hierher übertragen. Valeria war eine Schülerin des Apostels des Limousin. Die Legende machte aus ihr eine Jungfrau und Märtyrin. Obwohl die Gegend immer ziemlich isoliert blieb, muss doch die Wallfahrt genügend gross gewesen sein, um seit dem Ende des 11. Jahrhunderts den Bau einer bedeutenden Kirche zu rechtfertigen, die sichtbar von der Kunst der angrenzenden Provinzen beeinflusst ist.

DAS INNERE. Das lange und hohe Schiff besteht aus zwei gut unterscheidbaren Teilen. Die sieben ersten Joche weisen feinere und sich näherstehende Pfeiler zu vier Säulen auf; die Seitenschiffe sind breiter als in der Mehrzahl der limousinischen Kirchen. Die Fenster erhellen direkt das Hauptschiff. Eine solche Konstruktion verträgt sich schlecht mit einer drückenden Decke : in Wirklichkeit sind die Gratgewölbe neueren Datums (1852). Sie verdecken einen schönen Dachstuhl aus dem 15. Jahrhundert. Das romanische Schiff muss auch eine Holzdecke gehabt haben. Eine sehr ähnliche Decke wurde kürzlich in der benachbarten Kirche von Evaux-les-Bains wiederhergestellt. Der Schmuck dieses Schiffes ist sehr nüchtern; die nackten Kapitelle erinnern an jene von Saint-Etienne zu Nevers.

Darauf folgen zwei Joche, bedeckt mit einem gebrochenen Tonnengewölbe, ohne Fenster und versehen mit Seitenschiffen, die von Viertelsgewölben bedeckt sind. Starke Pfeiler, mit Saülen und Säulchen versehen, unterstützen breite Arkaden, die im letzten Joch schräg angeordnet sind, denn das Schiff — im vorhergehenden Joch ziemlich erweitert — wird gegen das Querschiff hin wieder enger.

Die Pfeiler der Vierung sind verhältnissmässig dünn und tragen oben Zwickel, die im Kreisplan einer Kuppel liegen. Die Laterne der Kuppel selber ist modern. Die Arme des Querschiffes sind verlängert und stark überragend. Derjenige im Süden hat zwei abgerundete kleine Absiden; seine oberen Partien wurden durch Restaurationen verändert. Ein runder Turm, der das Archiv des Klosters enthielt, springt an seiner Süd-Westecke vor. Der nördliche Arm des Querschiffes wurde in der gotischen Zeit fast vollständig neu aufgebaut. Sein äusserster Teil, eingeteilt in zwei Stockwerke, bildet unten eine quadratische Kapelle und darüber eine Tribüne mit Spitzbogengewölbe. Diese Anordnung hatte den Zweck den Reliquien im Kriegsfall einen Schutz zu bieten. Die Tribüne ist nur durch eine enge Treppe in der Nähe des Einganges zum Chorumgang erreichbar, oder, indirekt, durch diejenige im Westen des südlichen Querschiffes.

Das sehr kurze Chor ist eine neue Abart der Wallfahrtskirchen. Es ist umgeben von einer dunklen Gallerie, die von Viertelsgewölben bedeckt ist, mit kleinen Oeffnungen in der Apsis, mit anderen, grösseren im Westen des Querschiffes. Die schlanken Säulen des Altarraumes besitzen Kapitelle, die summarisch mit Eckkugel versehen sind. Der Chorumgang mit Gratgewölbe führt zu drei anstossenden, abgerundeten Kapellen, deren Eingang mit einem Wulst und Säulen geschmückt ist, die von hohen quadratischen Sockeln ihren Ausgang nehmen. Die Gesamtheit dieser Formen ist ziemlich verschieden von dem im Limousin Gewohnten und die Einrahmung der Fenster in den Absidialkapellen ist altertümlich.

Achten Sie in der Kirche auf ein interessantes Bild aus dem 15. Jahrhundert, das das Martyrium der heiligen Valeria darstellt. Im Pfarrhof können Sie das schöne Büsten-Reliquiar in Silber aus der gleichen Epoche sehen, geschmückt mit einer reichen Kette von Goldschmiedearbeit.

DAS AEUSSERE. Die mit direktem Licht versehenen Joche haben abgestufte Dächer und lassen an die Kirche von Ebreuil im Borbonnais denken. Die Widerlager sind flach, der Mauerverband klein. Eine Perlenschnur umgibt die Fenster des südlichen Seitenschiffes und diejenigen des Mittelschiffes auf beiden Seiten. Ein viereckiger Glockenturm zu zwei Stockwerken, mit schiefergedecktem Pyramidendach, überragt nicht etwa die Vierung, sondern die zwei letzten Joche des Schiffes. Er ruht also zum Teil auf dem inneren Gewölbe, das sich mehr als er gegen Osten verlängert. Im entsprechenden Teil der Abseiten weisen die Mauern Anzeichen von Wiederaufbau auf. Die Fenster im Norden sind umgeben mit Perlenschnüren und überragt von einem zweiten, waagrechten Band.

Das nördliche Querschiff bietet von aussen einen militärischen Anblick und hat nur wenige Fenster. Ein Portal öffnet sich im Westen. Das südliche Querschiff ist zum Teil entstellt, mit Ausnahme einer Absidialkapelle. Die Kapellen des Chorhauptes sind oben durch kleine Gewölbe vereinigt unter einem durchlaufenden Karnies mit Sparrenköpfen. Jede Kapelle hat nur ein Fenster. In den schräggestellten Kapellen sind es »limousinische« Fenster, in der Mittelkapelle sind sie mit eigenartigen Wülsten verziert. Die Mauern im Halbkreis des Chorumganges und des Altarraumes sind stark restauriert.

Der Eingangsturm im Westen datiert erst aus dem 13. Jahrhundert. Er wurde am Ende des Mittelalters mit einem bedeutenden Verteidigungssystem aus Balken gekrönt.

CHRONOLOGISCHE PROBLEME. Die Archive von Chambon wurden zur Revolutionszeit verbrannt und die Bauzeiten der Kirche werden diskutiert. Lefèvre-Pontalis und Deshoulières glaubten, das Chor sei älter als das Schiff. Jean Verrier betrachtet mit mehr Grund das letztere als älter. Die zwei gewölbten Joche wären dann umgestaltet worden, um den Glockenturm zu tragen, der ungefähr gleichzeitig mit der Apsis erbaut wurde. Die Gesamtheit der Arbeiten könnte sich vom letzten Drittel des 11. Bis zur Mitte des 12. Jahrhunderts ausdehnen. Die Apsis ist ebenso eng, wie der erste Teil des Schiffes. Dies erklärt die ungewohnte Nebeneinander-Stellung der Kapellen. Die eigenartige Plazierung des Ostturmes ist entweder das Resultat zu schwacher Pfeiler der Vierung, oder dann wollte man die Fundamente eines älteren Heiligtums benützen. In den Jahren 1440 und 1574 beschädigt, wurde die Kirche seither mehrmals restauriert. Diese Retouchen sind oft schwer abzugrenzen und hindern die genaue Zuteilung an die verschiedenen Wiederaufbau-Arbeiten.

Tafel der Abbildungen

Wie derjenige von Saint-Léonard, so beherbergte der Ort von Saint-Junien zuerst eine Einsiedelei. Junian, Sohn eines Grafen von Cambrai, teilte das Leben eines Eremiten mit dem heiligen Amandus, der sich gegen das Jahr 500 zwischen den Felsen von »Comodoliac«, in der Nähe von Vienne, niedergelassen hatte. Er wurde durch seine Wunder berühmt. Nach seinem Tode 540, erbaute der Bischof von Limoges, Roricus II, den er geheilt hatte, über seinem Grabe ein Oratorium und legte dann 544 den Grund zu einer grösseren Kirche.

Eine Chronik aus dem 14. Jahrhundert erzählt diese Anfänge. Aber ihr Autor, der Kanoniker Stefan Maleu, verwechselt den romanischen Bau mit dem ursprünglichen und schiebt diesem die Beschreibung einer Konsekration zu, die er auf 1102 ansetzt, während sie eher 1100 vorgenommen wurde. Im Folgenden erwähnt er dann nur noch Ergänzungsarbeiten : Anno 1223 den Bau der Sankt Martial Kapelle und 1230 die Verlängerung des Chores.

Nach anderen Quellen wurde die erste Kirche 866 durch die Normannen zerstört. Das heruntergekommene Kanonikat wurde am Ende des 10. Jahrhunderts durch den hl. Israel, der von Dorat kam, reformiert. Es ist wahrscheinlich, dass die reichen Kanoniker vor 1100 mit dem Bau einer neuen Kirche beginnen konnten, die dann im 12. Jahrhundert mit der Fassade und vielleicht auch schon mit Aenderungen im Chor weiter ausgebaut wurde. Die Kapellen des Querschiffes stammen aus dem Anfang des 13. Jahrhunderts, ebenso die von Maleu angegebenen Zugaben.

Die Spitze des Vierungsturmes fiel 1816 zusammen. Die Kirche wurde von 1845-1906 restauriert. Aber im Jahre 1922 stürzte der Turm selber zusammen. Er wurde seitdem wieder aufgebaut, so wie auch mehrere Pfeiler des Chores.

DAS INNERE. Das erste Joch des Schiffes besitzt eine Kuppel und seitliche Gratgewölbe wie in Dorat. Es ist an zwei ältere Joche angeschlossen, die von einem mächtigen und strengen Stil sind : drei parallele Tonnengewölbe, ungeheure Säulen auf viereckigen Basen, grosse, weitgeöffnete Arkaden, Fenster und Kapitelle ohne Schmuck. Im Norden des letzten Joches fügt sich eine Kapelle des 15. Jahrhunderts an.

Die beiden Flügel des Querschiffes, bedeckt von einem gebrochenen Tonnengewölbe, scheinen noch altertümlicher zu sein : Der Mauerverband ist unregelmässig, mit einem Entlastungsbogen im Westen und sehr spätem Radfenster auf den Enden. Die östlichen Kapellen weisen dicke, quadratische Spitzbogen auf. Diese Kapellen wurden erst später geöffnet. Diejenige im Süden soll am Platz des ursprünglichen Oratoriums stehen. Die ziemlich schwerfälligen Kapitelle der Vierung sind aus Granit. Der achteckige Vierungsturm auf flachen Zwickeln, genau dem alten nachgebildet, hat nur vier Oeffnungen unter seiner Kuppel.

Auch das Chor besitzt ein gebrochenes Tonnengewölbe und ist ohne direkte Beleuchtung. Seine Seitenschiffe haben Gratgewölbe. Die Pfeiler der beiden ersten Joche, die genau wiederhergestellt wurden, stehen näher beieinander als im Schiff und sind weiter entwickelt zu vier Säulen; Gegen die Mauern ersetzen Säulen die Pilaster. Die meisten Kapitelle sind gehauen. Sie zeigen verschiedenartige Inspirationen und im Allgemeinen eine etwas rohe Technik. Nach Maleu endete das Chor vor 1230 durch eine gerade Mauer im Osten des dritten Joches. Man kann sich fragen, ob nicht schon der ursprüngliche Plan abgeändert worden ist. Die Joche des 13. Jahrhunderts unterscheiden sich in Bezug auf die Struktur nicht von den

312

andern. Man erkennt darin nur charakteristische Linien der letzten Phase der Romanik des Limousin : breitere Arkaden, elegantere Träger und Verzierungen, leere Kapitelle mit weichen Konturen. Die Chorhaube, von neuem geradlinig schmückt sich mit einem runden Fenster mit zwölf Fensterkreuzen.

Das Grab des heiligen Junian hinter dem Hochaltar ist aus feinem Kalkstein. Seine Skulpturen erinnern in ihrer Anordnung an die Reliquienschreine aus Edelmetall. Im Süden finden wir zwölf Greise aus der Apokalypse unter ziselierten Arkaturen, das Osterlamm zwischen zwei Engeln; im Osten : Christus in der Glorie, die Symbole der Evangelisten, sowie Engel in Büsten. Im Norden: die thronende Jungfrau-Mutter und zwölf weitere Aelteste. Herr Paul Deschamps hat dieses wichtige Werk nach seinen Inschriften datiert. Die eine auf dem inneren Revers der Ostseite ist ein wenig später als die Translation von 1100, die sie erwähnt. Aber der Stein wurde später gedreht, um behauen zu werden und die Inschriften über Christus und diejenigen um die allerseligste Jungfrau geben als Datum das Ende des 12. Jahrhunderts an.

Vor einigen Jahren hat man in der Kirche wertvolle Reste von Fresken entdeckt. So zuhinterst im nördlichen Querschiff einen grossen Christophorus, aus der gleichen Zeit, wie das Grab des hl. Junian. Am Gewölbe der Kapelle des südlichen Querschiffes fand man heilige Bischöfe und die Parabel vom reichen Prasser aus dem 13. Jahrhundert. In der Kapelle des heiligen Martialis im Norden des Chores, deckte man eine Reliquien-Prozession ab, voller Schwung, aber leider stark zerstört, aus der gleichen Epoche. Achten Sie auch im Schiff auf die eigenartigen Holz und Steinstatuen des 16 und 17. Jahrhunderts und, im südlichen Seitenschiff, auf eine Grabplatte aus graviertem Kupfer aus dem 15. Jahrhundert.

DAS AEUSSERE. Die äusseren Volumen zeigen die Nüchternheit der südlichen Kirchen : hohe Mauern mit geraden Flächen, ein einziges Dach über die drei Schiffe. Die steile Chorhaube mit dreieckigem Giebel zwischen zwei Türmchen, erinnert an die Kathedrale von Poitiers. Auf den Seiten des Chores, wo die Verkürzung der zwei letzten Joche sehr gut sichtbar ist, sind einzig die Fenster der Sankt Martialkapelle geschmückt.

Ein Türmchen mit achteckigem obersten Stockwerk, kleinen Oeffnungen und einem Helm aus Stein, überragt die Ecke des nördlichen Querschiffes. Das südliche Querschiff erscheint — wie auch im Innern — älter als das Schiff.

Das Hauptstück ist die Fassade. Sie ist an der Basis zusammengesetzt wie diejenige von Dorat und La Souterraine. Zwei zusammengezogene Arkaden begleiten das Portal, das mit »limousinischen« Wölbungen und einem Mittelposten ausgestattet ist. Ein Stockwerk, begleitet von Bändern kriechender Tiere, ist eingerahmt von zwei vielseitigen Türmchen, denen kreisförmige Vorsprünge und konische Pfeile einen militärischen Anstrich geben. Der unvollendete Turm war nach dem »limousinischen« Typ von Saint-Léonard vorgesehen : Die Fenster des zweiten Stockwerkes zeigen Anfänge von einem sehr steilen dreieckigen Giebel. Das Achteck ist nur angedeutet, aber doch gut unterscheidbar. Dieser Turm, dessen Sihoutte sehr hoch hätte sein sollen, wurde nicht vor dem Beginn des 13. Jahrhunderts aufgeführt.

Tafel der Abbildungen

Le Dorat

Da die Archive von Dorat durch die Revolution zerstört worden sind, besitzen wir nur spätere und einzelne Kopien. Die Gründung durch Chlodwig ist rein legendär. Der ursprüngliche Name »Scotorium« lässt vermuten, dass angelsächsische Mönche die Gründer seien. Der Name »Le Dorat« wird allgemein erst im 12. Jahrhundert gebraucht und verdankt seine Entstehung einer Goldschmiedearbeit.

Gegen 980 berief Boson, Graf der Marche, ein Kapitel von Regular-Kanonikern, das im 11. Jahrhundert durch die Heiligen Israel und Theobald berühmt wurde. Die Kollegialkirche besitzt heute noch ihre Reliquien. Nach den Urkunden wurde die Kirche 1013 ein Raub der Flammen. 1063 wurde die neue Kirche und 1075 der Hochaltar geweiht. Diese Daten beziehen sich aber nicht auf den heutigen Bau, der charakteristische Züge des 12. Jahrhunderts trägt. Wir besitzen keine Urkunden über den Verlauf der Bauarbeiten, mit Ausnahme der Uebertragung der Reliquien in die Krypta im Jahre 1130. Der Bau hat keine grossen Aenderungen erlitten. Er weist einige Reste von Befestigungswerken auf, die das Jahr 1425 hinzugefügt hat.

DAS INNERE. Ein sehr hoher Perron überragt das Schiff, dessen Anblick deshalb von überraschender Majestät ist. Logischerweise beginnt man die Besichtigung mit dem ältesten Teil, der Krypta, die sich unter dem Chor befindet und dessen Bauplan sie bestimmt. Sie enthält einen Altarraum, dessen Gewölbe von kleinen Säulen getragen wird; einen Chorumgang mit einem Tonnengewölbe und drei Kapellen. Ihre Einfachheit zwingt uns sie vor das Jahr 1100 anzusetzen.

Das Chor von einheitlichem Stil ist kurz, mit gebrochenem Tonnengewölbe und runder Apsis. Die Säulen des Altarraumes stehen in unregelmässigem Abstand und haben grossartige Granitkapitelle. Der Chorumgang mit Gratgewölbe ohne Gurten erhält sein Licht durch "limousinische" Fenster. Das Gleiche gilt auch für die kleinen Absiden, deren Mauern mit Arkaden geschmückt sind.

Für das Querschiff muss eine andere Bauperiode angenommen werden : mit Ausnahme der geosteten, kleinen Absiden und des Teiles im Osten der Vierung gleicht die Ausführung dem ersten Joch des Hauptschiffes. Halbsäulen mit prächtigen Granitkapitellen tragen Zwickel und einen Laternenturm, der mit einer Kuppel überdacht ist und durch acht "limousinische" Fenster Licht erhält. Dieser ganze Aufbau zeigt eine grosse Feinheit der Linien. Ein Fenster mit dreifacher Bogenwölbung öffnet sich in jedem Arm des Querschiffes.

Das Schiff weist ein gebrochenes Tonnengewölbe auf, ohne direktes Licht, begleitet durch schmale Seitenschiffe mit Gratgewölben. Die meisten Pfeiler haben nur eine Säule gegen das Mittelschiff und Pilaster auf den anderen Seiten. Wie in Souterraine, Saint-Junien und Bénévent überragt eine Kuppel mit einem Turm das Eingangsjoch. Seine Seitenarkaden besitzen Säulen mit schönen Kapitellen. Zahlreiche Unregelmässigkeiten in den Einzelheiten lassen den Fortschritt der Arbeiten sehen : Das erste Joch im Osten ist länger als die andern, seine westlichen Pfeiler sind komplizierter, vielleicht später abgeändert; die Südmauer zeigt zahlreiche Abweichungen. Die Basis der Gewölbe ändert sich an Höhe im zweiten Joch der Seitenschiffe und im dritten des Hauptschiffes. Die Simswerke werden feiner gegen Westen hin, schliesslich zeigen die Mauern verschiedene Anfänge. Es ist wahrscheinlich, dass man nach dem Joch, das dem Querschiff am nächsten lag, das folgende zu bauen unternahm, indem man den Säulenabstand änderte. Dann baute man das Joch der Fassade und vollzog den

314

Anschluss von Westen nach Osten. Die Nordmauer scheint älteres Mauerwerk zu benützen.

Von der Kirche des 11. Jahrhunderts stammt ebenfalls das grosse, mit Löwen geschmückte Taufbecken aus Granit. Ein silbernes Kreuz-Reliquiar verziert mit Halbedelsteinen und ungeschnittenen Edelsteinen, wird in der Sakristei aufbewahrt.

DAS AEUSSERE. Die Apsis ist sehr malerisch mit ihren steingedeckten, spitzen Dächern und dem bewehrten Türmchen, das die Mittelkapelle überragt; sie ist umgeben von offenen Türmchen. Die Strebemauern der Kapellen sind sehr einfach und alle Fenster nach dem "limousinischen" Muster. Leider ist diese Chorhaube nur vom Garten eines benachbarten Klosters aus gut sichtbar, ebenso auch die Südseite des Schiffes.

Die Seitenschiffe besitzen ebenfalls Fenster mit wulstartigen Leibungen und kräftigen, rechteckigen Strebepfeilern. Die verschiedenen Anfänge des Mauerverbandes zwingen zu den gleichen Schlüssen wie im Innern. Die Nordseite besitzt zudem im dritten Joch ein Portal, dessen eigenartiger Türsturz mit einer Inschrift geschmückt ist. Das Gelände steigt aussen sehr stark nach Westen an, das Schiff allmählich begrabend, während ein Graben die Mauer frei hält.

Ein anderes Portal, versehen mit Wülsten und Säulchen öffnet sich am Ende des nördlichen Querschiffarmes. Vor dem Giebelfenster befand sich einst eine Arkade, die ebenso tief war wie der darunterliegende Eingang. Der Vierungturm strebt mit wunderbarem Schwung in die Höhe; über der Laterne und einem Band von blinden Dreipässen folgt das letzte Geschoss und die Turmspitze. Sie scheinen aus dem Anfang des 13. Jahrhunderts zu stammen. Sie erinnern in der Tat an die Türme, die man in der Ile de France während der Uebergangsperiode von der Romanik zur Gotik baute. Ein kupferner Engel, der einst vergoldet war, krönt die Turmspitze.

Durch die schmalen Arkaden auf beiden Seiten des Portals gleicht die Westfassade jener von La Souterraine und Saint-Junien. Ein Mittelpfosten trennt das Portal in zwei Oeffnungen. Seine Leibungen haben eine sehr markante Zeichnung,

monumentaler weil einfacher als jene vom Portal von La Souterraine. Ein breiter, niedriger, mit Arkaden geschmückter Turm krönt das Erdgeschoss zwischen zwei Türmchen, die denjenigen der Apsis gleichen.

Die Kollegialkirche von Dorat bildet — trotz der Verschiedenheit in den Einzelheiten — eine grossartige Harmonie und ist gerade deswegen zweifellos die eindruckvollste aller Kirchen des Limousin. Ihr Mittelturm ist ein wirkliches Meisterwerk und das Innere macht den Eindruck von hochstehender Kunst. Der Bildschmuck ist äusserst kräftig trotz der Härte des Steines. Die Kirche würde es verdienen, besser bekannt zu sein.

Tafel der Abbildungen

Von der bedeutenden Abtei Saint-Martial zu Limoges bleiben uns nur ihre Bücher. Aber diese geben uns ein sehr genaues Bild von der geistigen und künstlerischen Tätigkeit des Klosters. Saint-Martial war für Literatur, Geschichte, Musik und Malerei einer der bedeutendsten Mittelpunkte westlicher Kultur, zwischen Nord und Süd.

Die ältesten bekannten Werke aus dem Limousin, eine Bibel aus dem 10. Jahrhundert und ein Lektionarium, ebenfalls aus dem 10. Jahrhundert, wenn auch etwas später, entlehnen ihre Ausschmückung der karolingischen Schule von Tours, genauer gesagt, den Handschriften, die unter der Leitung Alkuins (+ 804) gemalt wurden. Die Bibel trägt zu Anfang eines jeden ihrer Bücher eine Lettrine mit dicken, karolingischen Palmblättern; die Bögen der Kanons ihrer Evangelien (S. 12) ruhen auf verschiedenen Tieren, während die Säulen mit wütend ineinanderverschlungenen Bestien ausgestattet sind, so wie man sie später in Moissac und Souillac wieder finden wird (vergl. unser Quercy Roman). Das Lektionarium benützt ähnliche Motife, die aus der gleichen Quelle geschöpft werden. Es ist jedoch zu bemerken, dass die Initiale nicht immer einfach eine Phantasie-Dekoration aufweist. Vielmehr ziehen die Künstler des Westens aus dem Text, den die Initiale einleitet, die Elemente ihrer Ausschmückung, wie dies hier beim betreffenden Bild zu sehen ist (Abb. 1). Es handelt sich um das Leben des heiligen Thomas. Deshalb ist der Heilige in die Initiale B des "Beatum Thomam" hineingezeichnet.

Mit dem Lektionarium endet die erste Epoche der limousinischen Buchmalerei, die in der Folge nicht weitergeführt wird. Denn es hat in Wirklichkeit keinen Zusammenhang in den monastischen oder anderen Schulen. Es ist dies ein Gesetz der romanischen Malerei in Frankreich. Zu Saint-Martial existierten mindestens drei limousinische Schulen. Die zwei ersten sind durch ein Jahrhundert von einander getrennt, die dritte gleichzeitig mit der zweiten.

In der zweiten Schule finden wir den Einfluss Aquitaniens und des östlichen Mittelmeeres. Diese zweite Schule ist vertreten durch ein Sequenzenbuch aus dem ersten Drittel des 11. Jahrhunderts. Wir zeigen den berühmten heiligen Martial die Pfauen umarmend (S. 238) Das Motiv ist sehr wahrscheinlich irgend einem Modell auf einem byzantinischen Gewebe entlehnt. Die geschmückte Initiale B (S. 237) stammt ebenfalls aus diesem Sequenzenbuch.

Zwei sehr verschiedene Meisterwerke markieren die dritte Schule : eine Bibel, genannt zweite Bibel von Saint Martial und ein Sakramentarium, verfasst und gemalt für die Kathedrale Saint-Etienne.

Vorerst ist zu bemerken, dass die Bibel von zwei ungleich begabten Künstlern ausgeschmückt wurde. Der erste genoss eine aquitanische Ausbildung. Er hat Geschmack für geometrische Kompositionen klar und luftig wie es die Bilder der *Apokalypse* von Saint-Sever in der Gascogne sind. Von ihr führt er seine grundlegenden Eigenschaften her : die flache und leblose Farbgebung, die er zurückdämmt ohne sie zu ändern; die in horizontale Bänder eingeteilten Hintergründe, der Rahmenschmuck, kurz die ganze Anordnung (vergl. Abb. 2 und 3). Dieser Aquitanier, durchdrungen von der Kunst seines Landes ist erwiesenermassen ein grosser Künstler. Als genauer und sorgfältiger Zeichner versteht er es durchf eine Gegengewichte ein Bild aufzulockern, das sonst durch ein zu strenges Gleichgewicht, das durch die Gleichförmigkeit der Farbgebung noch unterstrichen wird, verhärten müsste. Der Papst Damasus (Abb. 2) dominiert — trotzdem er sitzt — durch seine hohe Gestalt den Priester Hieronymus, so wie es sich gehört. Aber dieser, allein zur Linken ist in Gefahr aus dem Bild herauszufallen. Deshalb hält er in der Hand den übergross gemalten "Brief an Damasus". Die gleiche Bemerkung gilt für das Bild vom Herrn und Moses (Abb. 3).

Nur wenig später als diese zweite Bibel von Saint-Martial, versetzt uns das Sakramentarium von Saint-Etienne in eine hefige und pathetische Welt. Zehn ganzseitige Malereien (eine Davon fehlt) schmücken dort als Titelblatt den Kanon der Messe und die wichtigsten Messen des Jahres, vom Advent bis Pfingsten. Unsere Reproduktionen zeigen die Darstellung im Tempel (S. 239) und die heiligen Frauen beim Grabe (S. 240). Sie sind geeignet uns eine gute Idee vom Gesamtwerk zu geben. Doch können wir leider die enge Verwandtschaft dieser Ikonographie mit derjenigen jenseits des Rheines nicht zeigen. Machen wir wenigstens bei den Gewändern auf die rechteckigen, vergoldeten Ausschmückungen aufmerksam, die ohne Zweifel von dorther stammen, denn dieses Verfahren ist damals sowohl im Norden als auch im Süden Frankreichs unbekannt.

Alle hier abgebildeten Handschriften mit ihrer Malerei befinden sich in der Nationalbibliothek zu Paris.

Tafel der Abbildungen

Email und Goldschmidearbeiten

Emailarbeiten auf Kupfer ist eine Kunstindustrie, die noch heutzutage in Limoges ausgeübt wird. Die zwei grossen Epochen ihrer Geschichte liegen im 12. und 13. Jahrhundert, dann am Ende des 15. und im 16. Jahrhundert. Die romanische Epoche sah diese besondere Art der Schmelzkünste in verschiedenen Gegenden von Europa aufblühen, besonders im Rhein-Mosel Gebiet und in Nordwest-Deutschland, in Aquitanien und im Nordwesten Spaniens, sowie ohne Zweifel in Sizilien. Die Werke selbst lehren uns, dass einige Künstler Erben der Traditionen westlicher Goldschmiedekunst und der Glasbereitung waren, dass sie anderseits aber auch eine reiche, künstlerische Erfahrung besassen, die sie sich im Kontakt mit den herrlichen Werken des christlichen und musulmanischen Orients angeeignet hatten (Email, Seidenwaren, Mosaik, Miniaturen). Die Arbeitsweise und den Kunststil haben sie nach dem Geschmack ihrer Zeit und ihrer Umgebung erneuert.

Seit dem letzten Drittel des 12. Jahrhunderts beweisen sehr viele Stücke, die sich durch einen besonderen Schmuck auszeichnen (z. B. der Reliquienschrein von Gimel und von Malval. S. 270 und 274) und Heiligen gewidmet sind, die im Limousin besonders verehrt wurden — wie Sankt Martial, die heilige Valeria und Sankt Stephan — dass sich Künstler in Limoges niedergelassen hatten, die ihre sehr charakteristischen und geschätzten Produkte weit in die Christenheit hinaussandten.

Das Emaillieren ist eine Kunst des Feuers, die darin besteht das Metall mit einem vielfarbigen Ornament zu versehen. Der Prozess ist ein physikalisch-chemischer und befestigt durch Hitze künstliche Edelsteine, die Emaille, auf dem Metall. Die künstlichen Steine werden vorher zu Pulver zerstampft, das sich allen Formen anschmiegen kann. Im Augenblick des Schmelzens erlaubt ihnen eine Aenderung ihres physikalischen Zustandes dem Metall anzuhangen und mit ihm eine kopakte Masse zu bilden. Das Email selber ist eine dem Kristall nahestehende Glasart. Im gewöhnlichen Zustand farblos und durchsichtig, wird sie durch Weisszinnoxyd undurchsichtig gemacht. Mit Kobaltoxyd erhält sie eine blaue Farbe, mit Kupferoxyd wird sie grün, mit Eisenoxyd rot bis braun, mit Silberoxyd nimmt sie eine gelbe Farbe an, mit Manganoxyd wird sie schwarz und violett, Goldsalze verwandeln sie in durchsichtiges Purpur (vergl. die Reliquiare von Ambazac und Gimel S. 268 und 270).

Um die Zugabe von Email aufzunehmen muss die Oberfläche des Metalls kleine Zellen aufweisen. Diese können entweder aus Scheidewänden bestehen, indem schmale Metallstege hochkant auf dem Metall befestigt werden. Man nennt dies "Zellenschmelz". Oder man hebt aus dem Metall selber flache Gruben aus. In diese werden die Glasflüsse eingeschmolzen und nachher glatt geschliffen. Man nennt dieses Verfahren "Grubenschmelz". Die limousinischen Emailarbeiten sind Grubenschmelz in Kupfer ausgeführt; Einzelheiten auch im Zellenschmelz. Diese sind aber nicht häufig. Trotzdem kann man je nach der Arbeitsweise gut zwei Schulen unterscheiden. Eine der Charakteristiken des limousinischen Emails besteht darin, dass die Köpfe der Personen in Relief ausgeführt werden, während der übrige Körper flach ist. Diese Köpfe wurden wohl serienweise hergestellt, denn sie gleichen sich zu hunderten auf den Arbeiten zu Anfang des 13. Jahrhunderts (vergl. S. 11).

Es bleiben uns noch ziemlich viele kirchliche Geräte : erwähnen wir zuerst die Altarbekleidungen, die grossen Retabeln; dann die Altarkreuze, Rauchfässer, Weihrauchschiffchen und Kännchen. Hingegen sind Kelche und Patenen selten. Der Grund hiefür liegt darin, dass für diese beiden

Kultgegenstände das Gold sich besser eignet als Kupfer und Email. Die Liturgie des Allerheiligsten Altarsakramentes, die im 12. Jahrhundert eingeführt wurde, brachte es mit sich, dass jetzt grössere Gefässe für die Aufbewahrung der eucharistischen Gestalten gebraucht wurden, als die früheren Pyxides : Tabernakel, Kästchen, Ziborien mit Deckel, Tauben, die eine Spezialität von Limoges waren. Ebenfalls im 12. Jahrhundert bedachte man die Reliquien der Heiligen mit kostbaren Reliquiaren, die ihrer würdig waren. Dies ist eine andere Spezialität, worin sich die limousinischen Künstler auszeichneten. Dieses ganze liturgische Mobiliar verbreitete sich über ganz Europa von Galizien bis nach Kiew, von Irland bis nach Armenien. Die Museen und privaten Sammlungen bestätigen es reichlich.

IN DIESEM BAND ABGEBILDETE STUECKE :
— *Reliquienschrein von Bellac,* winziges, rechteckiges Haus, bedeckt mit einem Satteldach; mit zwei Bildern von Christus und den Symbolen der Evangelisten. Fünfzehn feine Steine finden sich unter den Gemmen, Smaragden, Amethysten und den ungeschliffenen Kristallen. (S. 266).
— *Ein Stabeinsatz* aus grün, türkischblau, blau und weiss emailliertem Kupfer, mit zwei Vögeln, die in zwei sich schneidende Kreise eingezeichnet sind. (Abb. 13).
— *Die zwei Reliquienschreine des hl. Stephan* (der eine zu Gimel im Departement Corrèze; der andere in Malval, Departement Creuse, aufbewahrt). Auf einem Grund stilisierter Vegetation (S. 270 und 274).
— *Ein Eucharistiekästchen.* (Museum von Limoges). Rechteckig, geschlossen mit einem Zeltdach. Es ist aus vergoldetem Kupfer und emailliert und ausserordentlich gut erhalten. Ein Aufhängering, der am Deckel befestigt ist, deutet darauf hin, dass dieses Kästchen an Kettchen über dem Altar befestigt werden konnte. Wahrscheinlich befand es sich unter einer kostbaren Gewebedecke. (Abb. 8).
— *Reliquienengel* (stammt vom Schatz des Klosters von Gramont). Es handelt sich um eine kleine Statue, die durch Hinzufügung eines Kristallgefässes auf dem Kopf und eines Sockels unter den Füssen, zu einem Reliquiar umgestaltet worden ist. Nur der Engel ist romanisch. Er ist sogar das älteste noch erhaltene Muster für die von Emailwerkstätten gemachten Versuche eine menschliche Figur plastisch darzustellen. (Abb. 10).
— *Reliquienschrein von Ambazac :* Eines der hervorragendsten Stücke limousinischer Emaillierkunst. Er gehörte zum alten Klosterschatz von Gramont. Der Schmuck (Abb. 7) zwingt uns anzunehmen, dass Modelle byzantinischer Goldschmiedekunst die Ornamentation beeinflusst haben, aber sie sind hier mit mehr Kraft behandelt.
— *Kreuzreliquiar von Gorre :* Kreuz mit doppeltem Querbalken, das als Reliquiar des echten Kreuzes dient. Stil und behandelter Stoff (Kampf wilder Tiere und Gestirne) versetzen die Ausführung in den östlichen Mittelmeerraum des 11. Jahrhunderts. (S. 276).

— *Reliquiar-Monstranz,* gebildet aus einer ausgehöhlten Bergkristallkugel, auf die ein Pflanzenmotiv ziseliert wurde. Sie soll früher Haare der allerseligsten Jungfrau enthalten haben. (Abb. 14).

Tafel der Abbildungen